◎もうだいじょ

不動産鑑定士

2025
年度版

TAC不動産鑑定士講座　編

過去問題集

はじめに

本書は，平成元年度以降の不動産鑑定士試験の経済学の問題と解答例をまとめたものです。

経済学の本試験の最近のおおまかな傾向としては，ミクロ・マクロの両分野から，経済事象を標準的な理論モデルを用いて分析させる論述問題と計算問題が，それぞれ1問ずつ出題されると言えます。しかし，2問ともミクロの問題が出題されたり（平成10年，27年度），計算問題（平成10年，12年，15年～27年，29年～令和6年度）や時事的な経済問題（平成11年，21年，26年，令和2年～5年度）が出題されることもあります。

不動産鑑定士試験は文系国家資格と言われています。経済学は確かに文科系の学問ではあるのですが，数学などと同じように，基礎的な理論をまず身につけてから，その知識を応用する形でさまざまな問題に対処していく必要があるという特徴をもっています。したがって，基礎の部分をないがしろにして，いきなり応用に進むというのは，効率的な学習とはいえません。まずは基本書を用いて，試験に必要な知識を身につけた後に，過去問の解答例を手がかりにして学習を進めることをお勧めいたします。

本書を利用される皆様は，次のような点に留意して学習を進めてください。

①本試験問題に対する完全な解答がどのようなものであるかを知り，それに少しでも近い答案が書けるようになることを目標として学習してください。

②【解答への道】を通じて，どのような知識があれば，どの程度の答案が書けるのかを確認してください。

最後に，本書を活用される皆様が，不動産鑑定士試験に無事合格されることを心からお祈りします。

2024年9月

ＴＡＣ不動産鑑定士講座

目　次

出題傾向一覧表

科目　：　ミクロ経済学

項目＼年度	平成元年	2年	3年	4年	5年	6年	7年	8年	9年	10年	11年	12年	13年	14年	15年	16年	17年	18年	19年	20年	21年	22年	23年	24年	25年	26年	27年	28年	29年	30年	令和元年	2年	3年	4年	5年	6年
1．消費者行動理論																																				
(1)　最適消費計画				○	○	○				○		○												○			○	○			○				○	
(2)　労働供給決定						○			○																											
(3)　貯蓄決定							○			○																	○									
2．生産者行動理論																																				
(1)　短期の企業行動																																			○	
(2)　長期の企業行動																																			○	
3．部分均衡分析																																				
(1)　市場均衡	○					○		○														○	○	○	○	○			○	○	○	○				○
(2)　税・補助金														○								○		○	○				○							○
(3)　産業の長期均衡	○																																			
4．一般均衡分析																																				
(1)　純粋交換経済																				○											○					
(2)　パレート効率性																				○							○				○					
5．厚生経済学																																				
(1)　基本定理																															○					
6．市場の失敗																																				
(1)　費用逓減産業										○																				○						
(2)　外部性								○			○			○								○							○						○	○
(3)　公共財																											○							○		
(4)　情報の非対称性														○			○						○											○		
7．不完全競争																																				
(1)　独占と規制政策	○	○								○					○				○	○	○									○			○			
(2)　寡占（複占）																○			○		○															
(3)　独占的競争	○																																			
(4)　生産要素市場（買手独占）		○																																		
8．国際貿易																																				
(1)　貿易利益・比較優位			○										○																							
(2)　貿易政策													○																							
9．その他																																				
(1)　企業形態																																				
(2)　規制緩和・自由化・自由貿易			○																																	
(3)　リスク（不確実性）					○							○						○															○			
(4)　ゲーム理論																											○					○	○			○

科目　：　マクロ経済学

項目＼年度	平成元年	2年	3年	4年	5年	6年	7年	8年	9年	10年	11年	12年	13年	14年	15年	16年	17年	18年	19年	20年	21年	22年	23年	24年	25年	26年	27年	28年	29年	30年	令和元年	2年	3年	4年	5年	6年
1．国民経済計算																																				
(1)　国民所得の諸概念																																				○
(2)　ＳＮＡの基本体系																																				○
2．財市場の均衡と45度線分析																																				
(1)　乗数理論					○		○	○															○										○		○	
(2)　ビルト・イン・スタビライザー					○													○																		
3．消費関数と投資関数																																				
(1)　消費決定の理論							○		○											○			○				○		○							
(2)　投資決定の理論									○			○									○	○														○
4．貨幣の需要と供給																																				
(1)　貨幣の機能																																				
(2)　貨幣需要						○			○											○			○					○				○			○	
(3)　貨幣供給と貨幣乗数															○						○	○	○												○	
(4)　金融機関の機能	○													○			○				○															
5．IS－LM分析と財政・金融政策																																				
(1)　IS－LM分析の基本概念			○			○		○	○				○			○	○			○	○	○	○		○			○			○	○	○			
(2)　政策効果とその波及			○			○		○					○			○	○			○		○			○			○			○		○			
(3)　資産効果									○		○		○				○					○														
6．総需要・総供給分析と物価水準																																				
(1)　物価水準の決定とインフレーション								○				○			○			○			○	○							○					○		
(2)　古典派モデルとケインジアンモデル																																○				
7．財政																																				
(1)　等価定理													○							○																
8．インフレーションと失業																																				
(1)　インフレ予想																									○									○		○
(2)　フィリップス曲線と自然失業率仮説																																				
(3)　マネタリストとケインジアンの主張の相違																																				
9．土地の理論価格の決定と変動											○													○	○							○		○		○
10．経済成長																																				
(1)　ハロッド＝ドーマー・モデル																																				
(2)　新古典派成長理論																			○							○				○						
(3)　内生的経済成長理論																														○						
11．景気循環																																				
12．国際マクロ経済学																																				
(1)　外国為替市場				○																○	○							○							○	
(2)　マンデル＝フレミング・モデル												○						○		○	○				○			○							○	
(3)　政策割当																																				
(4)　国際収支問題		○		○																																
13．日本経済論	○	○		○	○	○					○	○		○										○		○						○	○	○	○	○

不動産鑑定士

経済学過去問題集

◇ 平成元年度

問題❶　完全競争，独占，及び独占的競争とはそれぞれどのような市場形態をいうか，また，資源配分に関してどの様な意味合いをもつかについて論じなさい。

解答例

チェック・ポイント

題意の市場形態と資源配分の関係に関して，財市場における利潤最大化条件を用いて，部分均衡分析により論じていく。

（一）完全競争市場とは次のような特徴をもつ市場形態である。

①　財の同質性
②　多数の売手・買手の存在
③　完全情報
④　参入・退出の自由

（完全競争市場の特性）

このとき，個別企業は水平な需要曲線に直面するプライス・テーカーであり，その利潤最大化条件は，財価格が生産停止価格を下回らないならば，

財価格Ｐ（＝限界収入ＭＲ）＝限界費用ＭＣ

である。したがって，個別供給曲線は個別企業の限界費用曲線と一致し（〔図１〕），市場供給曲線は個別供給曲線の水平和をとることにより得ることができる。

（完全競争市場における個別企業の利潤最大化条件）

完全競争市場の市場均衡における資源配分の特性は以下のようにまとめられる（〔図２〕）。

①　市場供給曲線と市場需要曲線の交点において市場均衡が定まる。
②　消費者余剰と生産者余剰の和である総余剰が最大になるという意味で，効率的な資源配分が実現されている。

（完全競争市場の資源配分の特性）

（二）（売手）独占とは次のような特徴をもつ市場形態である。

①　市場にはただ一つの企業しか存在しない。
②　企業は価格支配力を有する。

（独占市場の特性）

独占企業は右下がりの市場需要曲線に直面し，その利潤最大

化条件は，

限界収入ＭＲ＝限界費用ＭＣ

である。このとき，独占企業の限界収入ＭＲは，需要の価格弾力性を ε とおくと，

$$MR = P \times \left(1 - \frac{1}{\varepsilon}\right)$$

と表されることから，市場価格は限界費用よりも高い水準に設定されることになる。

独占企業の利潤最大化条件

独占市場の市場均衡における資源配分の特性は以下のようにまとめられる（〔**図3**〕）。

① 価格と限界費用が乖離し，財の過少供給が起こる。

② 完全競争市場に比べて経済厚生（余剰）の損失（死荷重）が発生し，資源配分が非効率的になる。

独占市場の資源配分の特性

（三）独占的競争とは次のような特徴を持つ市場形態である。

① 財は同質的ではなく，製品の差別化がなされている。

② 個別企業は，自社製品の市場において価格支配力を有する。

③ 新規参入が可能である。

独占的競争市場の特性

独占的競争市場において，差別化された個々の製品を生産する個別企業は，独占企業と同様に，自社製品に対する右下がりの市場需要曲線に直面し，その利潤最大化条件は，

限界収入ＭＲ＝限界費用ＭＣ

である。このとき，財価格が平均費用を上回り，正の（超過）利潤が発生する限り，長期的には新規参入が生じ，その結果，独占的競争市場の長期均衡においては，個別企業の（超過）利潤はゼロになる（〔**図4**〕）。

独占的競争市場における個別企業の利潤最大化条件

独占的競争の長期均衡における資源配分は，価格と限界費用が乖離することから，非効率的である。また，独占的競争の長期均衡においては，〔**図4**〕に示されているように，生産量が平均費用を最小化する効率的生産規模を下回るという意味での非効率性も発生している。

独占的競争市場の資源配分の特性

（四）以上より，独占市場および独占的競争市場では，経済厚生

（余剰）の損失（死荷重）が発生するという意味で，資源配分が非効率的になっているということができる。

このとき，そのような非効率性を除去する方策としては，

① 限界費用価格形成原理に基づく価格規制

② 平均費用価格形成原理に基づく価格規制

③ 二部料金制

④ 生産補助金の供与

等が考えられる。①および④の方策によれば，効率的な資源配分の実現が可能であるが，財価格を限界費用に等しく設定した場合に生ずる可能性のある赤字をどのように補塡するか，あるいは補助金の財源をどのように調達するかといった問題が生ずる。②の方策によれば，赤字補塡の問題は生じないが，効率的な資源配分は実現できず，次善の資源配分しか期待できない。さらに，③の方策については，赤字の額が消費者余剰を下回ることが必要となる。また，これらの政策は，企業独自の費用削減意欲を減退させてしまうという意味での非効率性（X-非効率性）をもたらす可能性を共通にもっている。

資源配分の非効率性を除去する方策とその問題点

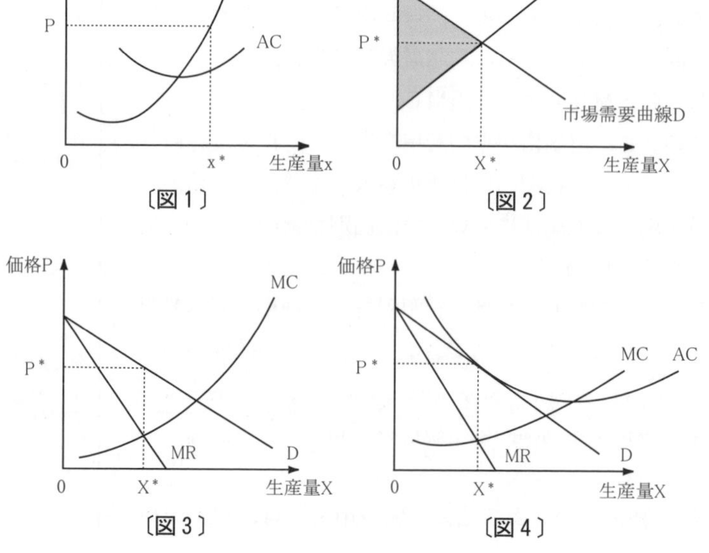

解答への道

本問は，完全競争と不完全競争を比較検討させる論述問題である。問題自体はオーソドックスであり，比較的解答が容易な部類にはいるであろう。

ただし，独占的競争に関しては，論述するのが多少難しいかもしれない。一般に，不完全競争に関しては，以下のような論点が存在する。

① 独占
　売手独占，買手独占，双方独占
② 独占の弊害の除去
　限界費用価格形成原理，平均費用価格形成原理，二部料金制
③ 価格差別化
④ 複占，寡占
　クールノー競争，シュタッケルベルグ競争，ベルトラン競争
⑤ 独占的競争
　短期均衡，長期均衡
⑥ 屈折需要曲線

このように，不完全競争はモデルの種類が多いので，売手独占以外の論点に関しては，どうしても学習が手薄になりがちである。しかし，時間の許す限り，独占的競争等の不完全競争の諸論点についても目を通しておいてもらいたい。

さて，解答にあたっては，問題文の指示にしたがって，完全競争，独占，独占的競争の各市場に関して，

① 市場の特性
② 資源配分の効率性

の２つを論じていけばよい。このとき，各市場の資源配分の効率性に関しては，その市場において利潤最大化条件がどのように異なっているかに注目するとよい。

すなわち，完全競争市場では，個別企業の利潤最大化条件は，

$$P\ (=MR) = MC$$

と表されるので，価格と限界費用は一致し，その結果効率的な資源配分が実現される。

これに対して，独占および独占的競争の市場では，利潤最大化条件は，

$$MR = MC$$

となり，価格と限界費用が乖離する。その結果資源配分は非効率的になるのである。

> **問題❷** 経済における金融の役割について整理し，金融機関の機能を論述しなさい。

解答例

チェック・ポイント

題意にしたがって，まず金融の役割について整理し，続いて金融機関の機能を論述する。

（一）一般に，金融とは，資金の貸借取引のことをいうが，それはすなわち，資金の借り手が，将来の貨幣の支払い約束である金融負債を発行して貨幣を受け取る一方で，資金の貸し手が借り手の金融負債を金融資産として受け取ることと引き換えに，借り手に対して貨幣を手放すことである。　〔金融の定義〕

次に，その貨幣とは何かが定義される必要がある。まず，貨幣とは，一般に以下の三つの機能を持つとされる。　〔貨幣の機能〕

① 価値尺度としての機能

② 交換手段としての機能

③ 価値保蔵手段としての機能

なお，我が国における一般的な交換手段としての貨幣であるM_1は，　〔貨幣の定義〕

① 現金通貨

② 預金通貨

から成るが，①は日本銀行券と補助貨幣を指し，②は市中銀行の要求払預金を指す。今日，これらの貨幣は名目貨幣であり，日本銀行券は，管理通貨制度における不換紙幣である。

次に，貨幣の流れは，次の２つに分かれる。　〔産業的流通と金融的流通〕

① 産業的流通

② 金融的流通

①の産業的流通は，財・サービスの流れに付随して発生する反対方向の貨幣の流れであり，②の金融的流通は，金融資産（負債）の流れに付随するものである。

さらに，貨幣の金融的流通は次のように二分される。

① 直接金融

② 間接金融

①の直接金融とは，最終的貸し手が本源的証券と交換に最終的借り手に資金を直接に提供することであり，②の間接金融とは，最終的貸し手と最終的借り手の間に金融仲介機関が介在するような資金循環である。間接金融においては，金融仲介機関は，最終的借り手の発行する本源的証券を受け入れ，これを間接証券に転換することによって資金の移転を仲介する。

このとき，間接金融を扱う金融仲介機関を，特に金融機関とよぶ。なお，広義には，直接金融の取引を仲介し，アンダーライター業を営む証券会社等も金融機関として扱われる。

直接金融と間接金融

(二) 続いて，金融機関の機能について述べる。一般に，金融市場における金融仲介機関の機能は，次の5つに分けて考察することができる。

① 規模の利益によるコスト低下

一般に，実際の金融取引には，店舗の設置等の大きな固定費用が必要となる。また，金融取引には，契約の締結や契約不履行の際の法的手続きなど，各種の事務的な手続きが要求される。したがって，金融機関が，多数の貸し手・借り手と金融取引を行えば，規模の利益が発生することが期待される。

規模の利益

② 間接証券の発行による資産の変換

一般に，最終的貸し手，特に家計は，比較的短期の資金運用を望む。これに対して，最終的借り手，特に企業は，比較的長期間の契約を望む。したがって，金融仲介機関が，最終的借り手の満期の長い本源的証券を資産として保有し，最終的貸し手に対して，満期の短い間接証券を負債として発行すれば，両者の需要に応えることができる。これは，金融機関による満期構成に関する資産の変換である。

また，一般に，最終的借り手の望む借入金額は，最終的貸し手の望む取引金額よりも大きいのが普通である。したがって，金融機関が，最終的貸し手から小口の預金を受け入れ，最終的借り手に大口の資金を貸し付ければ，やはり両者の需要に応え

資産の変換

ることができる。これは，金融機関による取引単位に関する資産の変換である。

③　分散投資によるリスク・プーリング

一般に，最終的借り手への貸付には，それが不良貸付となるリスクがともなう。このとき，もしさまざまな貸付が不良となる原因が互いに無相関ならば，金融機関は，多くの件数の貸付を行うことにより，貸付が不良になるリスクを低下させることができる。また，貸付の件数が増加すれば，リスクの発生する確率を，より正確に予測することができるようになる。 リスク・プーリング

④　情報生産による不確実性の低下

円滑な金融取引のためには，借り手の資産状況や事業内容などの情報を正確に得ることが不可欠である。金融機関は，専門業者として，専門知識を持った人々を広く集めることにより，最終的借り手の発行する本源的証券の品質に関する正確な情報を提供する情報生産者としての機能を果たす。 情報の生産者

⑤　決済サービスの提供

金融機関の発行する間接証券，特に銀行の発行する当座預金，普通預金は，その保有者にとり，重要な決済手段になる。このように，金融機関の発行する間接証券は，決済手段として用いられることにより，取引を現金で行うことにともなうコストを軽減する。 決済サービス

解答への道

本問は，金融論に関する設問である。したがって，「貨幣の需要動機」や「信用創造」といったマクロ経済学の中で扱われる金融に関する知識だけでは，本問に満足に解答することはできない。しかし，ＩＳ－ＬM分析をはじめとして，マクロ経済学には，貨幣市場や金融市場に関する分析がよく登場するので，マクロ経済学に関する学習を一通り終えたならば，金融論に関しても，多少注意をしておくべきであろう。

さて，本問であるが，解答のポイントは，まず前段の金融の役割については，

(1)　金融とは何か。

(2) 金融には，直接金融と間接金融の２種類があること。

の２つを正しく述べることである。なお，**【解答例】**では，金融の定義に引き続いて，貨幣に関する説明がなされているが，金融の定義からすぐに直接金融と間接金融に関する説明に入ってもよいだろう。

次の金融機関の機能については，テキストにより説明の仕方や分類の仕方が異なっているが，**【解答例】**の説明は「金融論の基礎」（浜田文雅・鴨池治編，有斐閣）によっている。

◇ 平成2年度

問題❶　ある生産要素の市場において，供給側に独占力がある場合，需要側に独占力がある場合，および供給側と需要側の両方に独占力がある場合，それぞれ要素価格はいかに決まるかについて論じなさい。

解答例

チェック・ポイント

生産要素としては，資本，労働，土地等を挙げることができるが，以下では労働市場について考察を進めることとする。

（一）まず，供給側に独占力がある場合として，労働者が独占者であり，当該労働者の直面する労働需要曲線が右下がりの市場労働需要曲線に一致するケースを考える。独占労働者の主体的均衡条件は，財価格を所与として，

限界要素収入＝財価格P×労働の限界不効用

であるが，ここで，右下がりの市場労働需要曲線に直面する独占労働者の限界要素収入は，労働需要の賃金率に関する弾力性をε_dとおくと，

$$限界要素収入 = w \times \left(1 - \frac{1}{\varepsilon_d}\right) \quad (w：貨幣賃金率)$$

となることから，

$$\frac{w}{P} \times \left(1 - \frac{1}{\varepsilon_d}\right) = 労働の限界不効用$$

という式が導かれる。この結果，労働市場では次のようなことが起こる。

独占労働者の主体的均衡条件

① 実質賃金率と労働の限界不効用が乖離し，完全競争の場合と比べて，高い貨幣賃金率と少ない雇用量が実現する。

② 完全競争の場合と比べて，〔図1〕の斜線部のような死荷重が発生するので，供給側に独占力がある場合の労働市場における資源配分は非効率的になる。

供給側に独占力がある場合の資源配分

（二）次に，需要側に独占力がある場合として，企業が独占者であり，当該独占企業の直面する労働供給曲線が右上がりの市場労

働供給曲線に一致するケース（買手独占）を考える。（買手）独占企業の利潤最大化条件は，

限界収入生産力＝限界要素費用

であるが，ここで，右上がりの市場労働供給曲線に直面する独占企業の限界要素費用は，労働供給の賃金率に関する弾力性をε_sとおくと，

$$限界要素費用 = w \times \left(1 + \frac{1}{\varepsilon_s}\right)$$

となることから，

$$w \times \left(1 + \frac{1}{\varepsilon_s}\right) = 限界収入生産力$$

という式が導かれる。この結果，労働市場では次のようなことが起こる。

独占企業の利潤最大化条件

① 貨幣賃金率と限界収入生産力が乖離し，完全競争の場合と比べて，低い貨幣賃金率と少ない雇用量が実現する。

② 完全競争の場合と比べて，〔**図２**〕の斜線部のような死荷重が発生するので，需要側に独占力がある場合の労働市場における資源配分は非効率的になる。

需要側に独占力がある場合の資源配分

（三）最後に，供給側と需要側の両方に独占力がある双方独占の場合に，貨幣賃金率がどのように決まるのかについて考察する。この場合の均衡は，双方の独占者の交渉力の大小により異なったものとなると考えられる。

まず，供給側に一方的な交渉力があれば，貨幣賃金率は，（一）のケースと同様に〔**図３**〕のw^sに決まる。また逆に，需要側に一方的な交渉力があれば，貨幣賃金率は，（二）のケースと同様に〔**図３**〕のw^dに決まる。しかし，そのいずれでもなければ，貨幣賃金率は，双方の交渉力の大小に応じて，〔**図３**〕のw^dからw^sの間のどこかの水準に決まることとなる。

双方独占

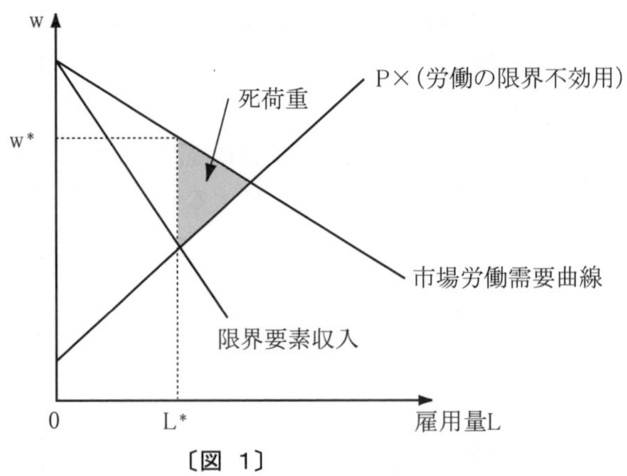
w
w*
死荷重
P×(労働の限界不効用)
市場労働需要曲線
限界要素収入
0
L*
雇用量L

〔図 1〕

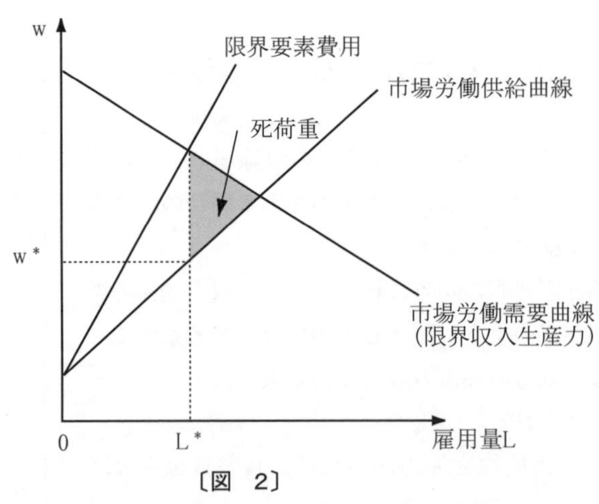
w
限界要素費用
市場労働供給曲線
死荷重
w*
市場労働需要曲線
(限界収入生産力)
0
L*
雇用量L

〔図 2〕

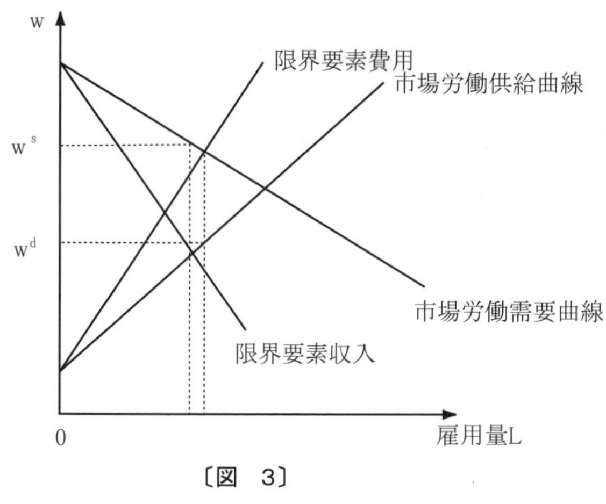

〔図　3〕

解答への道

本問は，生産要素市場における独占に関する問題である。しかし，通常の経済学の学習では，独占に関しては，財市場における企業の売手独占だけを学ぶことが多く，それ以上学んだとしても，生産要素市場における企業の買手独占が加わるだけであろう。したがって，たとえ生産要素市場における買手独占について知識を持っていたとしても，本問で問われているような生産要素市場における売手独占に関して述べることは難しく，その意味でレベルの高い問題であるといえるだろう。

本問の解答のポイントは，

①　労働市場において供給側に独占力がある場合の主体的均衡条件と資源配分の効率性

②　労働市場において需要側に独占力がある場合の主体的均衡条件と資源配分の効率性

③　双方独占

に関して述べることである。

そこで，まず労働市場において供給側に独占力がある場合についてであるが，グラフ上では，財市場における売り手独占のケースと同じようなグラフが描かれるので，それを手がかりにして考えるとよい。一般に，財市場において，完全競争企業の利潤最大化条件は，

P＝限界費用MC

であるのに対して，売り手独占企業の利潤最大化条件は，

限界収入MR＝MC

となる。このとき，左辺のMRは，財市場における需要の価格弾力性をε_dとおけば，

$$MR = P \times \left(1 - \frac{1}{\varepsilon_d}\right)$$

となるので，これを考慮すると，

① 財価格と限界費用が乖離し，完全競争の場合と比べて，高い財価格と少ない生産量が実現する。

② 完全競争の場合と比べて，〔**図4**〕の斜線部のような死荷重が発生するので，需要側に独占力がある場合の財市場における資源配分は非効率的になる。

という結論を得ることができる。

そこで，本問のような労働市場において供給側に独占力がある場合についても，これを応用すればよい。まず，完全競争市場において，家計の労働供給に関する効用最大化条件は，

w＝P×労働の限界不効用

である。しかし，家計に独占力がある場合には，これが

限界要素収入＝P×労働の限界不効用

となり，さらに，その限界要素収入は，労働市場における労働需要の賃金率に関する弾力性をε_dとおけば，

$$\text{限界要素収入} = w \times \left(1 - \frac{1}{\varepsilon_d}\right) \quad (w：貨幣賃金率)$$

となる。したがって，これを考慮すると，**【解答例】**で述べた2点を導き出すことができるのである。

次に労働市場において需要側に独占力がある場合についてであるが，これについては，通常の買手独占の議論を用いて，買手独占企業の利潤最大化条件が，

限界収入生産力＝限界要素費用

となることを用いればよい。

最後に双方独占のケースであるが，これについては，賃金率の水準は，両者の交渉力の大小により，供給側に独占力がある場合と需要側に独占力がある場合の中間に決まることを指摘すればよい。

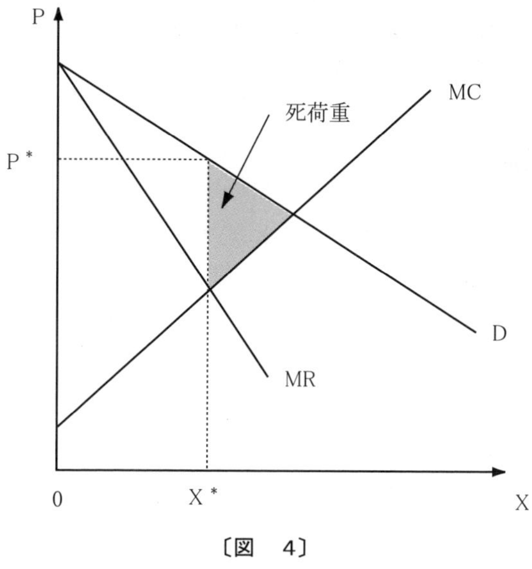

〔図　4〕

問題❷　一国の経常収支黒字のマクロ経済的意味を明らかにし，わが国が資本供給国として果たしている機能を論じなさい。

解答例

チェック・ポイント

題意にしたがって，まずＩＳバランスに基づく恒等式を用いて，一国の経常収支黒字のマクロ経済的意味を明らかにする。続いて，そこから得られた分析視点をもとに，日米のマクロバランスを比較し，わが国の資本供給国としての機能について述べる。

（一）一国経済のＩＳバランスに基づく恒等式とは，開放経済における財市場の需給均衡式である

Ｙ＝Ｃ＋Ｉ＋Ｇ＋ＥＸ－ＩＭ

（Ｙ：国民所得，Ｃ：民間消費，Ｉ：民間投資，Ｇ：政府支出，ＥＸ：輸出，ＩＭ：輸入）

を変形することにより得られる

（Ｓ－Ｉ）＋（Ｔ－Ｇ）＝ＥＸ－ＩＭ

（Ｓ：民間貯蓄，Ｔ：租税）

という関係のことである。この式は，

民間貯蓄・投資差額＋政府財政収支＝経常収支

として解釈され，国民経済計算上は，三面等価の原理から恒等式になる。

ＩＳバランスに基づく恒等式

また，この式から，

① 民間の貯蓄・投資差額の黒字が政府財政収支の赤字を上回るとき，一国の経常収支は黒字である。

② 政府財政収支の赤字が民間の貯蓄・投資差額の黒字を上回るとき，一国の経常収支は赤字である。

といった分析が可能となる。

ただし，このＩＳバランスにもとづく分析は，事後的な恒等関係の記述に過ぎず，因果的な関係を表さない。したがって，この式から「政府財政収支の不均衡が経常収支の不均衡を引き起こしている」といった主張を導くことはできない。

ＩＳバランスの恒等式の意味

（二）次にＩＳバランスにもとづいて，1980年代の日米のマクロバランスについて考察する。80年代を通じて，日本の経常収支の黒字とアメリカの経常収支の赤字は大きな国際問題の一つであった。80年代後半に日本ではおよそ 1,000億ドルに及ぶ経常収支の黒字が存在し，対照的にアメリカではおよそ 1,000億ドルに及ぶ経常収支の赤字が存在した。この日本の経常収支の黒字の背後には，民間の貯蓄・投資差額の大幅な黒字の存在があり，またアメリカの経常収支の赤字の背後には，政府財政収支の大幅な赤字が存在する。

日本の経常収支黒字とアメリカの双子の赤字

また，日米双方の経常収支の不均衡にとって，双方の占める構成比率は大きなものであった。これは，アメリカ政府の財政収支赤字の大部分が，日本の民間貯蓄の黒字により賄われていたこと，言い換えれば日本からアメリカへの巨額な資本の流れが存在していたことを意味している。すなわち，日本はアメリカに対して資本供給国としての役割を果たしていたのである。

日米間の国際資本移動

（三）最後に，1990年代における日本の資本供給国としての役割について考察したい。92年の日本の経常収支の黒字は過去最高の1,176 億ドルに達し，この１人勝ちに対して国際的な非難が強まった。ただし，国際収支の視点からみると，日本の経常収支の黒字は，

① 邦銀の海外の短期債務の返済(710億ドル余)
② 海外への長期的直接・間接投資(280億ドル余)
③ 旅行収支の支出超過分(230億ドル余)

等を通じて，海外の流動性危機の緩和に寄与していることが分かる。このように，かつて80年代，日本は短期資金の借り手であったが，統一ドイツの資金需要の増大もあいまって，90年代に入って貸し手に転じたのである。

日本の経常収支黒字の行方

それゆえ，国際経済においてかつてのイギリスやアメリカが果たしてきた資本供給国の地位を，現在日本が果たしていると考えることができる。したがって，日本が適切な資本供給国としての役割を果たすことができないと，世界経済は流動性不足に陥り，過少消費にもとづく景気停滞を引き起こす危険性があ

わが国の果たすべき役割

る。また海外の投資資金の需要を満たすことができず，海外の経済成長を停滞させてしまう恐れもある。さらに，発展途上国に対するＯＤＡという形での資金還流による国際的な経済格差の解消も必要であろう。以上が資本供給国日本に望まれる機能である。

解答への道

本問の前半部分は国際マクロ経済学に関する基本的な問題である。ただし，後半部分については若干の現実経済に関する知識が必要となるので，新聞等で日常どれだけ国際経済に関心を持っているかどうかが，解答上の大きなポイントとなるだろう。

本問の解答のポイントは

①　ＩＳバランス・アプローチ
②　日米の経常収支不均衡
③　資本供給国の果たすべき役割

について，マクロ経済学の知識と現実経済に関する知識を絡めて解答することである。なお，経常収支等の数値については必ずしも答案に記す必要はないと思われる。

MEMO

◇ 平成3年度

問題❶　総需要管理政策としての金融政策と財政政策の効果の違いを説明し，マクロ経済政策の有効性をめぐる議論を整理して述べなさい。

解答例

チェック・ポイント

総需要管理政策とは，総需要を刺激することにより，国民所得を増大させ失業率を低下させること，または，総需要を抑制することにより，インフレーションを抑制することをいう。このような総需要管理政策の手段として，金融政策と財政政策がある。このうち，金融政策は，マネー・サプライの操作による利子率の変化を通じて，間接的に投資需要を変化させる政策手段であり，財政政策は，利子率の変化を介さず，公共投資等の政府支出増加や減税による民間消費の喚起等により，直接的に総需要を変化させる政策手段である。

（マクロ経済政策の分類）

次に，両政策の違いをIS－LM分析を用いて考察する。IS曲線とは，財市場を均衡させるような国民所得と利子率の組合せの軌跡であり，国民所得を横軸，利子率を縦軸に取った平面上に，通常は右下がりに描かれる。LM曲線とは貨幣市場を均衡させるような国民所得と利子率の組合せの軌跡であり，同平面上に通常は右上がりの曲線として描かれる。ただし，後述する流動性のわなのケースでは，水平部分をもつこともある。この両曲線の交点で，均衡の国民所得と利子率が決定される。

（IS－LM分析の説明）

まず金融政策の効果は，LM曲線のシフトとしてとらえられる。マネー・サプライの増加はLM曲線を右方にシフトさせる。貨幣市場の超過供給を解消するためには，国民所得の増加もしくは利子率の下落による貨幣需要の増加が必要だからである。この結果均衡利子率は下落し，均衡国民所得は増加する。

一方，財政政策の効果は次のようになる。政府支出や減税は，有効需要の原理に従い，乗数効果に相当する分だけIS曲線を右にシフトさせる。このとき，45度線分析のような利子率一定の世界では，国民所得はこのシフト分だけ増加する。しかし貨幣市場を考慮した

（財政・金融政策の効果）

IS－LM分析では，利子率の上昇が民間投資を抑制するクラウディング・アウトが生じるので，均衡国民所得の増加はより小さいものになる。このとき，国民所得が増加することは金融政策と同様であるが，利子率の変化は逆方向である。

なお，一般に貨幣需要の利子弾力性が大きく，LM曲線がゆるやかであるほど，また投資の利子弾力性が小さく，IS曲線が急であるほど，財政政策の効果は強く，金融政策の効果は弱くなる。特にLM曲線が水平なときには，財政政策は強い乗数効果をもたらす一方で，金融政策は利子率を低下させることができないので無効になる。このようなケースは流動性のわなとよばれ，現行の利子率が十分に低く，すべての経済主体が将来の利子率の上昇ないし債券価格の下落を予想するときに起こる。

また，反対に貨幣需要の利子弾力性が小さく，LM曲線が急であるか，投資の利子弾力性が大きく，IS曲線がゆるやかであるほど，財政政策の効果は弱く，金融政策の効果は強くなる。

財政・金融政策の効果と弾力性の関係

ここで，物価水準の変化を考慮に入れれば，両政策の効果は，どもにさらに小さくなる。すなわち，前述したような国民所得の増加は，総需要－総供給分析に従って，右上がりの総供給曲線を前提とすれば，物価水準を上昇させる。この物価上昇により実質貨幣残高が減少し，LM曲線が左方にシフトすることから，均衡国民所得の増加はより小さくなるのである。さらに，完全雇用が労働市場の需給均衡から実現し，総供給曲線が垂直になる状況では，両政策の効果はただ利子率と物価水準を上昇させるだけである。このケースは，古典派およびマネタリストによって強調された。

AD－AS分析

またマネタリストは，財政政策に対する批判を資産効果の面からも行っている。政府支出の財源が公債発行によって賄われる場合，民間の資産選択行動の結果として貨幣需要が増加し，その結果LM曲線が左方にシフトすることから，政策の効果が弱められるという主張である。ただし，公債を持つことによって消費が増えるといった資産効果も主張されている。このとき，IS曲線は右にシフトするので，逆に財政政策の効果は強められることになる。

資産効果の存在

最後に，マンデル・フレミング・モデルを用いた開放経済のケースについて述べる。マンデル・フレミング・モデルでは，財市場，貨幣市場に加えて外国為替市場が明示的に考慮される。このとき，固定相場制のケースでは，中央銀行の外国為替市場への介入によって外国為替市場の均衡が維持される。この場合，財政政策の効果は閉鎖経済に比べてより大きくなる一方，金融政策は，中央銀行の外国為替市場への介入によりマネー・サプライが変化することから，自由度が小さくなるため，その効果はより小さくなる。また，変動相場制では，為替レートの変化によって外国為替市場の均衡が維持される。このとき，財政政策の効果は閉鎖経済に比べてより小さくなる一方，金融政策はより大きな効果をもつようになる。

開放経済モデル

解答への道

マクロ経済学のかなり広範囲にわたる議論に関連する問題である。知識を総動員して解答することが要求される。

第一に金融政策と財政政策の効果の違いが問われているが，ここでのポイントは，

金融政策　→　利子率を通じた投資需要の間接的操作
財政政策　→　直接的な総需要操作

である。

第二に，マクロ経済政策の有効性が問われている。この点に関する議論は多数あるが，解答例では，財政・金融政策の有効性と弾力性の関係について説明した。そのほか，総需要－総供給分析の導入および資産効果の導入も，財政・金融政策の有効性に影響を与える。

また，変動相場制下のマンデル・フレミング・モデルも，マクロ経済政策の有効性を論ずる際には忘れてはならない。

金融政策

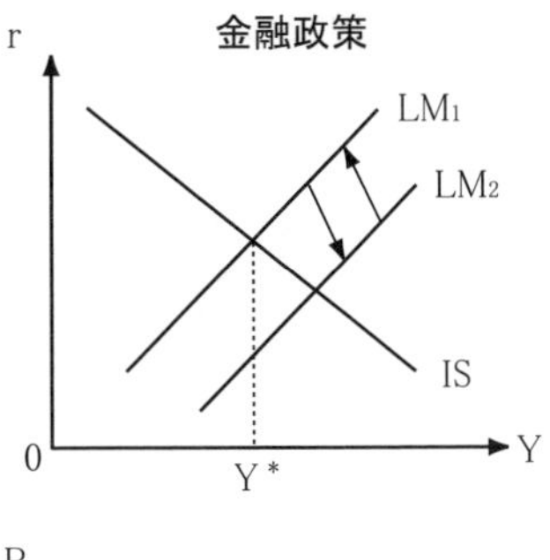

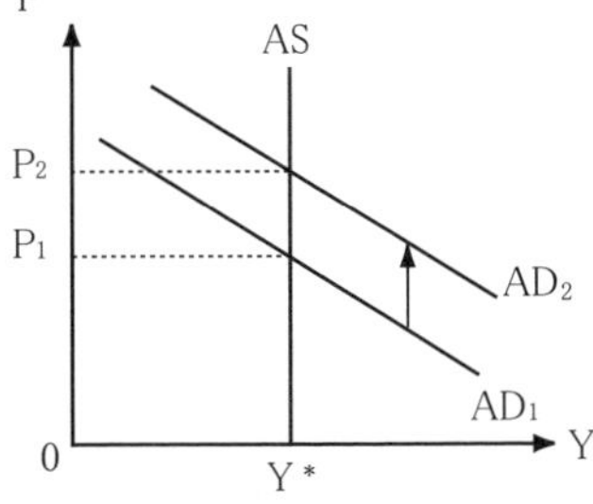

金融政策による LM_1 から LM_2 のシフトによって AD_1 から AD_2 へ総需要曲線はシフトするが，この際に生じる物価上昇で結局LMは元に戻る。

〔図　1〕

財政政策

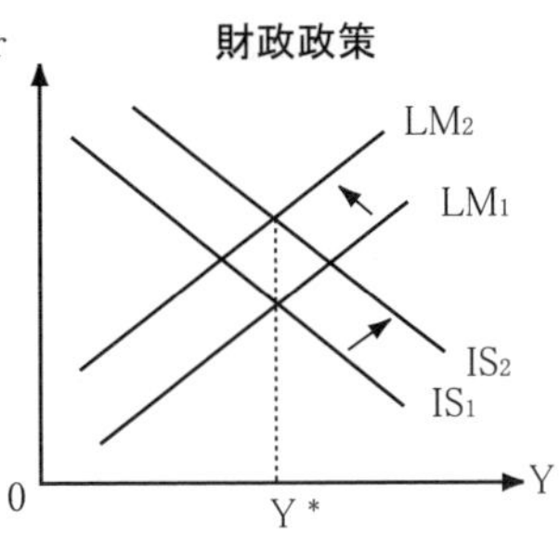

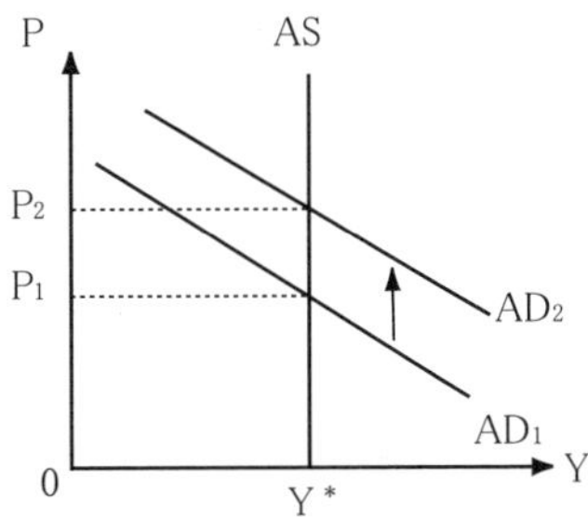

財政政策による IS_1 から IS_2 のシフトによって AD_1 から AD_2 に総需要曲線はシフトするが，LM_1 も LM_2 にシフトしてしまう。

〔図　2〕

最後に，解答例で触れた２つの議論について解説しておこう。

第１に，完全雇用が労働市場の需給均衡により実現するケースである。このケースでは，総供給曲線が垂直になるので，財政政策も金融政策も物価上昇を引き起こすのみで無効である（〔図１〕および〔図２〕）。

第２に，固定相場制の下での政策の有効性である。政府が金利を変化させるような政策を行えば，外国為替市場に不均衡が発生するので，中央銀行が外貨の売買をしなければならない。すなわち，金利が下がれば，外貨売り介入→マネー・サプライ減少，上がれば，外貨買い介入→マネー・サプライ増加，となるので，両政策の効果は〔図３〕，〔図４〕のようになる。

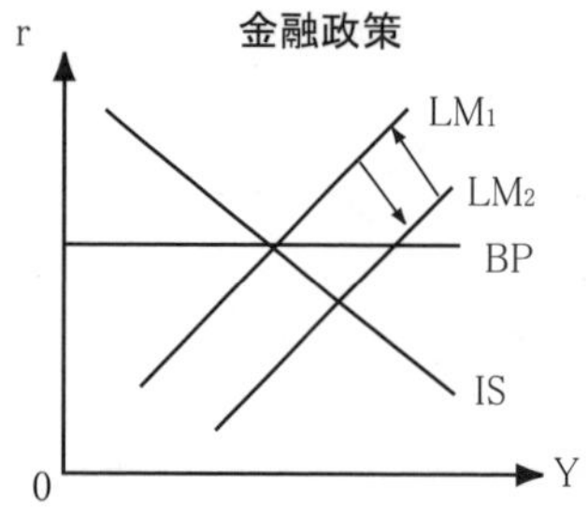

金融政策は無効。利子率が下がれば国際収支が赤字になり，外貨為替市場に超過需要が発生するので，中央銀行は外貨の売り介入を行うが，これによりマネー・サプライが減少し，LMは元に戻る。

〔図 3〕

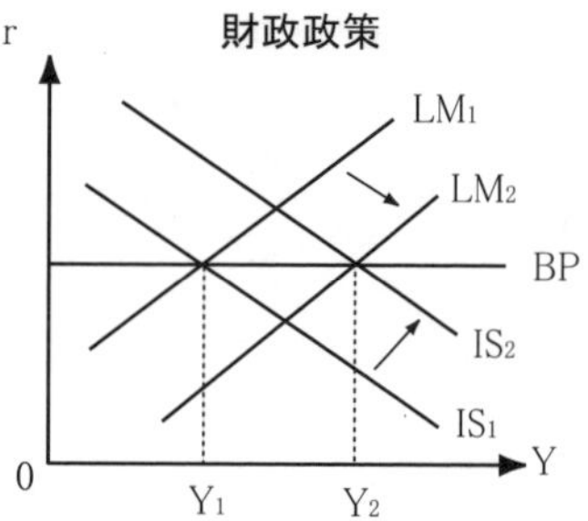

利子率が上がれば，つまり財政政策によってIS_1 がIS_2 にシフトすれば，国際収支は黒字になり，外国為替市場に超過供給が発生するので，中央銀行は外貨の買い介入を行う。したがって，これによりマネー・サプライが増加し，LMが右方にシフトすることから，国民所得はY_1 からY_2 に増加する。

〔図 4〕

MEMO

問題❷　自由貿易と保護貿易のそれぞれについて，経済的な利点及び問題点を論じなさい。

解答例

チェック・ポイント

自由貿易の利点は，(1)部分均衡分析，(2)一般均衡分析の２つの観点から述べることができる。

(1)　価格の異なる国々のあいだで自由貿易が行われると，それぞれの国の総余剰は増大する。国際価格の方が相対的に高い財の場合は，その財の価格が上昇することによって，国内の消費者は貿易以前よりも高い財を買わなければならないので，消費者余剰は減少する。しかし，〔**図１**〕にみられるように，安いコストで生産していた国内企業が高い国際価格で財を輸出できるようになり，消費者余剰の減少分以上に生産者余剰が増加する。一方，国際価格の方が相対的に低い財の場合は，〔**図２**〕にみられるように，海外から安い価格で財が輸入されるので生産者余剰は減少するものの，それを上回って消費者余剰が増大する。

部分均衡分析における貿易利益

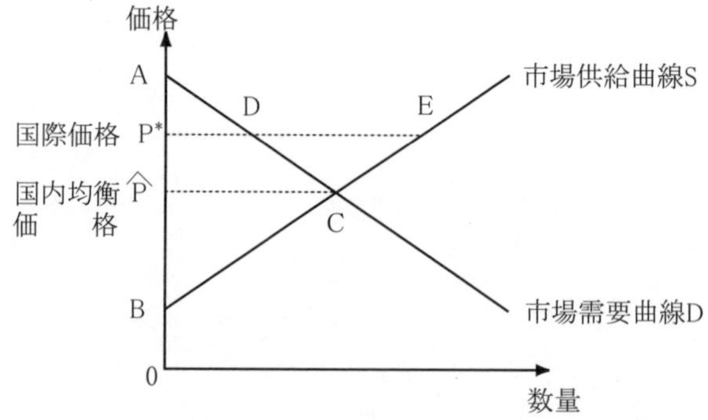

	自給自足経済	自由貿易
消費者余剰	△AP̂C	△AP*D
生産者余剰	△P̂BC	△P*BE
総余剰	△ABC	△ABC＋△DCE

〔図　1〕

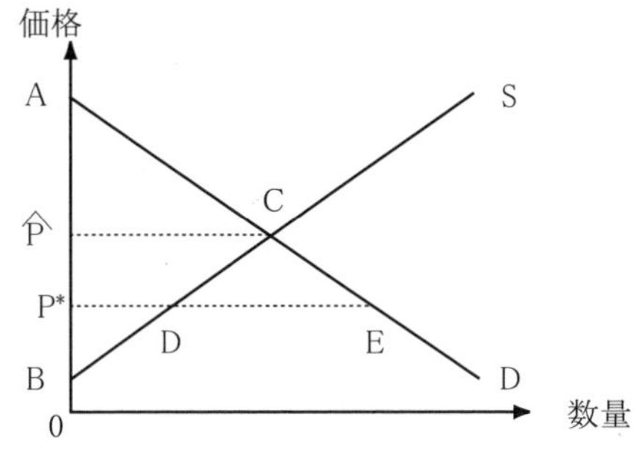

	自給自足経済	自由貿易
消費者余剰	△A$\hat{P}$C	△AP*E
生産者余剰	△$\hat{P}$BC	△P*BD
総余剰	△ABC	△ABC＋△CDE

〔図　2〕

(2)　自由貿易によって国際間で企業の競争が行われれば，比較生産費説にしたがって，一国内で比較優位を有する産業の生産が増大し，比較劣位を有する産業は縮小される。この結果，限界代替率と限界変形率が世界的な規模で均等化し，パレート最適な状態が実現される。〔図3〕は，社会的無差別曲線により表される一国の厚生水準が，自由貿易により改善されることを示している。

一般均衡分析による貿易利益

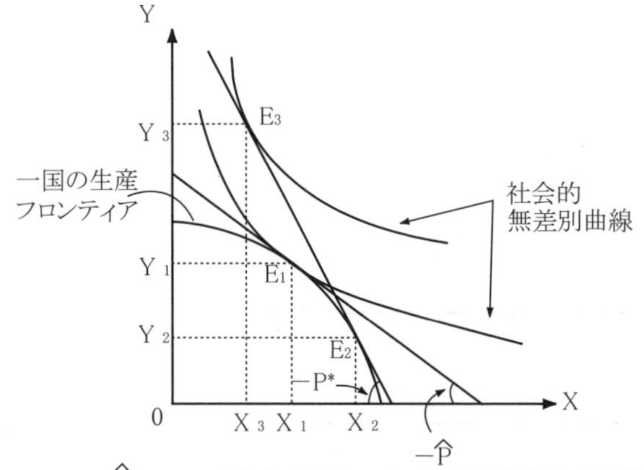

$\hat{P}$	：自給自足経済における国内均衡相対価格
X_1, Y_1	：自給自足経済における各財の生産量および消費量
X_2, Y_2	：自由貿易の場合の各財の生産量
X_3, Y_3	：自由貿易の場合の各財の消費量
P^*	：国際相対価格

〔図 3〕

以上のように，総余剰を最大化するという価値基準によっても，パレート最適という価値基準によっても，自由貿易は支持されるが，この両基準は，ともに分配の問題を考慮していないことに注意しなければならない。部分均衡分析において，国際価格と国内価格が乖離していた場合，自由貿易によって生産者余剰または消費者余剰のどちらかが減少する。よって，適切な所得再分配政策がとられなければ，生産者もしくは消費者のどちらかが不利になってしまい，自由貿易に対する国民的コンセンサスが得られない場合も考えられる。また，一般均衡分析で考えても，厚生経済学の第 2 基本定理で仮定されるような所得再分配が不可能な場合には，自由貿易によって著しく不平等な分配が実現する可能性がある。そこで，国内の産業が自由貿易により打撃を受けるような場合には，輸入関税や輸入数量割当といった貿易政策を実施することにより，国内の産業を保護することが求められる。これが保護貿易の第一の利点である。

分配の平等を考慮していない

また，自由貿易によって海外企業との競争に敗れた国内の産業が縮小され，労働や資本などの生産要素が過剰になった場合，それらが速やかに他の産業に移動できるとは限らない。このように，完全競争市場において仮定される参入・退出の自由が成立しない場合には，パレート最適な状態は達成されない。したがって，短期的には，前述の貿易政策を行うことによって産業の調整過程に生じる摩擦的な非効率性を防止する政策が正当化される。これが保護貿易の第2の利点である。

次に考えられるのは，国内産業が外部経済を生じさせている場合である。このような場合においても，前述の貿易政策を行うことが正当化される。

完全競争市場の諸仮定が成立しないケース

最後に幼稚産業保護論について述べる。開発途上国が，経済成長が十分でないことを理由に保護貿易政策を行うことがある。この議論は，次のように正当化される。累積の生産量が小さく，成長途上にある企業のコストは高いが，実際の生産の経験によってそのコストが下がるような学習効果が存在する場合，あるいはマーシャルの外部経済が作用する場合，短期的な産業の保護はその産業の効率性を高めることになる。ゆえに，このケースにおける保護貿易政策は正当化されるのである。

幼稚産業保護論

解答への道

ミクロ経済学の国際貿易への応用問題である。全体を通じて，「自由放任が最適である」というミクロ経済学の基本命題を踏まえて，自由貿易の利点を論じればよい。また，保護貿易の利点については，経済学におけるパレート最適の概念が分配の平等を考慮していないこと，およびこの最適性命題の仮定が成り立たないケースに注意すればよい。

参考までに，部分均衡分析における関税の効果を図解しておこう。このような政策は，国際価格が国内均衡価格よりも低く，自由貿易が国内産業に打撃を与えるときになされる。

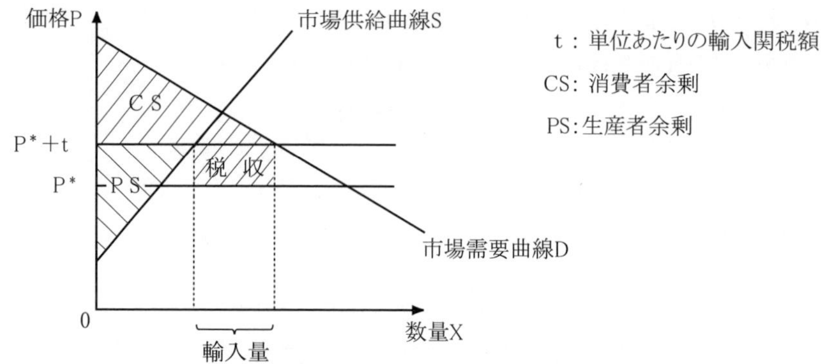

国内価格（P*＋ t ）は国際価格（P*）と乖離しており，自由貿易と比べて，消費者余剰が減少し，生産者余剰が増加していることがわかる。

MEMO

◇ 平成4年度

問題❶ 家計の消費行動に関し，通常は需要法則が成り立つことを明らかにしなさい。さらに，どのような場合に需要法則が成り立たないかについて論述しなさい。

解答例

チェック・ポイント

需要法則と2財モデルの説明

需要法則とは，他の財価格を一定としたとき，ある財の価格が上昇すれば需要は減り，下落すれば増えるというものである。財が正常財である場合，および代替効果が所得効果を絶対値でみて上回るような劣等財の場合には，需要法則が成り立つ。このことを，経済に2つの財だけが存在する場合について説明する。

これらの財をそれぞれX財，Y財とよび，それぞれの消費量を小文字で表す。たとえば，〔図1〕で座標(x_1, y_1)はX財をx_1だけ，Y財をy_1だけ消費していることを示している。限界代替率逓減の仮定のもとでは，消費者の無差別曲線は，図のように原点に向かって凸の曲線で描かれる。また，消費可能な財の組合せの上限を示す予算線は，同じ図の上に右下がりの直線として描かれ，$\frac{\text{X財価格}}{\text{Y財価格}}$で表される相対価格が高ければ高いほど，この予算線の傾きは急になる。効用最大化行動をしている消費者は，無差別曲線と予算線が接する点の座標で示される財の消費量を選択す

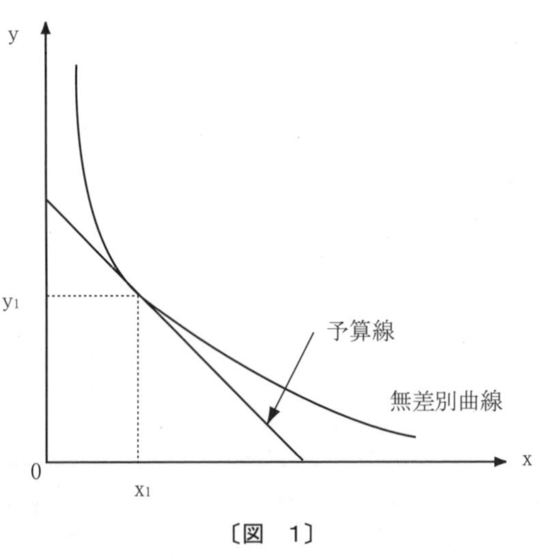

〔図　1〕

る。

〔図２〕および〔図３〕において，もとの予算線がＡＢであったとき，Ｘ財価格が上昇して予算線がＡＣにシフトしたとしよう。この両図は，Ｘ財の消費量が減少する場合で，需要法則が成立していることがわかる。ただし，〔図２〕はＸ財が正常財の場合であり，〔図３〕は劣等財の場合である。Ｘ財の価格が変化したときの価格効果は，所得を補整的に変化させることにより，価格変化前の効用水準を維持するという条件の下での効果である代替効果と，代替効果により補整的に変化させた所得を元に戻すときの効果である所得効果に分解され，x_1 から x_2 への変化が代替効果，x_2 から x_3 への変化が所得効果を表している。代替効果は，原点に向かって凸の無差別曲線を前提とする限り，いずれの場合でもＸ財の消費を減らすように作用するが，所得効果は，〔図２〕では消費を減らすように，〔図３〕では増やすように作用している。したがって，〔図２〕のようなＸ財が正常財のケースでは必ず需要法則が成り立ち，〔図３〕のようなＸ財が劣等財のケースでも，代替効果が所得効果を絶対値でみて上回るならば，需要法則が成立することがわかる。

需要法則の成立するケース

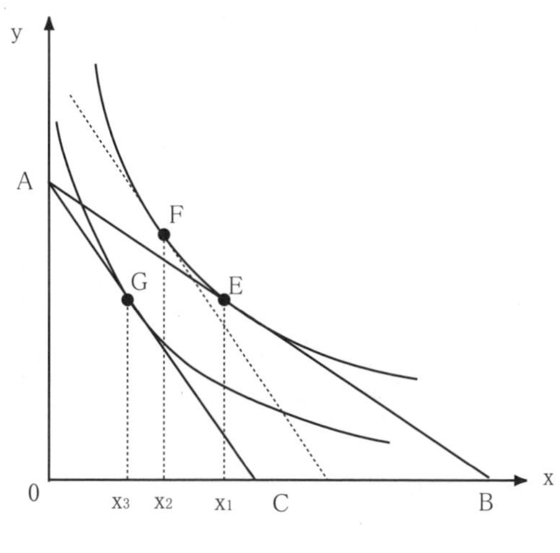

〔図　２〕

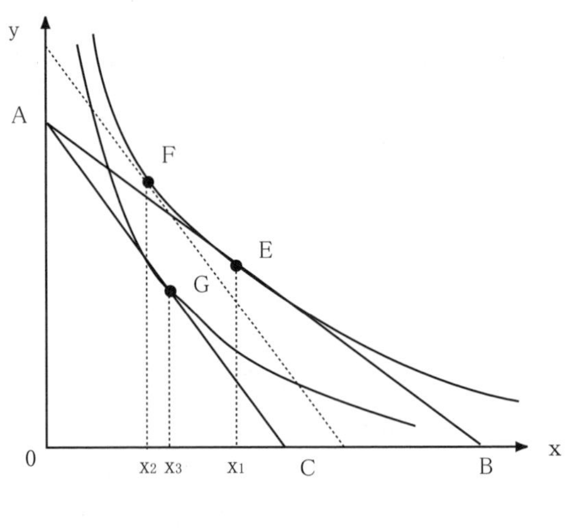

〔図　3〕

次に，需要法則の成立しない場合について述べる。

〔図4〕では，X財の相対価格が上昇したにもかかわらず，X財の消費量が増えている。これは，代替効果はX財の消費を減らす方向に作用するが，それを上回る所得効果によるX財消費の増加が見られるからである。このように，X財が劣等財であり，かつ所得効果が代替効果を絶対値でみて上回るような強い効果をもつ場合，X財価格の上昇によりX財の消費量は増加する。このような財はギッフェン財とよばれる。したがって，ギッフェン財のときには，需要法則は成立しないと言え

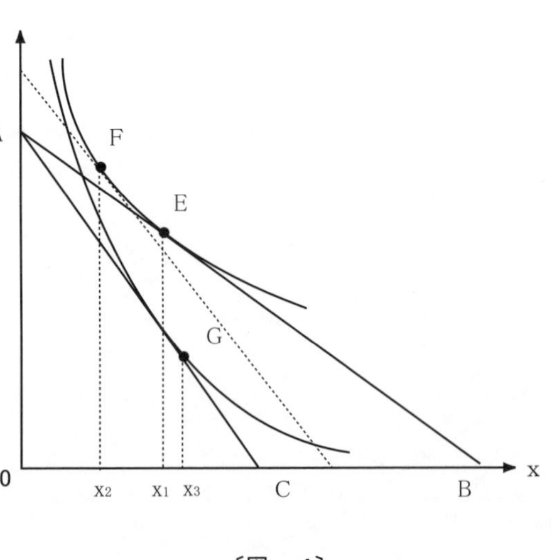

〔図　4〕

需要法則の成立しないケースでギッフェン財の場合

る。

この他に，贈答品のような財に関しては，需要法則が成り立たない場合がある。高価格によって送り先に誠意を見せることができるならば，同じ財であっても購入者は高いものを選ぶことがある。また，ブランド品のように，高価なものを購入することによって自分の虚栄心を満たすことができる場合も挙げられる。

ギッフェン財でない需要法則の成立しないケース

解答への道

スルツキー分解に関する基本的な問題である。代替効果，所得効果の説明は必ずできるようになってもらいたい。なお，ギッフェン財以外に需要法則が成立しない例を書いておいたが，このように，需要法則が成り立たないケースは，決してギッフェン財のケースだけではないので，注意すべきである。

以下にスルツキー分解について簡単にまとめておく。

財価格上昇時のスルツキー分解

	代替効果	所得効果	価格効果	
正　常　財	−	−	−	
ギッフェン財でない劣等財	−	＋	−	（｜代替効果｜＞｜所得効果｜）
ギッフェン財	−	＋	＋	（｜代替効果｜＜｜所得効果｜）

問題❷　為替レートは，いかなる要因によって変動するかを整理し，政策当局による市場への介入がもたらす影響について論述しなさい。

解答例

チェック・ポイント

為替レートとは一国通貨の対外価値を表すものであり，変動相場制の下では，外国為替市場において外貨の需給が均衡するように決定される。通常の財と同じように，その通貨に対する需要が増大すれば通貨価値は上昇し，供給が増大すれば下落する。そこで，以下では，これらの需要と供給がどのような要因により変動し，その結果として為替レートがどのような要因により変動するのかを，変動相場制を前提としつつ，通貨を円としてみていくことにする。

為替レート決定のメカニズムの一般的説明

第一の要因として，海外との経常取引が挙げられる。輸入をする場合，輸入代金の支払いに外貨を必要とするため円が供給されることになる。一方，輸出の場合は円の需要となる。したがって，ネットの輸出が増えれば，円の増価すなわち邦貨建て為替レートを下落させる要因となり，減れば上昇させる要因となる。このネットの輸出を決める要因として，国民所得の大きさと物価水準が挙げられる。外国の国民所得が大きい場合には，輸出が容易になると考えられるので，ネットの輸出は大きくなる。また，自国の国民所得が大きい場合には，輸入が大きくなるので，ネットの輸出は小さくなる。したがって，自国と外国の成長率の違いは為替レートの変動要因となる。たとえば，自国の成長率が外国よりも高いならば，円を減価させる要因となる。また外国に比べて自国の物価水準が高い場合，外国の財が割安であるためネットの輸出は小さくなり，逆の場合は大きくなる。よって，自国と外国のインフレ率の違いも為替レートの変動要因である。たとえば，自国のインフレ率が外国に比して高いことは，円の減価要因となる。

経常取引を要因とする為替レート決定

第二の要因として，資本取引が挙げられる。海外への投資には外貨を必要とするため，資本流出は円の供給であり，資本流入は円の需要となる。したがって，ネットの資本流出が増大するとき，円は減価し，邦貨建て為替レートは上昇する。これらの資本取引の方向を決めるのは，主に自国と外国の利子率格差である。たとえば自国の利子率が外国に比べて高くなれば，ネットの資本流入が大きくなり，邦貨建て為替レートは下落する。

なお，現在先進国どうしの通貨の場合，資本取引が為替取引のほとんどを占めている。これは，金融取引に関する技術革新が著しく進展したため，為替取引のコストが低くなり，国際的な資本移動が活発になったからである。

資本取引を要因とする為替レート決定

次に，以上の要因を踏まえて，政策当局による市場介入が，邦貨建て為替レートにもたらす影響について考察する。

まず，外貨をドルとすれば，政策当局によるドルの売り介入は，ドルの減価，すなわち邦貨建て為替レートの下落要因になる。またこのとき，不胎化政策がとられなければ，ドル売りにより中央銀行のハイパワード・マネーが減少し，その結果マネー・サプライが減少する。これは，縮小的な金融政策を行ったのと同じ効果をもたらすので，国内利子率が上昇する。この国内利子率の上昇は，ネットの資本流入をもたらすことから，これを考慮すると，邦貨建て為替レートの下落はさらに加速される。

売り介入の効果

一方，政策当局によるドルの買い介入は，売り介入とちょうど逆の効果をもつ。すなわち，まずドルの買い介入により，ドルの増価，すなわち邦貨建て為替レートの上昇が起こる。また，ドル買いにともなうハイパワード・マネーの増加により，マネー・サプライが増大するので，これは，拡張的な金融政策と同じ効果をもたらすことになり，国内利子率は下落する。この国内利子率の下落は，ネットの資本流出をもたらすことから，これを考慮すると，邦貨建て為替レートの上昇はさらに加速される。

買い介入の効果

なお，今日では，実際の市場介入において，アナウンスメント効果が重要視されている。すなわち，上述の市場介入および市場介入に伴うマネー・サプライの変化によりもたらされる為替レートの変化は，現在ではそれほど大きくなく，むしろ，市場が政策当局の市場介入に対する姿勢をどのように判断するかが，円ないしドルに対する需要のあり方を決め，ひいては為替レートを変化させるのであ

アナウンスメント効果

る。これは，現在では，日々の資本取引による為替取引の規模が非常に大きくなっているため，政策当局が実際に行使することのできる介入の規模が，市場全体の規模に比べて相対的に小さくなってきていることによるものである。

解答への道

解答にあたっては，次のようなポイントをおさえることが重要である。

1．為替レートは，一国通貨の対外価値を表しており，変動相場制下では，外国為替市場で外貨の需給を一致させるように決定される。このとき，輸出と資本流入が外貨の供給，自国通貨の需要になり，輸入と資本流出が外貨の需要，自国通貨の供給になる。

2．為替レートの変動要因としては，経常取引の面では，自国と外国の成長率の違い，およびインフレ率の違いが挙げられる。また，資本取引の面では，自国と外国の利子率格差（内外金利差）が為替レート変動の要因となる。

3．ドルの売り介入→邦貨建て為替レートの下落（円高・ドル安）
　ドルの買い介入→邦貨建て為替レートの上昇（円安・ドル高）

4．政策当局の市場介入に伴って不胎化政策が行われなければ，
　ドルの売り介入→ハイパワード・マネーの減少→マネー・サプライの減少→国内利子率の上昇→ネットの資本流入の増加→邦貨建て為替レートの下落（円高・ドル安）
　ドルの買い介入→ハイパワード・マネーの増加→マネー・サプライの増加→国内利子率の下落→ネットの資本流出の増加→邦貨建て為替レートの上昇（円安・ドル高）
という経路が成立するので，介入の効果が強められる。

なお，不胎化政策とは，外国為替市場への介入により増減した外貨をちょうど相殺するように，反対方向の有価証券の売買を同額だけ行うことをいう。すなわち，ドルの売り介入をしたとき，そのままでは中央銀行の資産としての外貨が減少してしまうので，有価証券を同額だけ買えば，資産の額を一定に保つことができ，その結果ハイパワード・マネーおよびマネー・サプライを一定に保つことができる。ドルの買い介入に関しても，同額だけ有価証券を売れば，中央銀行の資産は不変に保たれる。したがって，不胎化政策を行えば，マネー・サプライを一定に保つことができるのである。しかし，このような政策は決し

て長期にわたって継続できるものではないことに注意が必要である。

◇ 平成5年度

問題❶ 消費者行動の分析と同様に，資産選択行動の分析でも無差別曲線を用いる。後者のそれが描かれる平面は，資産の持つ二つの性質，つまり収益率の大きさと危険の度合い（収益率の分散）をそれぞれ縦軸と横軸とし，平面上の1点は1資産を表す。以上のことをふまえて，次の問いに答えなさい。

⑴ 消費者の無差別曲線を説明しなさい。その際，資産選択者のそれとの違いを明確に述べなさい。

⑵ 資産選択者が，危険が増せば収益も増加しないと2資産は無差別にならないと考える場合，無差別曲線はどのような形になるかを説明しなさい。

解答例

チェック・ポイント

⑴ 消費者の無差別曲線は財空間上に描かれる。財空間とは財の消費の組合せの全体集合である。利用可能な消費財がX財，Y財の2種類の場合には，X財の消費量xを横軸（x軸）に，Y財の消費量yを縦軸（y軸）にとると，x－y平面が財空間となり，財空間上の一点は，X財を何単位，Y財を何単位組み合わせて消費するかを表すことになる。この財空間において，消費者が一定の選好をもっているとすると，同程度に望ましい消費量の組合せの軌跡が無差別曲線となる。

消費者の無差別曲線は財空間上に描かれる

〔図1〕には無差別曲線が描かれているが，この無差別曲線は，消費者のもつ選好に一定の仮定をおくことにより，次の四つの特徴をもつ。

1 無差別曲線は右下がりである。
2 無差別曲線は交わらない。
3 原点から右上方に位置する無差別曲線ほど高い効用水準に対応する。
4 無差別曲線は原点に対して凸である（限界代替率の逓減）。

消費者の無差別曲線の特徴

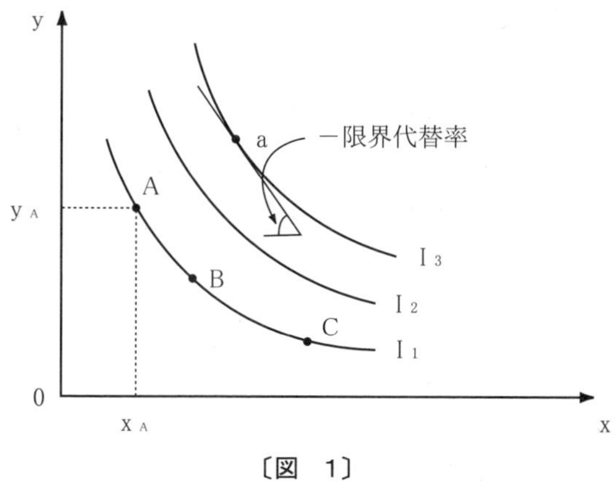

〔図 1〕

消費者の無差別曲線が以上のような特徴をもつのに対して，資産選択者の無差別曲線は異なる特徴を有する。まず問題文にもあるように，資産選択者の無差別曲線は，縦軸に資産の収益率，横軸に“危険の度合い（収益率の分散）”がとられた平面上に描かれ，その平面上の１点は，ある資産を保有したときの収益率と“危険の度合い”の組み合せを表す。また，このとき，資産保有者にとって同程度に望ましい収益率と“危険の度合い”の組み合せの軌跡が無差別曲線となる。

資産保有者の無差別曲線は，消費者の無差別曲線と比較すると，先に挙げた四つの性質のうち２，３については同様の性質をもつ。しかし，四つの性質のうち１，４については，資産保有者が危険に対していかなる態度をとるかによって異なるものとなる。

すなわち，資産保有者の危険に対する態度が危険回避的であるか，危険中立的であるか，または危険愛好的であるかによって，資産保有者の無差別曲線の形状は異なったものとなるのである。

消費者の無差別曲線と資産保有者の無差別曲線との違い

危険回避者の場合，**〔図2〕**のＡ点と同程度に選好される資産は，より高い危険の度合いに対しては，Ｂ点のようにより高い収益率が要求されることになる。したがって，資産保有者が危険回避的である場合，その資産保有者の無差別曲線は右上がりになる。次に危険中立者の場合，危険の度合いに関わらず収益率が一定であれば効用水準は不変になることから，**〔図3〕**のように無差別

資産保有者の危険に対する態度と無差別曲線

曲線は一定の収益率の下で水平になる。

最後に，危険愛好者の場合には，収益率が一定であっても危険の度合いが増せばより選好されるので，〔**図4**〕においてA点と同程度に選好される資産は，より低い収益率とより高い危険の度合いを有するものとなり，無差別曲線は右下がりになる。

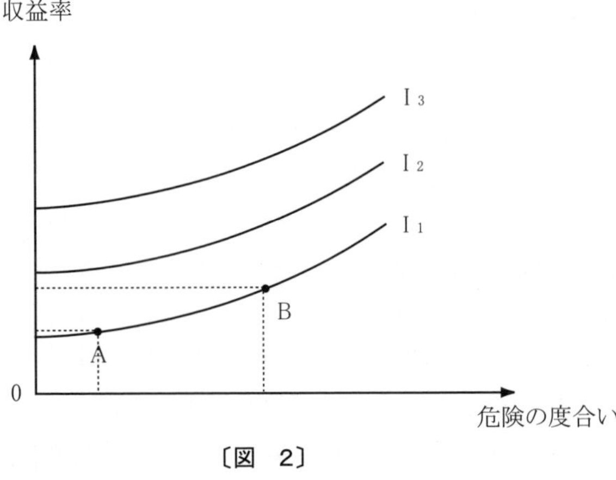

〔図　2〕

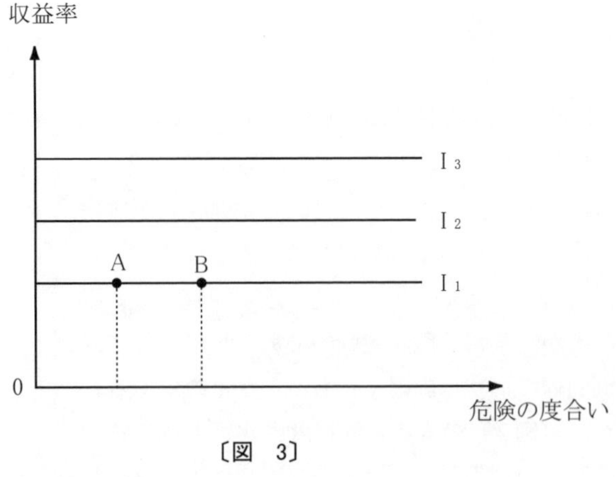

〔図　3〕

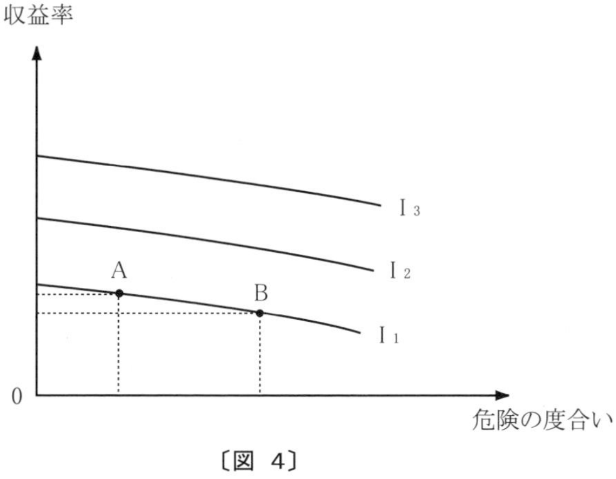

〔図 4〕

(2) 題意の資産選択者は，危険の度合いが高まった場合，より高い収益率を要求するので，危険回避者であると言える。危険回避者の無差別曲線は，〔図2〕においてすでに示されているように，右上がりになる。

危険回避者の無差別曲線

解答への道

この問題は，消費者理論における無差別曲線と資産選択理論における無差別曲線に関する出題である。基本的には無差別曲線の理解のほうに重点をおきつつ，不確実性下の意思決定問題である資産選択理論の初歩をミックスしたものとなっている。

不確実性の経済学は，すでにミクロ経済学の入門書にも登場するようになっていることから，本問は目新しい問題であるが，決して難問とは言えない。

この問題は，解答の内容について細かい指示がなされているので，問題文をよく読み，何について述べるべきかを的確に判断して解答する必要がある。

・ 財空間上の1点は，消費の組合せを表す。

〔図1〕のA点は，X財を x_A 単位，Y財を y_A 単位組み合わせて消費することを表している。

・ 消費者の無差別曲線はこの財空間上で，同程度に選好される消費点の軌跡である。

〔**図1**〕の同一無差別曲線の点A，B，Cは消費者にとって同程度に望ましい消費量の組合せである。

- 消費者の無差別曲線は，次の性質をもつ。

1　無差別曲線は右下がりである。

2　無差別曲線は交わらない。

3　原点から右上方に位置する無差別曲線ほど高い効用水準に対応する。

4　無差別曲線は原点に対して凸である。

- 消費者の無差別曲線と資産選択者の無差別曲線との相違点

1　消費者の無差別曲線は財空間に描かれるが，資産選択者の無差別曲線は，縦軸に資産の収益率，横軸に危険の度合いをとった平面上に描かれる。

2　消費者の無差別曲線は右下がりで，原点に対して凸の形をしているが，資産選択における無差別曲線は，資産保有者の危険に対する態度により異なる形状をもつ。

　＊　危険回避者　—　右上がり（解答例の〔**図2**〕）

　＊　危険中立者　—　一定の収益率の水準で水平（解答例の〔**図3**〕）

　＊　危険愛好者　—　右下がり（解答例の〔**図4**〕）

- 危険が増せば，収益率が増加しないと2種類の資産が無差別にならないと考える資産選択者は危険回避者であり，その無差別曲線は右上がりになる。

MEMO

問題❷　政府の景気刺激対策としての所得税減税の有効性をめぐる議論について論述しなさい。

解答例

チェック・ポイント

所得税減税は，国民の可処分所得を増大させることにより民間消費を刺激し，有効需要を高めるという形で，景気対策として有効に機能すると考えられている。以下ではそのプロセスと問題点について論じる。

消費関数が以下のように，基礎消費C_0，限界消費性向c，可処分所得（Y－T）によって特徴づけられると仮定する（ケインズ型消費関数）。ただし各変数は実質額で表示され，物価水準は分析を通じて一定であるとする。

$$C = C_0 + c\ (Y - T)$$

（C：民間消費，　Y：国民所得，　T：一括固定額税）

このとき｜ΔT｜（ΔT＜0）の規模の減税は，可処分所得をその額だけ増加させ，民間消費をc｜ΔT｜だけ増大させる。民間消費は経済における総需要の構成要素であることから，民間消費の増大により総供給がその分だけ増大し，それは生産要素の貢献分として国民に分配される。すなわち｜ΔT｜の減税は，第1次的な効果として，c｜ΔT｜だけ国民所得を増大させる。この国民所得の増大は，さらにc^2｜ΔT｜の消費の増大をもたらし，その分だけ国民所得を増大させる。この乗数プロセスはさらに続き，最終的には，減税額｜ΔT｜の$\frac{c}{1-c}$倍の国民所得の増大，すなわち，

$$\Delta Y = \frac{-c}{1-c}\Delta T = \frac{c}{1-c}|\Delta T|$$

をもたらすことになる。

以上のような乗数プロセスにより，減税はその乗数倍の国民所得の増大をもたらし，景気対策として有効であると考えられる。しかし，この景気対策としての減税は，以下のいくつかの要因によって，その有効性が制限されたり，無効になったりする。

所得税減税による景気刺激効果

第1に租税乗数の絶対値である $\frac{c}{1-c}$ の大きさは，限界消費性向cの値が小さい場合には小さいものとなり，減税による国民所得の増大の効果は，それに対応して小さいものとなる。すなわち，減税により国民の可処分所得が増大したときに，民間消費がどれだけ刺激されるかを表すcの値が小さいとき，景気対策としての減税の有効性は制限されたものとなる。

乗数の値による有効性の制限

第2に，減税を行うときの政府の財源について考慮する必要がある。景気対策としての減税の財源としては，国債の発行が通常考えられるが，それは家計の消費行動に影響を与える可能性がある。なぜならば，発行された国債は，将来租税によって償還されなければならないからである。このとき，将来時点において，この償還のための課税が減税を受けた世代に対して行われ，そのことを家計が知っている場合には，減税が行われても，家計は貯蓄をその分増大させるだけで消費を増大させないであろう。また，償還のための課税が将来世代に対して行われる場合においても，減税を受ける世代が償還のための課税が行われる世代の経済厚生を考慮する場合には，その世代に残す遺産の額を増大させる目的で貯蓄を増やすために，消費を増大させない可能性がある。これらの議論は，減税による可処分所得の増大が民間消費を増大させず，減税が景気対策として有効に機能しない可能性を示している。

減税の財源を考慮する場合の有効性

第3に，先のモデルは，金融市場（したがって利子率）を考慮していないが，金融市場との相互効果を考えた場合，減税の有効性はより限定的なものとなる。減税により，財市場においてその乗数倍だけ国民所得が増加した場合，貨幣市場において貨幣の取引需要が増大し，貨幣の超過需要が発生し，利子率が上昇する。この貨幣市場における利子率の上昇は，財市場において投資を減少させ，国民所得を減少させる。その結果，国民所得の増大は，このクラウディング・アウト効果により小さくなる。この効果は，貨幣需要の利子弾力性が小さいほど，あるいは投資の利子弾力性が大きいほど大きくなり，減税の有効性はより限定的なものとなる。

さらに，減税の財源が国債の市中消化によって賄われたとき，発行される国債が民間の経済主体にとって資産の増加として認識され

2種類のクラウディング・アウト

るならば，民間の経済主体は，資産増加の一定割合を安全資産である貨幣で保有しようとするであろう。このとき，この貨幣需要の増大によりＬＭ曲線が左上方にシフトすることから，国民所得水準が低下し，減税が景気対策として有効に機能しない可能性がある。この効果（ポートフォリオ・クラウディング・アウト）がＩＳ曲線のシフトによる国民所得の増大を上回るならば，減税により国民所得水準が減少する可能性さえ存在する。

解答への道

本問はマクロ経済学に関する問題であるが，マクロ経済学の問題では，このように経済の時事的な側面からの出題がなされることがある。よって，本試験までの１年ぐらいの間に話題になった経済問題については，その内容を新聞，雑誌等である程度知っておくと良い。

しかし解答の際注意すべき点は，新聞，雑誌のようなスタイルではなく，マクロ経済学のテキストにあるような理論モデルを用いて解答を構成することである。そこで，本問に解答する際のポイントを述べると次のようになる。

・　減税が景気対策として有効性をもつ理論的根拠を説明する。

・　減税の経済効果

$$\Delta Y^* = -\frac{c}{1-c}\Delta T = \frac{c}{1-c}\,|\,\Delta T\,|$$

・　減税の有効性を規定する要因

1　限界消費性向ｃの大きさ

ｃが小さいほど，租税乗数の絶対値 $\frac{c}{1-c}$ の値は小さくなり，減税は景気対策としては有効ではなくなる。

2　減税の財源が国債の発行で賄われ，国民が将来の課税による償還を考慮して消費を決定する場合

①　当該世代への課税による償還の場合，減税額のすべてまたは大部分は貯蓄されてしまい，消費は刺激されない。

②　将来世代への課税による償還の場合，当該世代が将来世代の経済厚生を考慮するならば，遺産を増大させるために貯蓄を増大させることから，消費はあまり増加しない。

3　クラウディング・アウト

財市場だけでなく，金融市場を同時に考慮する場合，クラウディング・アウトが発生し，減税が景気対策として有効でなくなる可能性がある。

①　通常のクラウディング・アウト（ヒックス・メカニズム）

財市場において減税が国民所得水準を増大させるとき，貨幣の取引需要が増大し，貨幣市場において超過需要が発生することから，利子率が上昇する。それによって財市場において投資が減少し，国民所得水準の増加は当初よりも小さなものとなってしまう。

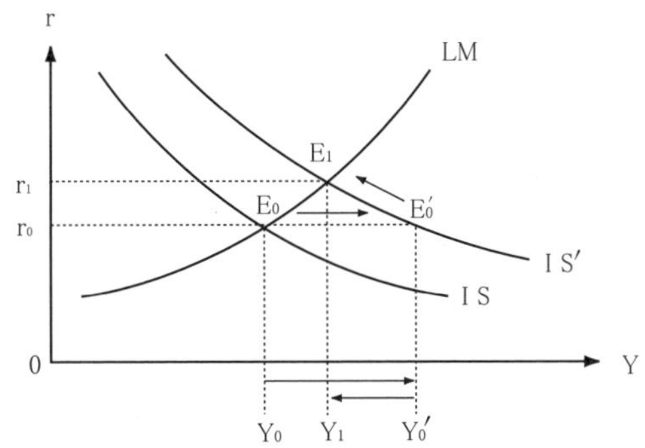

②　資産効果に伴うクラウディング・アウト（ポートフォリオ・クラウディング・アウト）

減税の財源が市中消化の国債発行によって調達されるとき，国債が資産として認識される場合には，資産選択の結果として，国債の新規発行が貨幣需要を増大させる。この効果によってＬＭ曲線が左上方にシフトし，国民所得が減少する。

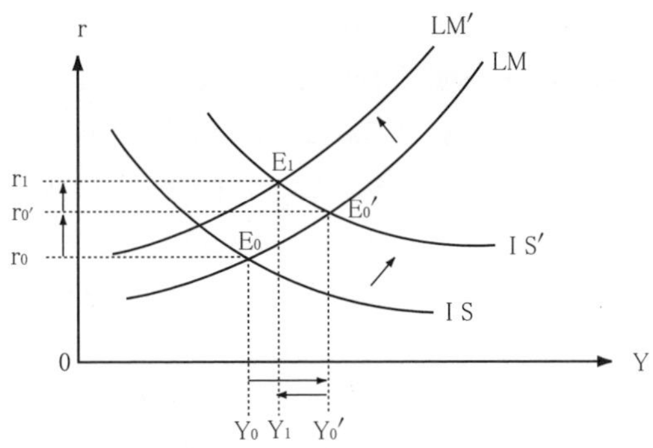

◇❯ 平成6年度

問題❶　家計は労働市場において労働を供給する。その行動は，消費行動と同様に，ミクロ経済学の理論を用いて分析することができる。以上のことをふまえて次の問に答えなさい。

問1　消費行動についての主体的均衡と市場均衡を説明しなさい。

問2　失業が存在するのは，労働市場において市場均衡が達成されないことを意味する。価格メカニズムを用いて，なぜ不均衡が発生するのかを説明しなさい。

解答例

チェック・ポイント

問1

ミクロ経済学においては，家計は予算の範囲内で自らの効用を最大にするように消費量を決定する経済主体であると想定される。このとき，個々の家計が所与の財価格と所得の下で効用を最大にするように財消費量を決定することを主体的均衡という。

（家計の主体的均衡について）

以下，この点を図を用いながら説明する。いま，経済がX財，Y財の2財からなり，それぞれの価格がp_x，p_yであるとする。また，当該家計の各財の消費量をそれぞれx，yとし，所得をMとおく。このとき，当該家計がプライス・テーカーであり，財価格p_x，p_yおよび所得Mが所与であるとすると，予算制約式は，$p_x x + p_y y \leqq M$と表せるので，〔**図1**〕の△AOBが消費可能領域になる。ここで，この家計が予算線AB上のC点を選ぶとすれば，その点に対応する効用水準は，C点を通る無差別曲線u_1により表される。しかし，無差別曲線は，原点から右上方にあるものほど高い効用水準を表し，また原点に向かって凸型であるという性質をもっているので，C点よりも右下の予算線上に，u_1よりも高い効用水準を与える消費点が存在する。その点は，予算線ABと無差別曲線u_2が接する点であるE点である。家計がこのE点を選べば，もはや予算線上をどちらの方向に移動しても，より高い効用水準を得ることはできない。したがって，予算制約を満足しながら効用を最大にするよ

（主体的均衡の2財モデルを用いた説明）

うに行動する家計が選ぶ消費点はE点であり，この点は，この家計の主体的均衡点とよばれる。

次に，Y財の価格および所得が不変である下で，X財の価格p_xのみが変化した場合を考える。X財価格の変化にともなって予算線が変化することになるので，家計の主体的均衡点および各財の消費量も変化することになるが，このとき，縦軸にX財の価格p_xを，横軸に当該家計のX財需要量をそれぞれとることにより，この家計のX財に関する個別需要曲線を得ることができる。この個別需要曲線は，代替効果の大きさを所得効果の大きさが絶対値で上回る劣等財として定義されるギッフェン財のケースをのぞけば，通常右下がりの曲線として描かれる。さらに，市場に参加するすべての家計について個別需要曲線を求め，それらを横軸方向に水平に集計することにより，右下がりの市場需要曲線を得ることができる（〔**図2**〕のDD線）。

市場需要曲線の導出

他方，このX財を生産するプライス・テーカー企業を想定すれば，利潤最大化条件である“財価格＝限界費用”より，限界費用曲線に相当する右上がりの個別供給曲線が得られ，それを市場に参加するすべての企業に関して水平方向に集計することにより，右上がりの市場供給曲線を導出することができる（〔**図2**〕のSS線）。

市場供給曲線の導出

以上の手続きにより得られた市場需要曲線と市場供給曲線を用いることにより，X財に関する市場均衡を考えることができる。市場均衡とは，ある財に関して，その需要量と供給量が一致することをいう。〔**図2**〕の市場需要曲線と市場供給曲線を前提とすれば，両曲線の交点Eが市場均衡を表す点であり，その点に対応する価格p_x^*が均衡価格，数量X^*が均衡取引量である。

この市場均衡価格p_x^*は，ワルラス的な価格調整メカニズムを前提とすれば，超過供給が発生するときには財価格が下落し，超過需要が発生するときには財価格が上昇するという形で達成される。〔**図2**〕のような通常のケースでは，市場均衡は，どのような価格水準から出発しても必ず達成されるので，安定的である。

市場均衡

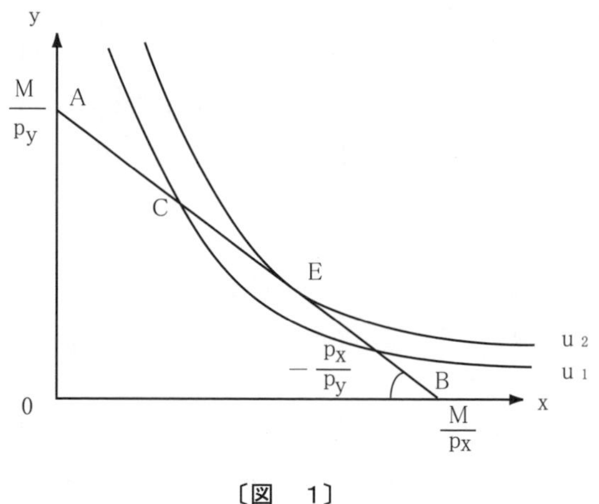

〔図　1〕

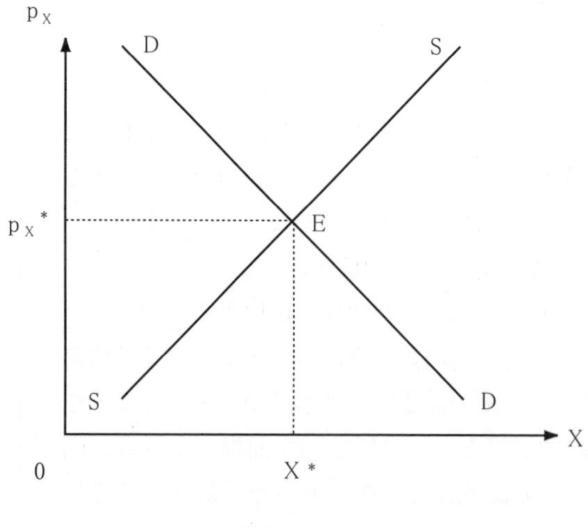

〔図　2〕

問 2

家計は財を需要する主体であると同時に，労働市場において労働を供給する主体でもある。このとき，家計の労働供給量の決定は，留保需要とよばれる理論を用いて説明され，家計の余暇の初期保有時間から効用を最大化する余暇消費量を差し引いたものとして決定される。このとき，代替効果の大きさが所得効果の大きさを絶対値で上回るならば，右上がりの労働の個別供給曲線が描かれ，その水平和をとることにより右上がりの労働の市場供給曲線が得られる。

他方，企業の利潤最大化条件である“貨幣賃金率＝労働の限界収入生産力”より，限界収入生産力曲線に相当する右下がりの労働の個別需要曲線が得られ，その水平和をとることにより右下がりの労働の市場需要曲線が導出される。

したがって，労働市場においてワルラス的な価格調整メカニズムが機能することを前提とすれば，労働市場は，〔**図2**〕の縦軸を貨幣賃金率に，横軸を労働の需要量ないし供給量に，それぞれ読みかえた図により表現され，安定的な市場均衡が実現することとなる。

労働市場における市場均衡

しかしながら，このような価格メカニズムを前提としても，なお市場均衡が達成されない場合がある。それは，労働供給に関して，何らかの理由，たとえば潜在的な失業者の存在，労働組合の存在等により貨幣賃金率が下方硬直性を有し，労働供給曲線が，〔**図3**〕のようにある水準$\overline{w}$で水平部分をもつ場合である。ここで，労働需要曲線が，〔**図3**〕のように労働供給曲線の水平部分で交わっているものとしよう。このとき，貨幣賃金率が$\overline{w}$よりも高ければ，労働の超過供給が生じてwが下落し，$\overline{w}$よりも低ければ，労働の超過需要が生じてwが上昇することは，先の議論と同様である。しかし，このような価格メカニズムのもとで，$\overline{w}$が実現したとしても，この$\overline{w}$は労働市場における市場均衡価格ではない。それは，〔**図3**〕から見て取れるように，$\overline{w}$のもとでは，労働供給量はNs であり，労働需要量はN_dであるので，労働供給が労働需要を上回っており，非自発的失業という形の不均衡が発生しているからである。

価格メカニズムによっても不均衡が発生するケース

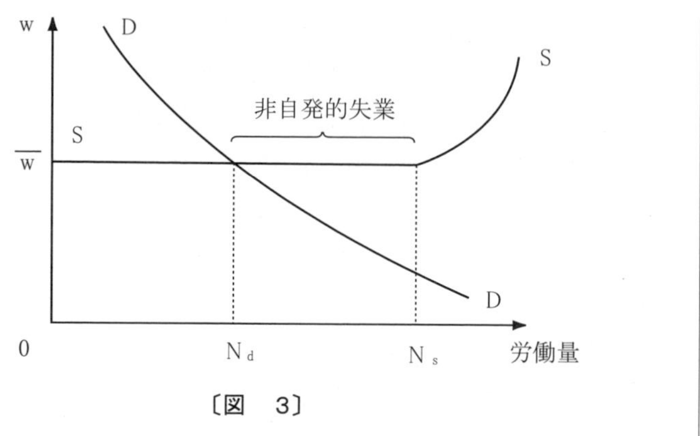

〔図　3〕

解答への道

まず **問1** であるが，主体的均衡については，家計の標準的な効用最大化行動を２財モデルにより説明すればよいだろう。そして，このモデルから，財に関する右下がりの個別需要曲線が導出されることを述べればよい。なお，ギッフェン財のケースでは，個別需要曲線が右上がりになることが知られているが，これについては，単に指摘するだけにとどめておけばよいだろう。

次に市場均衡に関する説明であるが，まず個別需要曲線の水平和をとることにより市場需要曲線が得られることを説明する。しかし，「市場」について述べるためには，需要面だけでなく供給面にも触れる必要があり，そのためには，市場供給曲線の導出について説明しなければならない。ただし，これは題意の「消費行動についての」という観点からややはずれるので，簡単でよいと思われる。

こうして，市場需要曲線と市場供給曲線がそろえば，市場均衡について説明することができる。このとき，市場均衡の安定性に関して，ワルラス的な価格調整メカニズムを前提としつつ述べておくとよい。なお，マーシャル的な調整メカニズムやくもの巣サイクルといったメカニズムも存在するが，これらについては特に言及しなくてもよいだろう。

次に **問2** であるが，この問題では労働市場における市場均衡について説明することになるので，まず，労働に関する市場需要曲線と市場供給曲線を導出しなければならない。そこで，余暇と消費財に関する家計の効用最大化行動，および企業の利潤最大化行動から労働の個別供給曲線・個別需要曲線が導出されること，およびそれらの水平和をとることにより，労働の市場供給曲線・市場需要曲線が得られることを述べる。

このとき，労働の市場需要曲線が右下がりであり，労働の市場供給曲線が右上がりである通常のケースでは，**問1**で説明されているワルラス的な価格調整メカニズムがそのまま適用できるので，価格メカニズムにより，安定的な市場均衡が実現する。

これに対して，題意の「なぜ不均衡が発生するのか」ということを説明するのはやや難しい。一般に，労働市場において不均衡が発生することの説明としては，

① 労働供給に関して，古典派の第2公準の成立を仮定する。

② 労働供給に関して，古典派の第2公準の成立を仮定しない。

という2種類が考えられる。

①の古典派の第2公準の成立を仮定する場合には，非自発的失業の存在を示すためには，賃金の「下方硬直性」，および労働需要量＜労働供給量となる場合には雇用量＝労働需要量となるという「ショート・サイドの原理」を仮定しなければならない。労働市場における貨幣賃金率の硬直性を説明する「暗黙の労働契約理論」，あるいは実質賃金率の硬直性を説明する「効率的賃金仮説」といった理論は，この下方硬直性を理論的に説明するモデルである。

しかしながら，この下方硬直性を仮定することは，労働市場において価格メカニズムが機能しないことを仮定することを意味しているので，題意の「価格メカニズムを用いて」という記述と矛盾してしまう。そこで，**【解答例】**では，②の古典派の第2公準の成立を仮定しないときの説明を採用し，所与の貨幣賃金率のもとで完全弾力的（水平）な部分をもつ労働供給曲線を仮定することとした。これを用いれば，題意のように，「価格メカニズムを用いて」労働市場の不均衡を説明することができる。ただし，この場合には，なぜそのような形状の労働供給曲線が成立するのかということに関して，理論的な裏付けを与えることができないという弱点が存在する。

問題❷　金融緩和政策が景気回復に有効的でないケースを平成不況の日本経済を念頭にＩＳ－ＬＭ分析を使って説明しなさい。

解答例

チェック・ポイント

まず，平成不況の日本経済を概観する。1991年（平成３年）４月を景気の山として，我が国は景気後退の局面に入ったとされているが，この不況は以下のような特徴をもっている。まず，いわゆるバブル崩壊の影響により民間設備投資の伸び率が減少した。また家計所得の伸びも鈍化し，これが個人消費を低迷させた。こうした中で政策当局は，景気浮揚を目的とした一連の経済政策を実施したが，特に1993年（平成５年）９月には「緊急経済対策」が発表され，それにともなって，公定歩合が1.75%にまで引き下げられた。

平成不況の概観

さて，このような特徴をもつ平成不況は，ＩＳ－ＬＭ分析を用いた金融緩和政策が有効でないケースの議論と，どのように結びつくのであろうか。一般に，ＩＳ－ＬＭ分析において金融政策が有効性をもたないのは，「流動性のわな」のケースと投資が利子率に関して非弾力的であるケースの２つであるとされる。

ＩＳ－ＬＭ分析と金融政策の有効性

そこでまず，以下において，「流動性のわな」とはどのようなものであり，またなぜそれにより金融緩和政策が無効になってしまうのかについて述べる。

平成不況と流動性のわな

一般に，ＩＳ－ＬＭ分析においては，貨幣の投機的需要は利子率の減少関数であるとされるが，これは次のように説明される。まず，資産の形態として，安全資産としての「貨幣」と危険資産としての「コンソル債」の２種類を仮定する。このときコンソル債の債券価格は，確定利子を利子率で除したものとなるので，債券価格と利子率は負の相関をもつ。次に，債券価格に関して，人々は常にある正常値を想定しており，現在の値がそこから乖離していると，将来において，債券価格は必ずその正常値に回帰するという形の期待形成をすると仮定する。

流動性のわなの理論的な説明

ここで，人々が利子率が下限に達しているという認識をもったとする。このとき，すべての人々が将来の債券価格の下落すなわちキャピタル・ロスを予想することから，誰も債券を需要しないので，債券需要はゼロとなり，貨幣需要は無限大に至る。これをグラフに描いたものが〔**図1**〕である。これをもとに，ＬＭ曲線が〔**図2**〕のように描かれる。

さて，いま経済が〔**図2**〕の（Y^*，r_0）にあるとする。このとき，金融緩和政策により実質貨幣供給量が増大すると，ＬＭ曲線は右方シフトするが，このシフトは右上がりの部分に限られるので，〔**図2**〕のＬＭからＬＭ′へのシフトとなり，均衡の国民所得および利子率はともに変化しない。したがって，このとき金融緩和政策は景気回復に対して有効ではない。

もう一つの説明は，投資の利子弾力性が著しく小さくなったとすることである。いわゆるバブル崩壊にともなって，金融機関の資金の貸出態度が非常に慎重になっているが，これにより，たとえ利子率が下落しても，資金の借入れが容易でないことから，民間の設備投資はあまり増加しないと考えられる。これは投資の利子弾力性が小さいことを意味するが，これによりＩＳ曲線が垂直に近くなるので，金融緩和政策の有効性は小さくなってしまうことになる。このような状況を特に「クレジット・クランチ」というが，一般に銀行の「貸し渋り」という言葉がこれに対応する。

一方，設備投資に関する意思決定に際して，そもそも利子率が重視されないという可能性がある。このときにも，投資の利子弾力性は著しく小さくなる。これは，一般に設備投資が年約15%の投資収益率を期待してなされるのに対して，利子率は通常は１ケタ台にとどまっており，あまり重要ではないと考えられることを根拠としている。

投資が利子率に関して非弾力的であるケース

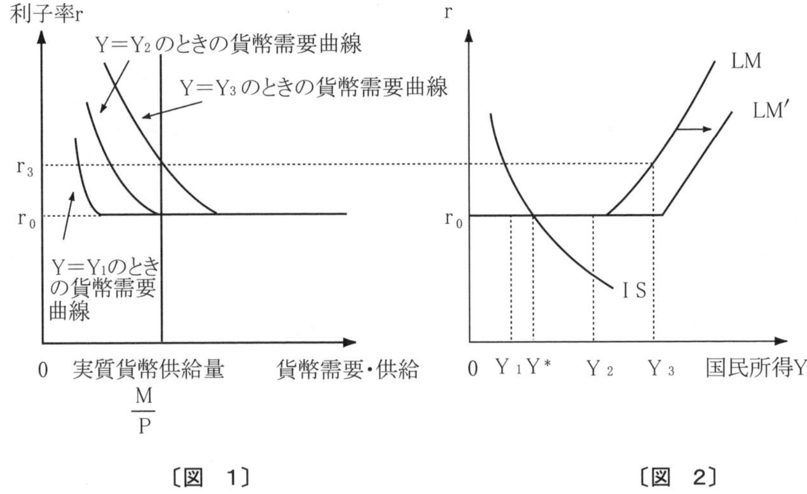

〔図　1〕　　〔図　2〕

解答への道

一般にＩＳ－ＬＭ分析において，金融緩和政策は，ケインズ効果とよばれる以下のような経路を通じて，その効果を発揮するものとされる。

＜ケインズ効果＞ 貨幣供給量の増加→貨幣市場における超過供給→利子率の下落→投資の増大

したがって，この経路が成立するためには，

① 貨幣市場における超過供給により利子率が下落すること。

② 利子率の下落により投資が増大すること。

の2点が成立することが必要である。

このうちの①は，経済が「流動性のわな」の状態に陥っているときには成立しないことが知られているが，金融緩和政策が有効でないことの説明としては，もう一つ，②が成立しないことを示すという方法もある。

②が成立しないことは，すなわち投資の利子弾力性がきわめて小さいことを意味しているが，これについては，平成6年版の「日本経済の現況」（経済企画庁調査局編）によれば，

1 設備投資についての意思決定に際しては，そもそも金利は重視されない。

2　金融緩和により利子率が下落したとしても，金融機関からの借り入れが容易にならなければ，設備投資を増加させることはない（クレジット・クランチ）。

3　名目金利は低下しているが，物価が安定しているために実質金利はまだ高い水準にあり，これが設備投資を抑制している。

という３通りの説明が可能である。

◇平成７年度

> **問題❶** ⑴ マクロ消費行動を説明する理論仮説のうち，
> ① ケインズ型の消費関数（絶対所得仮説）と
> ② 恒常所得仮説を説明しなさい。
> その際，②が①より優れている点も述べなさい。
> ⑵ それぞれの仮説を前提とする場合，国債発行により減税が行われる際の効果はどのように違うか説明しなさい。

解答例

チェック・ポイント

⑴ マクロ消費行動を説明する消費関数に関する理論仮説のうち，最もよく用いられる関数は，①のケインズ型の消費関数である。このケインズ型の消費関数は，マクロ経済全体の民間最終消費支出をＣとおき，国民所得をＹとおけば，

$$C(Y)=C_0+cY \quad (C_0>0,\ 0<c<1) \cdots\cdots\cdots (1)$$

のような定数項をもつＹの一次式により表され，Ｙ－Ｃ平面のグラフ上では，正の縦軸の切片をもつ右上がりの直線により表される。

この⑴式の右辺のC_0は基礎消費とよばれ，所得がゼロであっても最低限確保しなければならない消費量を意味している。また，Ｙの係数であるｃは限界消費性向とよばれ，所得Ｙが追加的に１単位増加したときの消費の増加分を表している。一般に，所得が追加的に１単位増加したとき，人々はその一定割合を貯蓄に回すと考えられることから，この値は０と１の間をとるとされる。

（ケインズ型消費関数）

これに対しフリードマンは，消費支出は，「消費者が自分の所得稼得能力から見て将来稼得すると予想する長期にわたる平均的な所得水準」と定義される恒常所得に依存する形で決定されるという恒常所得仮説を主張した。

この恒常所得仮説に基づく消費関数は，恒常所得をY_Pとおくとき，

$$C(Y)=kY_P \quad (0<k<1) \cdots\cdots\cdots\cdots\cdots\cdots\cdots\cdots\cdots (2)$$

（恒常所得仮説）

と表される。

この(2)式で表される消費関数は，短期消費関数およびクロス・セクション・データに基づく消費関数と長期消費関数の形状の違い（消費関数論争）を矛盾なく説明できるという点で，(1)式で表されるケインズ型の消費関数よりも優れているということができる。すなわち，短期の時系列データおよびクロス・セクション・データを用いた推計では，消費関数は正の切片をもつ右上がりの直線により表されるのに対して，長期の時系列データを用いた推計では，消費関数は，原点を通り，短期の時系列データやクロス・セクション・データに基づく消費関数よりも傾きの大きい直線になるという結果が得られるが，この問題は，(2)式を用いて以下のように説明される。

短期と長期の消費関数の違い

まず，恒常所得Y_Pを，現在の所得Ｙと一期前の所得Y_{-1}の加重平均として，

$$Y_P = \theta Y + (1-\theta) Y_{-1} \qquad (0<\theta<1) \cdots\cdots\cdots\cdots (3)$$

と表されるものとする。この(3)式を(2)式に代入すれば，

$$C = k\theta Y + k(1-\theta) Y_{-1} \cdots\cdots\cdots\cdots (4)$$

という式を得ることができる。

この(4)式で表される消費関数は，一期前の所得Y_{-1}を所与とする短期を考えれば，縦軸の切片が$k(1-\theta)Y_{-1}$であり，傾きがｋよりも小さい$k\theta$の直線を表しているとみなすことができる。

これに対し，長期をとれば，恒常所得の定義から$Y_P = Y = Y_{-1}$が成立すると考えられることから，長期消費関数は，

$$C = k\theta Y + k(1-\theta) Y = kY \cdots\cdots\cdots\cdots (5)$$

となる。これは，長期消費関数が原点を通り，傾きがｋの直線であることを示している。

(2)　いま，題意にしたがって，国債発行により減税が実施されたとしよう。ケインズ型の消費関数を前提とすれば，この減税により可処分所得が減税の分だけ増加するので，それに見合って消費が増加し，その結果財市場を均衡させる均衡国民所得が増大することとなる。

しかし，恒常所得仮説の消費関数を前提とすれば，結果は異なっ

たものとなる。恒常所得仮説によれば，所得Yは恒常所得Y_Pと変動所得Y_Tに分けられる。このとき，減税が一時的なものであれば，それによる所得の増大の大部分は恒常所得の増大とはみなされず，変動所得の増大とみなされるので，恒常所得の増大は減税分よりも小さくなる。したがって，恒常所得仮説を前提とするとき，消費の増大は，消費が可処分所得に依存するというケインズ型の消費関数を前提とするときに比べて小幅なものとなる。ゆえに，減税が一時的なものであれば，それによる均衡国民所得の増大は，恒常所得仮説を前提としたときの方がケインズ型の消費関数を前提としたときよりも小さくなる。

ただし，減税が一時的なものではなく，次期以降も続く恒久的なものであれば，それによる所得の増大はそのまま恒常所得の増大とみなされるので，減税が一時的なものであったときと比べて，減税の効果はより大きなものになる。

減税の効果

解答への道

本問の(2)については，ケインズ型消費関数の限界消費性向と恒常所得仮説に基づく消費関数の限界消費性向の値をどのように設定するかにより，結論が変わってくると思われる。

すなわち，

ケインズ型消費関数：$C = C_O + cY$

恒常所得仮説に基づく消費関数：$C = cY_P$

のように，両者の限界消費性向を等しく設定すれば，減税が一時的なものであり，$Y > Y_P$ が成立するならば，**【解答例】**のような結果が得られることとなる。なお，この場合，減税が次期以降も続く恒久的なものであったとしても，その効果はケインズ型消費関数を前提とする場合と同じになるにすぎない。

これに対し，

ケインズ型消費関数：$C = k\theta Y + k(1-\theta)Y_{-1}$　$(0 < \theta < 1)$

恒常所得仮説に基づく消費関数：$C = kY_P$

のように，恒常所得仮説に基づく消費関数の限界消費性向の方がケインズ型消費関数の限界消費性向よりも大きいと仮定すれば，減税が一時的なものではなく，次期以降も続く恒久的なものである場合には，その効果は，恒常所得仮説に基づく消費関数を前提とした方が，ケインズ型消費関数を前提とする場合よりも大きくなる。

問題❷　家計は，貯蓄や借入れによって異時点間の消費配分を変えることができる。その異時点間の消費配分方法は消費行動理論を援用して説明できる。

以上のことを踏まえて，次の各問に答えなさい。

(1)　今期の所得Y_1，来期の所得Y_2，今期の消費C_1，利子率i（ただし$i>0$）とする時，予算制約線を求め，図示しなさい。

(2)　家計は，今期予算制約線と無差別曲線の接点から求められるS_1の正の貯蓄をしているとする。いま，他の諸条件を不変にして利子率iが上昇する時，家計の今期の貯蓄はどの様に変化するか述べなさい。なお，$S_1=Y_1-C_1>0$とする。

解答例

チェック・ポイント

(1)　異時点間の消費配分における予算制約は，消費支出の割引現在価値の合計が所得の割引現在価値の合計に等しくなることであると考えられる。したがって，今期および来期の所得水準Y_1，Y_2を消費財の単位で測った実質所得であるとみなし，来期の消費をC_2とおけば，予算（制約）線は，式では

$$C_1+\frac{C_2}{1+i}=Y_1+\frac{Y_2}{1+i}$$

と表されることになる。この式は，

$$C_2=-(1+i)(C_1-Y_1)+Y_2$$

と変形できることから，これをグラフに表せば，〔**図1**〕のように，今期と来期の所得水準の組合せ（Y_1，Y_2）を表すC点を通る傾き－（1＋i）の直線ABとして描くことができる。

異時点間の消費配分モデル

(2)　家計は，(1)で求めた予算制約を満たす範囲内でその効用を最大にするように今期と来期の消費量を決定する。したがって，予算制約を満たしながら家計の効用を最大化する主体的均衡は，〔**図2**〕のF点で示されることになる。このとき，〔**図2**〕で表される家計は，今期Y_1だけの所得があるにもかかわらず，消費をC_1^*に抑えることによって，$S_1=Y_1-C_1^*$だけの貯蓄を行う正の貯蓄主体である。

貯蓄主体

他の諸条件を不変として，この家計の直面する利子率 i が i'（$i' > i$）に上昇するとき，予算（制約）線は，

$$C_2 = -(1+i')(C_1 - Y_1) + Y_2$$

となる。この式からわかるように，予算（制約）線は，今期と来期の所得の水準を表すＣ点を通るのは利子率上昇前と同様であるが，利子率の上昇に伴って傾きの絶対値が大きくなるため，〔図2〕の直線ＤＥにより表されることになる。

これによって，家計の主体的均衡点も変化することになるが，この利子率上昇の効果は代替効果と所得効果に分けて考えることができる。ここで，代替効果とは，所得を補整的に変化させることにより，効用水準を変化前と同一の水準に保つときの利子率の上昇による今期と来期の消費の代替関係に着目した効果であり，所得効果は，貯蓄主体においては，利子率上昇による消費機会の拡大に着目した効果である。

利子率上昇の効果

次に，利子率の上昇による当該家計の貯蓄の増減について考察する。

正の貯蓄を行う家計の今期の貯蓄 S_1 は $S_1 = Y_1 - C_1$ と表され，題意より Y_1 が不変であることから，利子率上昇の今期の貯蓄に与える効果は，今期の消費 C_1 の増減に依存し，今期の消費が増大すれば今期の貯蓄は減少し，今期の消費が減少すれば今期の貯蓄は増大することとなる。

ところで，利子率の上昇は，今期の消費の機会費用を増大させ，今期の消費が来期の消費よりも相対的に高価になることを意味する。それゆえ，利子率上昇による代替効果は，今期の消費を減らし，来期の消費を増やす方向に働くことになる。

他方，正の貯蓄を行う家計にとって，利子率の上昇は貯蓄から得られる利子所得の増大をもたらすので，今期と来期の消費財が正常財であることを仮定すると，利子率上昇の所得効果は，今期と来期の消費を増大させる。

したがって，利子率の上昇が今期の貯蓄を増加させるか減少させるかは，代替効果による今期の消費の減少と，所得効果による今期の消費の増大の大小関係次第ということになり，

代替効果と所得効果

① 代替効果が所得効果を絶対値で上回るとき，今期の消費の減少および今期の貯蓄の増加が見られることとなり（〔**図 2**〕），

② 代替効果が所得効果を絶対値で下回るとき，今期の消費の増加および今期の貯蓄の減少が見られることとなる（〔**図 3**〕）。

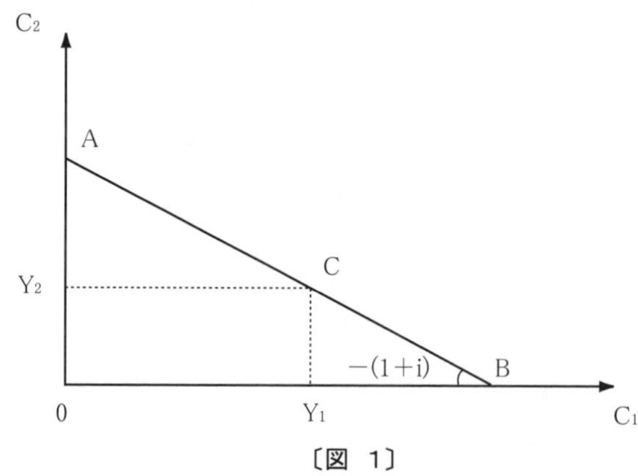

〔図 1〕

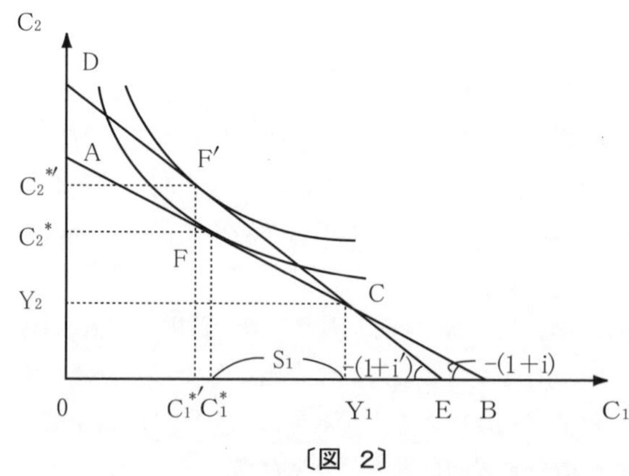

〔図 2〕

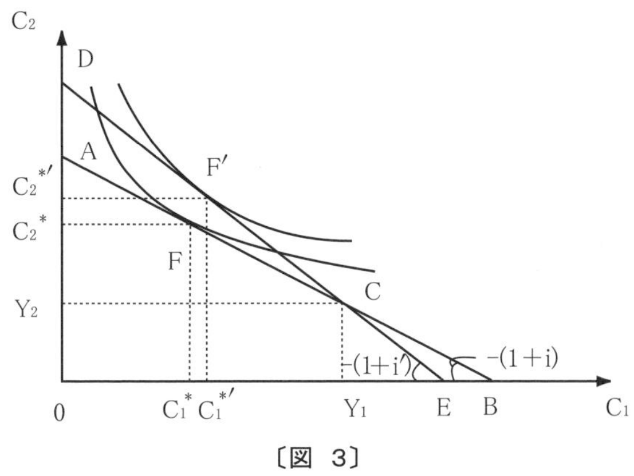

〔図 3〕

解答への道

本問は，家計の貯蓄行動に関する問題である。貯蓄行動は，現在時点の消費量と将来時点の消費量の決定問題としてモデル化することができる。

したがって，基本的には，「予算制約のもとで効用を最大化する」という最適消費量決定の問題を考えていくことになる。そこで，解答作成上，

1　家計の予算線を明らかにし，貯蓄・借入れを明示すること

2　利子率の上昇により，予算線がどのようにシフトするかを示すこと

3　利子率の上昇の効果を代替効果と所得効果に分けて貯蓄の変化を示すこと

が必要となる。

1については，予算線は，消費支出の割引現在価値合計が所得の割引現在価値合計に等しいという形で表され，

$$C_1 + \frac{C_2}{1+i} = Y_1 + \frac{Y_2}{1+i}$$

と示される。

なお，これについては来期の消費がどれだけ可能かという形で考えてもよい。すなわち，来期に消費可能な額は，来期の所得Y_2と今期の貯蓄額（所得のうち消費しなかった部分）$Y_1 - C_1$を利子率 i で運用したものの和であることから，

$$C_2 = Y_2 + (1+i)(Y_1 - C_1)$$

と表せると考えても，予算線の式を得ることができる。

このように表された予算線は，**【解答例】**に示したように

$$C_2 = -(1+i)(C_1 - Y_1) + Y_2$$

と変形できるので，点（Y_1, Y_2）を通る傾き$-(1+i)$の直線により表すことができる。

このように定義された予算線の上に，家計の効用を最大化する主体的均衡点が示されるが，その点が点（Y_1, Y_2）よりも左上にあれば，その家計は貯蓄主体であり，右下にあれば，その家計は借入れ主体であるということになる。

2については，予算線の傾きが急になること，および必ず点（Y_1, Y_2）を通ることを示せばよい。

3については，利子率上昇の効果を代替効果と所得効果に分解すること（スルツキー分解）が重要である。まず，代替効果は，利子率の上昇によって今期の消費にともなう機会費用が増大するため，今期の消費を減少させる方向に働くことになる（すなわち，貯蓄を増加させる方向に働くことになる）。他方，所得効果については，貯蓄主体の場合には，利子率の上昇は実質所得の増大を意味することから，消費財が正常財であるとすれば，所得効果により，貯蓄主体の今期の消費は増大する。

したがって，貯蓄主体の場合には，代替効果と所得効果は反対方向に働くことになる。

MEMO

◇ 平成８年度

問題❶ ⑴　競争市場にある財の需要曲線Ｄと供給曲線Ｓが図のようにあるとする。x*は望ましい生産量であることを説明しなさい。

⑵　「競争市場は望ましい生産量を決定する。」という命題にはいくつかの限定条件がある。例えば最近の 500mℓペットボトル入清涼飲料水の販売をめぐる反対論にみられるように「外部不経済」を生む財の生産量は望ましい水準x*より過大になる傾向があることを説明しなさい。

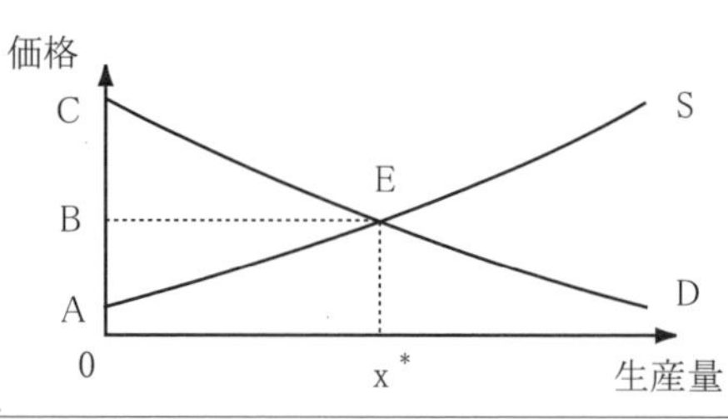

解答例

チェック・ポイント

⑴　題意より，本問は，ある特定の財の市場を他の市場状況を所与とした上で分析する部分均衡分析であると考えられるが，この部分均衡分析において，経済の資源配分の望ましさを判断する基準は（総）余剰である。すなわち，部分均衡分析においては，（総）余剰がより大きい資源配分ほど，より望ましいと判断されるのである。

したがって，題意のx*が望ましい生産量であると判断するためには，生産量がx*であるときに，余剰が最大になることを示せばよい。

部分均衡分析における望ましさの判断基準

そこで，まず生産量がx*よりも小さい〔**図１**〕のx_1であり，財価格がx_1に対応する需要曲線上のP_1であったとする。このとき，消費者余剰は△ＣP_1Ｇ，生産者余剰は□P_1ＡＦＧであるので，総余剰は□ＣＡＦＧとなる。

一方，生産量がx*よりも大きい〔**図１**〕のx_2であり，財価格がx_2に対応する需要曲線上のP_2であったとする。このとき，消費者余剰は△ＣP_2Ｉ，生産者余剰は□P_2ＡＨマイナス△ＪＨＩであるので，総余剰は□ＣＡＥマイナス△ＥＩＪとなる。

競争市場の余剰分析

これに対して，生産量がx^*であり，財価格がB点に対応する水準であれば，消費者余剰が△ＣＢＥ，生産者余剰が△ＢＡＥであるので，総余剰は△ＣＡＥである。

ゆえに，総余剰は，生産量がx^*よりも小さいx_1であれば△ＧＦＥだけ，また生産量がx^*よりも大きいx_2であれば△ＥＩＪだけ，それぞれ生産量がx^*であるときの総余剰△ＣＡＥよりも小さくなる。

したがって，生産量x^*は（総）余剰を最大にする生産量であると言える。よって，生産量x^*は望ましい生産量であることが示された。

(2) 本問の「競争市場は望ましい生産量を決定する。」という命題は，市場が競争的であっても，それにより達成される資源配分が効率的にならない「市場の失敗」のケースでは成り立たない。ゆえに，本問の命題には，①規模の経済性ないし費用逓減が見られないこと，②（技術的）外部性が排除されていること，③公共財が存在しないこと，といった限定条件が必要となる。

一般的な限定条件

以下では，題意にしたがって，このうちの②の「（技術的）外部性が排除されている」という条件が満たされないときに，資源配分が非効率的になることを述べる。

まず，（技術的）外部性とは，ある経済主体の意思決定もしくは行動が，市場を経由することなく，直接に他の経済主体の意思決定ないしは行動に与える影響をいい，このうち，他の経済主体に有利な影響を及ぼす場合を「外部経済」，他の経済主体に不利な影響を及ぼす場合を「外部不経済」という。

外部性の説明

外部不経済の例としては，問題文の 500mℓペットボトル入清涼飲料水の販売が挙げられる。500mℓペットボトル入清涼飲料水を販売すると，１ℓや１．５ℓのペットボトル入清涼飲料水に比べて，ゴミとして出されるペットボトルの量が多くなり，その分環境に悪影響を与えることが予想される。したがって， 500mℓペットボトル入清涼飲料水を販売することの社会的なコストを考える際には，このような環境への悪影響をも考慮しなければならない。

外部不経済の例

ゆえに， 500mℓペットボトル入清涼飲料水は，それを追加的に生産するために直接必要なコスト，すなわち清涼飲料水の製造・販売企業にとっての私的な限界費用に比べて，環境への悪影響をも考慮した社会的な限界費用が無視できないほどに大きくなってしまうと考えられる。

これを一般的な形で図示すると〔**図2**〕のようになる。財の製造・販売により外部不経済が発生する場合，それによる限界損失を考慮すると，社会的限界費用ＳＭＣを表す曲線は，私的限界費用ＰＭＣを表す曲線よりも外部不経済による限界損失分だけ上方に位置することになる。なお，ここでは，外部不経済による限界損失は，財の生産量の増大により逓増するものと仮定している。

このとき，社会的に望ましい生産量は，需要曲線と社会的限界費用ＳＭＣ曲線が交わる水準x^*になる。

しかし，競争市場ではx'の生産量が実現し，そのときの総余剰は，消費者余剰と生産者余剰の和である△ＣＡＧから外部不経済による損失である△ＨＡＧを引いた△ＣＡＥマイナス△ＨＥＧとなり，生産量がx^*であるときの総余剰である△ＣＡＥよりも小さくなってしまう。

ゆえに，競争市場において，外部不経済を生む財の生産量が，望ましい水準x^*よりも過大になることが示された。

外部不経済の余剰分析

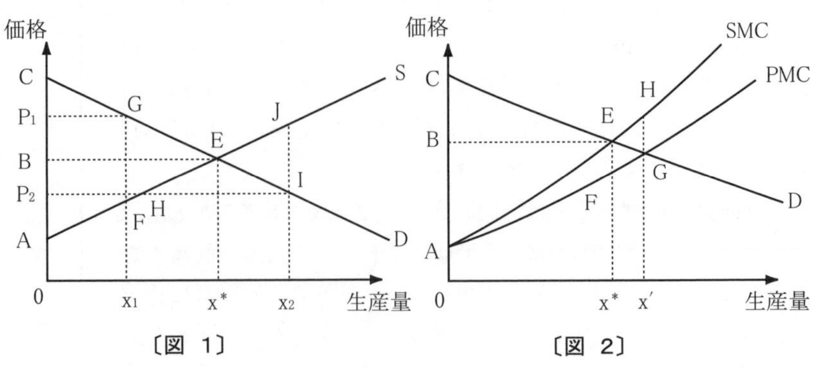

〔図 1〕　〔図 2〕

解答への道

まず(1)は，完全競争市場における市場均衡が効率的な資源配分を実現することを，部分均衡分析のモデルにより説明させる問題である。解答に際しては，最初に，部分均衡分析において「望ましさ」の判断基準が（総）余剰であることを指摘しておくことが重要である。この問題は，基本講義で必ず学ぶ非常に基礎的な論点に関する設問なので，**【解答例】**どおりの解答が要求される。

続いて(2)は，昭和46年以来出題されていなかった「外部性」に関する問題である。解答に際しては，まず「市場の失敗」の１ケースとしての「外部不経済」の定義を述べ，さらに問題文で指示された例を用いてそれを説明する。そして，その上で部分均衡分析を用いて，競争的な市場において過剰生産が見られることを示せばよい。

問題❷　マクロ貨幣市場と生産物市場の同時均衡に関する次の問に答えなさい。

(1)　物価水準を明示的に取り入れて，貨幣市場の均衡を式と図で説明しなさい。

(2)　生産物市場の均衡を式と図で説明しなさい。

(3)　上記の(1)及び(2)で描いた図を重ね合わせて，両市場の同時均衡をもたらす物価水準と実質国民所得の組み合わせを表す曲線を導き，特に流動性のワナの状況を説明しなさい。

解答例

チェック・ポイント

以下では，政府を考慮した閉鎖経済モデルを前提に述べる。

(1)　貨幣の（実質）取引需要を，実質国民所得Ｙの関数としてL_1（Ｙ）とし，貨幣の（実質）投機的需要を利子率ｒの関数としてL_2(ｒ）とおく。また，名目貨幣供給量をM，物価水準をＰとおく。ここで，取引動機および予備的動機に基づく貨幣需要である取引需要L_1(Ｙ）は実質国民所得Ｙの増加関数であるのに対し，投機的動機に基づく貨幣需要である投機的需要L_2(ｒ）は，流動性選好理論から，利子率ｒの減少関数である。

貨幣市場の需給均衡

これらを用いると，貨幣市場の需給均衡式は，

$$\frac{M}{P}=L_1(Y)+L_2(r)\cdots\cdots ①$$

と表される。物価水準Ｐが所与の値をとるとき，これを図示すると〔**図1**〕のようになる。

ここで，実質国民所得Ｙが増加したとする。このときL_1(Ｙ）は増大するが，物価水準Ｐが所与であることから，左辺の$\frac{M}{P}$は一定となる。ゆえに，①式の均衡を保つためには，投機的需要L_2(ｒ）が減少する必要があるが，そのためにはｒが上昇すればよい。したがって，所与の物価水準Ｐの下で，①式を成立させ，貨幣市場を均衡させるようなＹとｒの組合せの軌跡として定義されるＬＭ曲線は，〔**図2**〕のようにＹ－ｒ平面上に右上がりの曲

ＬＭ曲線の導出

線として描かれる。

なお，物価水準Ｐが与えられると，その下で貨幣市場の需給を均衡させるＹとｒの組合せは一義的に決定される。したがって，物価水準が変化すれば，貨幣市場を均衡させる（Ｙ，ｒ）の組合せも変化し，その結果ＬＭ曲線がシフトする。

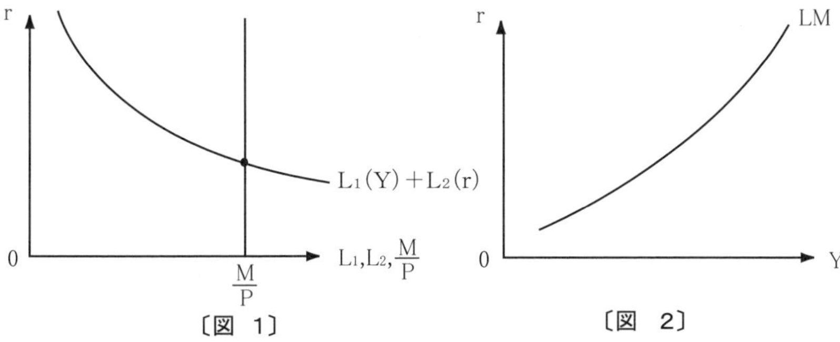

〔図　1〕　〔図　2〕

⑵　消費関数をＣ（Y_d），貯蓄関数をＳ（Y_d），可処分所得をY_d，一括固定額税をＴ，投資関数をＩ（ｒ），政府支出をＧとする。ここで，$Y_d = Y - T$であり，消費関数および貯蓄関数は，限界消費性向が０と１の間をとることからY_dの増加関数，投資関数はｒの減少関数である。これを用いると，生産物市場における需給均衡式は，

$$Y = C(Y_d) + I(r) + G \quad \cdots\cdots ②$$

と表される。

生産物市場の均衡

このとき，可処分所得Y_dは消費と貯蓄に分けられることから，$Y_d = C(Y_d) + S(Y_d)$となるので，

$$Y = C(Y_d) + S(Y_d) + T \quad \cdots\cdots ③$$

が導かれる。これを②式に代入すると，

$$C(Y_d) + S(Y_d) + T = C(Y_d) + I(r) + G$$

より，

$$S(Y_d) + T = I(r) + G \quad \cdots\cdots ④$$

という，貯蓄・投資の均衡を表す式を導くことができる。ゆえに，④式が成立し，貯蓄・投資が均衡すれば，同時に生産物市場における需給も均衡するといえる。これは，〔図３〕のように表すこ

とができる。

このとき，利子率 r が上昇したとすると，投資 I（r）が減少するので，④式の貯蓄・投資の均衡を保つためには，実質国民所得 Y が減少して貯蓄 S（Y_d）が減少すればよい。したがって，④式が成立し，生産物市場が均衡するような Y と r の組合せの軌跡として定義される I S 曲線は，Y－r 平面上において，〔**図 4**〕に示されるように右下がりの曲線となる。

ＩＳ曲線の導出

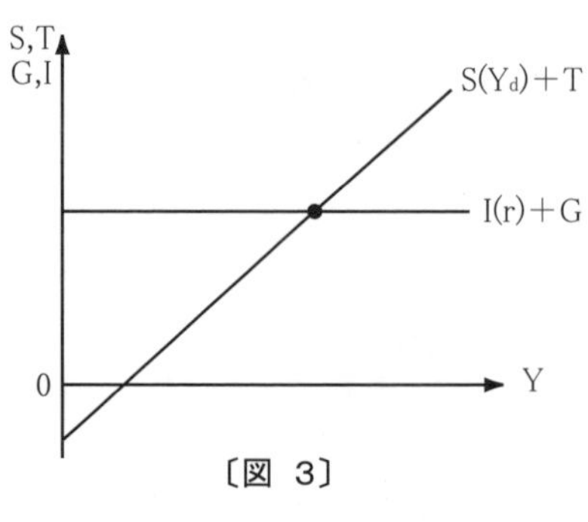

〔図 3〕

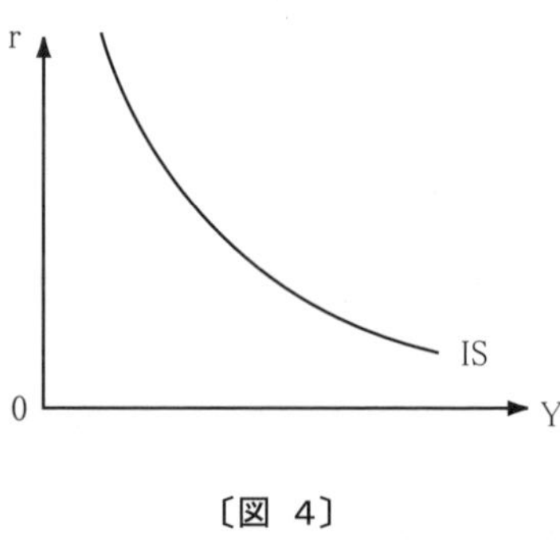

〔図 4〕

(3) 上記の(1)，(2)で描いた〔**図 2**〕および〔**図 4**〕を重ね合わせたのが〔**図 5**〕である。この〔**図 5**〕において，物価水準が P_0 の水準にあると，L M曲線が L M_0 となり，貨幣市場と生産物市場の同時均衡をもたらす実質国民所得は Y_0 の水準に決まる。

財市場と貨幣市場の同時均衡

ここで，物価水準が P_0 から P_1 に上昇したとする。物価水準の上昇は実質貨幣供給量の減少をもたらすので，貨幣市場の均衡を表す L M曲線は L M_1 へと左上方にシフトする。その結果，貨幣市場と生産物市場の同時均衡をもたらす実質国民所得は Y_1 へと減少する。すなわち，両市場の同時均衡をもたらす物価水準と実質国民所得の組合せの軌跡として定義される総需要曲線は，〔**図 6**〕のように，右下がりの曲線として描かれる。

右下がりの総需要曲線

最後に，流動性のワナとは，すべての経済主体が，現在利子率が下限の水準（債券価格が上限の水準）にあり，将来は利子率が上昇し，債券価格が下落すると予想するという状況のもとで，貨幣需要の利子弾力性が無限大になっており，したがって L M曲線が〔**図 7**〕のように水平部分をもつ場合をいう。

流動性のワナの下での総需要曲線

こうした流動性のワナの状況では，物価水準がP_0からP_1に上昇したとしても，貨幣市場の均衡を示すＬＭ曲線の水平部分は変化しないので，均衡点がLM曲線の水平部分（Y_0）に位置している場合には，両市場の同時均衡をもたらす実質国民所得もY_0のままで変化しない。したがって，このとき総需要曲線は，〔図８〕のように垂直に描かれることになる。

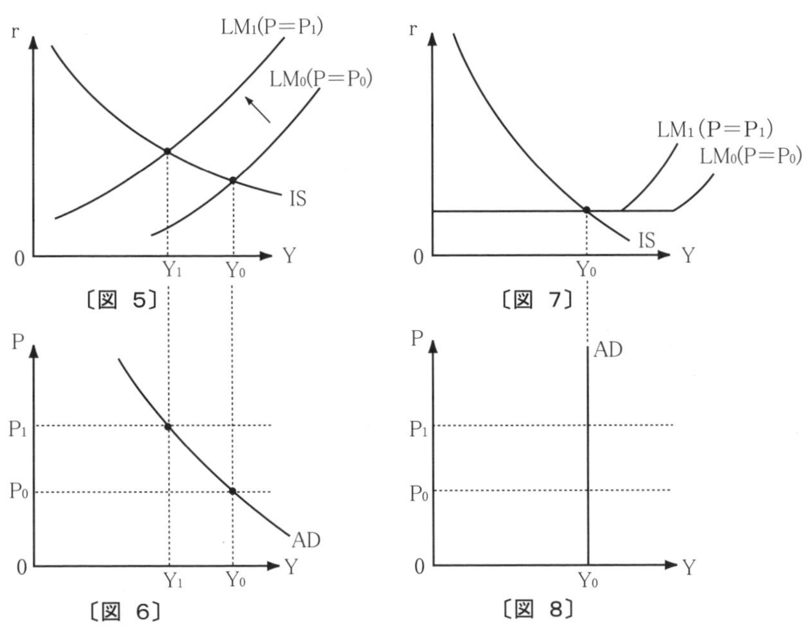

解答への道

ＩＳ曲線，ＬＭ曲線，総需要曲線（ＡＤ曲線）を式と図により説明させる問題である。最後の「流動性のわな」の状況の下での総需要曲線を描く問題がやや応用的であることを除けば，誰もが必ず学ぶ非常に基礎的な論点に関する設問であると言えよう。したがって，よりミスのない答案を書くことが要求されるものと思われる。

◇ 平成９年度

問題❶　土地などの資産価値が高騰すると，マクロ経済にどのような影響を及ぼすか，次の問に答えなさい。ただし，単純化のために，資産価値の高騰は外生的に与えられるものと仮定する。

(1)　土地などの資産価値の変化が家計の消費行動，企業の投資行動，貨幣需要にどのような影響を与えるか説明しなさい。

(2)　ＩＳ－ＬＭ－ＡＳ分析を用いて，(1)で説明された消費行動，投資行動，貨幣需要の変化が，利子率・実質ＧＮＰ・物価にどのように影響するかを図を用いて説明しなさい。

ただし，ＩＳ＝財・サービス市場の均衡を表す曲線，
ＬＭ＝貨幣市場の均衡を表す曲線
ＡＳ＝供給曲線（Aggregate　Supply）

解答例

チェック・ポイント

(1)　題意にしたがって，土地などの資産の実質価値をＷとおく。このとき，民間消費が実質ＧＮＰを表すＹの増加関数であるとともに，Ｗの増加関数でもあることが，消費に関するライフ・サイクル仮説を用いることにより，次のように示される。

消費に関するライフ・サイクル仮説によれば，個人の消費行動は，今期の所得のみによって決められるのではなく，その個人が一生の間に消費することのできる所得と初期時点における保有資産の総額に依存して決定される。すなわち，個人の消費は，その個人の所得および保有資産の実質価値の増加関数になる。

したがって，経済全体がライフ・サイクル仮説において仮定されるような個人により構成されているとすれば，経済全体の民間消費も，実質ＧＮＰ（実質国民所得）のＹ，および経済全体の資産の実質価値Ｗの増加関数になる。ゆえに，土地などの資産価値が高騰すると，家計の消費は増大すると考えられる。

家計の消費行動に与える影響の説明

次に，企業の投資行動について述べる。土地などの資産価値の変動が企業の投資行動に与える影響については，まず株価の上昇

が資本市場を通じた資金調達のコストを相対的に引き下げ，転換社債やワラント債の発行等によるエクイティ・ファイナンスを容易にするという効果が考えられる。

また，地価の上昇は，企業の保有する資産の担保価値を高めることになるので，銀行からの資金の借入れを容易にするという効果をもたらすとも考えられる。

このように，土地などの資産価値の高騰は，調達可能な資金の量を増大させることを通じて，企業の（設備）投資を増大させると言える。

企業の投資行動に与える影響の説明

最後に，貨幣需要について述べる。いま，貨幣と土地などの貨幣以外の資産との間に，ある望ましい保有比率が存在することを仮定する。このとき，土地などの貨幣以外の資産の実質価値が上昇し，保有資産の実質価値であるWが上昇すると，その望ましい保有比率を維持するために，貨幣需要が増大すると考えられる。したがって，このような仮定の下では，土地などの資産価値の高騰により，貨幣需要は増大する。

貨幣需要に与える影響の説明

(2)　いま，初期時点において，経済がＩＳ曲線とＬＭ曲線の交点，および総需要曲線（ＡＤ曲線）とＡＳ曲線の交点に位置していたとする。ただし，消費（貯蓄）関数，投資関数，貨幣需要関数，マクロ生産関数は，すべて通常仮定される性質を満たしているとし，ＩＳ曲線，ＬＭ曲線は，横軸に実質ＧＮＰのＹ，縦軸に利子率ｒをとった平面上で，それぞれ右下がり，右上がりに描かれ，非自発的失業が存在する下での総供給と物価の組合せの軌跡を表すＡＳ曲線は，横軸に実質ＧＮＰのＹ，縦軸に物価Ｐをとった平面上で右上がりに描かれるとする。また，ＡＤ曲線は，財・サービスの市場および貨幣市場を（ＩＳ－ＬＭ分析の意味で）同時に均衡させる実質ＧＮＰのＹと物価Ｐの組合せの軌跡であり，右下がりのＩＳ曲線，右上がりのＬＭ曲線の下で，横軸に実質ＧＮＰのＹ，縦軸に物価Ｐをとった平面上で右下がりの曲線として描かれる。

ＩＳ，ＬＭ曲線およびＡＤ，ＡＳ曲線の説明

さて，いま土地などの資産価値が高騰し，それにより，(1)において検討したように，家計の消費の増大，企業の投資の増大，お

よび貨幣需要の増大が見られたとする。このとき，家計の消費の増大および企業の投資の増大は，ＩＳ曲線を〔図１〕，〔図２〕のIS_0からＩS_1のように右方シフトさせる。また，貨幣需要の増大は，ＬＭ曲線を〔図１〕〔図２〕のLM_0からLM_1のように左方シフトさせる。

したがって，ＩＳ－ＬＭ分析における均衡の実質ＧＮＰについては，ＩＳ曲線とＬＭ曲線のシフト幅の大きさに依存して，〔図１〕のY_1のように増大するケースと，〔図２〕のY_1のように減少するケースの２つが考えられる。

しかし，題意のＩＳ－ＬＭ－ＡＳ分析においては，このY_0からY_1へのＹの変化は，同じ幅のＡＤ曲線のシフトを引き起こす。すなわち，ＩＳ－ＬＭ分析の下での均衡の実質ＧＮＰが増大する〔図１〕においては，ＡＤ曲線がY_1-Y_0の幅だけ右方シフトし，財・サービス市場が超過需要になることから物価が上昇し，実質ＧＮＰの水準は，最終的にはAD_1曲線とＡＳ曲線の交点であるE′点の水準のY_2になる。なお，この物価の上昇により，ＬＭ曲線はIS_1曲線とY_2の水準で交わるように，LM_2へと左方シフトしている。

一方，ＩＳ－ＬＭ分析における均衡の実質ＧＮＰが減少する〔図２〕においては，ＡＤ曲線がY_0-Y_1の幅だけ左方シフトし，財・サービス市場が超過供給になることから物価が下落し，実質ＧＮＰの水準は，最終的にはAD_1曲線とＡＳ曲線の交点であるE′点の水準のY_2になる。なお，この物価の下落により，ＬＭ曲線はIS_1曲線とY_2の水準で交わるように，LM_2へと右方シフトしている。

ゆえに，土地などの資産価値が高騰し，家計の消費，企業の投資，および貨幣需要がすべて増大した場合に，利子率は確実に上昇すると言えるが，実質ＧＮＰおよび物価については，ＩＳ曲線の右方シフトの大きさがＬＭ曲線の左方シフトの大きさを上回るならば，実質ＧＮＰは増大し，物価は上昇するが，逆にＬＭ曲線の左方シフトの大きさがＩＳ曲線の右方シフトの大きさを上回るならば，実質ＧＮＰは減少し，物価は下落すると言える。

利子率，実質GNP，物価に与える影響の説明

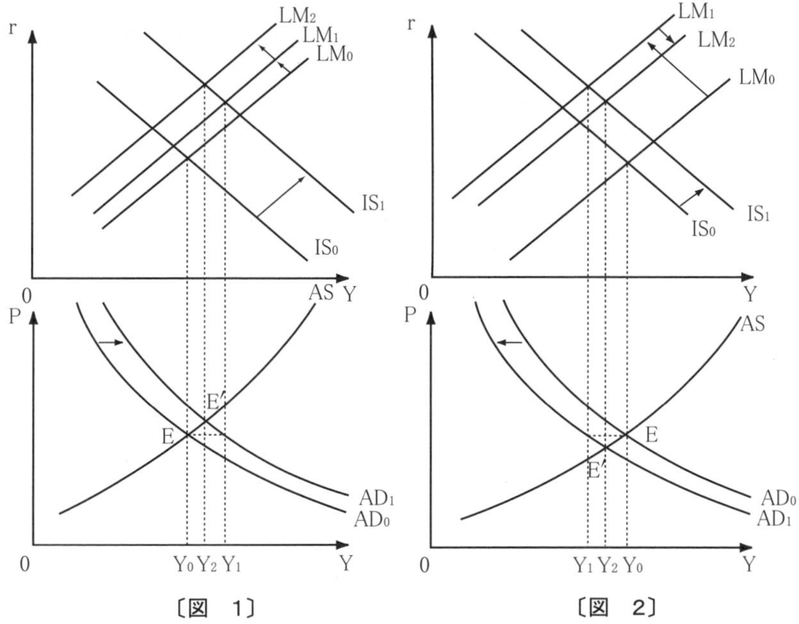

〔図　1〕　〔図　2〕

解答への道

本問は，ＩＳ－ＬＭ分析および総需要－総供給分析（ＡＤ－ＡＳ分析）を用いて，土地などの資産価値の高騰がマクロ経済にどのような影響を与えるのかについて説明させる問題である。

まず，土地などの資産価値の変動が家計の消費行動に与える影響については，ライフ・サイクル仮説を用いて説明される。次に，企業の投資行動については，資金調達の円滑化という点を挙げて説明すればよい。また，貨幣需要については，資産選択論を用いて説明すればよい。

⑵については，貨幣需要の増大によるＬＭ曲線の左方シフトの大きさによって，結果的に，実質ＧＮＰおよび物価に対する影響のあり方が異なる。しかしここで，利子率については，いずれの場合においても上昇する，ということに留意してほしい。

なお，**【解答例】**では，消費，投資および貨幣需要に対する資産効果がすべて同時に起こったと考えているが，３種類の資産効果をそれぞれ別々に説明するというスタイルも考えられる。その場合には，消費および投資に対する資産効果により，利子率，実質ＧＮＰ，物価はすべて上昇（増大）するが，貨幣需要に対する資産効果の場合には，利子率は上昇するが，実質ＧＮＰと物価は減少（下落）するということになる。

MEMO

問題❷　家計は，財・サービスを消費する主体であるとともに，労働サービスの担い手にもなる。家計の効用が所得と余暇に依存するとしよう。家計は，効用を最大化するように労働時間を決定できる，と考える。家計に利用可能な時間をＴ，家計にとっての所与の，１時間あたりの賃金（賃金率）をＷとしよう。また，家計の選択する余暇の量（時間）をＮ，所得をＹで表そう。以上のことをふまえて，次の問に答えなさい。

⑴　賃金所得しかないとして，家計が享受できる所得と余暇の組み合わせ（これを以下では［予算制約］と呼ぶことにする。）を，Ｙ，Ｗ，Ｎ及びＴの式で表しなさい。また，縦軸にＹ，横軸にＮをとって，この式のグラフを描きなさい。（縦軸と横軸の切片をそれぞれ記入すること。）

⑵　同じ水準の効用をもたらす所得Ｙと余暇Ｎの組み合わせは，無差別曲線といわれる。無差別曲線は原点に凸の右下がりの曲線で表され，右上にあるほど効用は高い，としよう。このとき⑴で描いたグラフと同じ図の上に無差別曲線のグラフを記入し，この家計の最適な労働時間がどのように導かれるか，図を用いて説明しなさい。その際に，家計の選択する労働時間が正値をとるとして，どのような（必要）条件が成立しているか，限界代替率の概念を用いて述べなさい。

⑶　この家計に，賃金以外の所得，例えば利子・配当収入が入ってくるとし，その額をｂとしよう。このような賃金以外の所得が入ってくる結果，最適な労働時間がゼロになったとすれば，それはどのように説明できるか，⑴及び⑵で用いた図の上に，さらに必要なグラフを適切に補い，説明しなさい。その際，どのような（必要）条件が成立しているか，限界代替率の概念を用いて述べなさい。

解答例

チェック・ポイント

⑴　題意の条件を前提にすると，予算制約式は，

$$Y = W(T - N)$$

と表され，これは，〔**図１**〕の線分ＡＴのように描かれる。

予算制約式

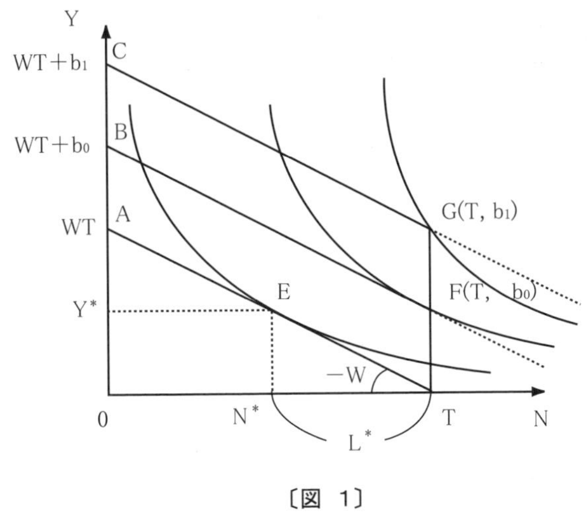

〔図 1〕

(2) 家計は，予算制約の下で効用最大化を目的として行動する。具体的には，以下の①式および②式により表される主体的均衡条件を満たすような最適解として，〔**図1**〕のE点を選択し，最適所得水準および最適余暇消費量の組み合わせ（N*，Y*）が決定されることになる。その結果，この家計の最適労働時間は，利用可能な時間Tから最適余暇消費量N*を差し引くことにより，〔**図1**〕のL*のように決まることになる。

$$\begin{cases} Y = W(T - N) & \cdots\cdots ① \\ MRS_{NY} = W & \cdots\cdots ② \end{cases}$$

ここで，MRS_{NY}は，余暇Nと所得Yの間の限界代替率であって，同一の効用水準を保った上で余暇Nを追加的に1単位増加させたときに犠牲となる所得Yがどれほどであるかを示しており，無差別曲線の接線の傾きの絶対値として表される。一方，（実質）賃金率であるWは，予算（制約）線の傾きの絶対値である。ゆえに，②式は，無差別曲線の接線の傾きと予算（制約）線の傾き（の絶対値）が一致していること，すなわち無差別曲線と予算（制約）線が接することを意味しており，家計の選択する労働時間が正値をとる（内点解）ならば，この条件が成立していなければならない。

労働時間が正値をとる場合の最適労働時間の（必要）条件

また，この②式は最適解を決定するための条件のうちの1つであるので，必要条件であると言える。したがって，家計の選択する労働時間が正値をとる場合には，最適労働時間を導くための（必要）条件として，②式のMRS$_{NY}$＝Wが成立していなければならない。

⑶ 利子・配当収入などの賃金以外の所得が入ってきた場合に，最適な労働時間がゼロになることを，利子・配当収入額bが，b＝b_0であるケースと，b＝b_1であるケースに分けて説明する。なお，$b_0 < b_1$とする。

はじめに，b＝b_0の場合，予算制約式はY＝W（T－N）＋b_0となるので，予算（制約）線は上方にb_0だけシフトする。ただし，家計に利用可能な時間の上限はTであるので，N＞Tの領域は存在せず，予算制約線はN＝Tで垂直の形状になっている。このとき，⑵で示した①式および②式を満たすような最適解として**〔図1〕**のF点が選択されれば，最適な労働時間はゼロになる。すなわち，最適解であるF点（T，b_0）においては，MRS$_{NY}$＝Wが（必要）条件として成立していると言える。

最適解である場合の（必要）条件

一方，b＝b_1の場合，予算制約式はY＝W（T－N）＋b_1となり，予算（制約）線は上方にb_1だけシフトする（ただし，N＝Tで垂直になることはb＝b_0のケースと同様である）。このとき，最適な労働時間は，**〔図1〕**のG点（T，b_1）におけるゼロであるが，このG点においては，①式は成立しているが，②式は成立していない。このようなG点は端点解とよばれる。また，このG点においては，無差別曲線の接線の傾きの絶対値が，予算制約線の傾きの絶対値を上回っており，MRS$_{NY}$＞Wという関係が成立している。

したがって，最適な労働時間がゼロになるケースとしては，それが内点解である場合と端点解である場合が考えられ，このとき，（必要）条件として，（T，b）点において，

$$MRS_{NY} \geqq W$$

という関係が成立していなければならない。

端点解である場合の（必要）条件

解答への道

一般に，貨幣は価格＝１の財であると考えられる。したがって，本問のモデルは，縦軸に価格＝１の消費財の消費量をとったものとして解釈することができる。ゆえに，(1)と(2)については，基本講義で学ぶ通常の労働供給のモデルを，財価格ｐ＝１として用いて解答すればよい。ただし，(1)の予算制約については，左辺に支出額ではなく所得そのものがとられるので，不等号（≦）ではなく等号で表すのが良いだろう。

次に(3)であるが，ポイントは，予算（制約）線が折れ線になること，および労働供給＝０が最適解になるケースとしては，効用最大化の一階条件（限界代替率＝価格比）が成り立つ場合と，成り立たない場合の２つが存在することである。

◇ 平成10年度

問題❶　金融機関より住宅ローンを借り入れして，自宅を購入するか，それとも借家に住み続けるかの選択に迫られている家計を想定する。家計の効用関数は，消費と住宅サービスから得られるものとし，U（C，H）と表されると仮定する。ここで，C＝消費，H＝借家（あるいは自宅）の住宅の広さとする。

（借家に住む場合）

家計は借家に住む場合には，所得を消費し，アパートの家賃の支払いに向け貯蓄はしないとすれば，家計の効用最大化問題は，

効用の最大化　Max　U（C，H）　…………　①

予算制約式　Y＝Pc×C＋R×H　…………　②　と書かれる。

ただし，Y＝所得，Pc＝消費財の価格，R＝アパートの家賃とする。①式は家計の効用を表し，②式は家計の予算制約式を表す。

⑴（自宅を購入する場合）

家計は金融機関から住宅ローンを借り入れて自宅を購入する場合の効用最大化問題を式で表しなさい。その際，最初の時には住宅購入価格の全額を借り入れ，T年をかけて毎年金利と元本を均等に返済すると仮定する。借家に住む場合と同様に，家計の効用関数U（C，H）は，借家の場合も自宅の場合も同一であるとする。家計の毎年の所得は一定でY，住宅ローンの金利は毎年一定でr，購入する住宅の費用はPh×H，金融機関からの最初の年の借入総額はL＝Ph×H，毎年の元本の返済額は毎年均等に返済しL／Tとする。

⑵　図（あるいは式）を用いて（借家に住む場合）と（自宅を購入する場合）を比較し，どのような条件の下で金融機関から借金をして自宅を購入する方が借家に住み続ける場合よりも，家計の効用が増すか示しなさい。

解答例

チェック・ポイント

⑴　題意より，本問の家計が住宅ローンを借り入れる場合，その返済は元利均等返済により行われる。このとき，住宅ローンを借り入れる家計の毎年の返済額をxとおくと，最初の年の期首にL＝

Ｐｈ×Ｈを借り入れ，その年の期末からＴ年をかけて毎期ｘを返済していく場合，ｘは，

$$L\times(1+r)^{T}=Ph\times H\times(1+r)^{T}$$
$$=x(1+r)^{T-1}+x(1+r)^{T-2}+\cdots+x(1+r)+x$$
$$=x\times\frac{(1+r)^{T}-1}{r}\cdots\cdots\cdots\cdots\cdots\cdots\cdots\cdots\cdots ③$$

を満たす。ゆえに，住宅ローンを借り入れる家計の毎年の返済額は，③式をｘについて解くことにより，

$$x=Ph\times H\times\frac{r(1+r)^{T}}{(1+r)^{T}-1}\cdots\cdots\cdots\cdots\cdots\cdots ④$$

と求められる。

住宅ローンを借り入れる家計の毎年の返済額

したがって，ローンを借り入れた年を起点とする第ｉ年目（ｉ＝1，2，…，Ｔ）の家計の予算制約式は，貯蓄をしないと仮定すれば，④式を用いることにより，

$$Y=Pc\times C+Ph\times\frac{r(1+r)^{T}}{(1+r)^{T}-1}\times H\quad\cdots\cdots\cdots\cdots ⑤$$

と求められる。

それゆえ，住宅ローンを借り入れて自宅を購入する家計の第ｉ年目の効用最大化問題は，

効用の最大化　Ｍａｘ　Ｕ（Ｃ，Ｈ）

予算制約式　$Y=Pc\times C+Ph\times\frac{r(1+r)^{T}}{(1+r)^{T}-1}\times H$

と書かれることになる。なお，元利均等返済が仮定されていることから，この効用最大化問題は，第1年目から第Ｔ年目までのすべての年において同一である。

住宅ローンを借り入れる家計の効用最大化問題

(2)　借家に住む場合の家計の効用最大化問題は，横軸にＣ，縦軸にＨをとった平面上に〔**図1**〕のように表され，効用を最大化する消費点は，横軸の切片が$\frac{Y}{Pc}$であり，傾きが$-\frac{Pc}{R}$の予算線上のE_1^*点により表される。

借家に住む家計の最適な消費点

一方，住宅ローンを借り入れて自宅を購入する家計の第ｉ年目（ｉ＝1，2，…，Ｔ）の効用最大化問題は，（Ｃ，Ｈ）平面上に

〔**図2**〕のように表される。したがって，この家計の効用を最大化する消費点は，横軸の切片が借家に住む場合と同一の$\frac{Y}{Pc}$であり，傾きが

$$-\frac{Pc}{Ph\times\frac{r(1+r)^{T}}{(1+r)^{T}-1}}$$

である予算線上のE_2^*点により表される。

住宅ローンを借り入れる家計の最適な消費点

このとき，〔**図1**〕，〔**図2**〕を重ね合わせた〔**図3**〕より，金融機関から借金をして自宅を購入した場合の効用水準（U2）が，借家に住み続ける場合の効用水準（U_1）よりも大きくなるための条件は，借家の場合の予算線よりも借金をして自宅を購入した場合の予算線の方が傾きが急になること，すなわち，

$$\frac{Pc}{Ph\times\frac{r(1+r)^{T}}{(1+r)^{T}-1}}>\frac{Pc}{R}$$

$$\therefore Ph\times\frac{r(1+r)^{T}}{(1+r)^{T}-1}<R \quad\cdots\cdots\cdots\cdots\quad ⑥$$

が成り立つことである。

$U_2>U_1$となるための条件

すなわち，⑥式から，他の条件を一定とすれば，アパートの家賃であるRが大きいほど，また自宅を購入する際の単位面積当たりの費用であるPhが小さいほど，自宅を購入する方が有利になる。

また，他の条件を一定とすれば，住宅ローンの金利rが低いほど，また返済期間のT（年）が長いほど，自宅を購入する方が有利になると考えられる。

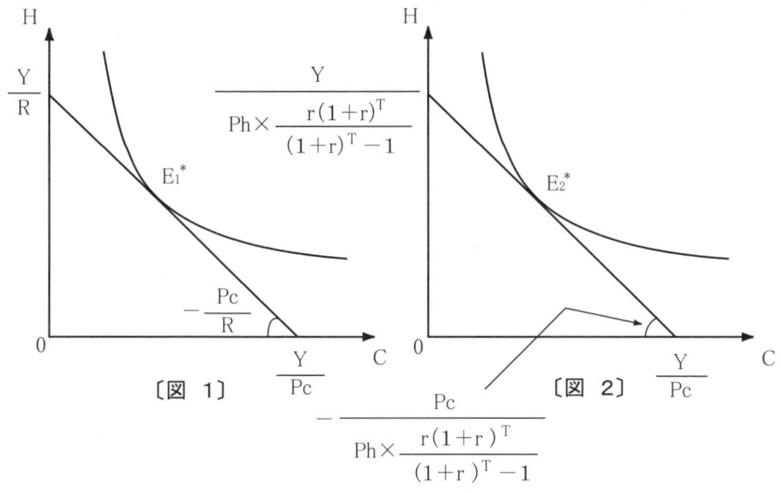

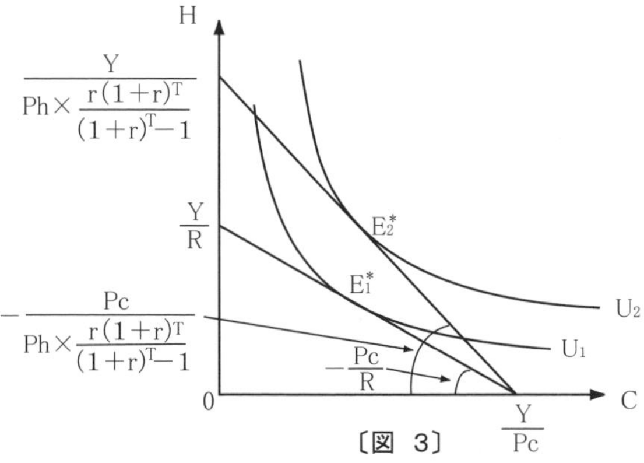

〔図 3〕

解答への道

まず，(1)の問題文には，「T年をかけて毎年金利と元本を均等に返済すると仮定する」という記述と，「毎年の元本の返済額は毎年均等に返済しL／Tとする」という記述があり，いずれの仮定を用いて問題を解くのかが問題となる。

しかし，もし毎年の返済額が異なっているとすると，住宅ローンを借り入れた時点から返済が完了するまでの期間全体を考慮した通時的な効用最大化問題を解かなければならないことになり，借家のケースとの比較が非常に難しくなってしまう。これに対して，毎年の返済額が均等であれば，住宅ローンを借り入れた時点から返済が完了するまでの間のすべての期間にわたって，毎年同一の効用最大化問題を解けばよいことになるので，借家のケースとの比較が容易になる。それゆえ，**【解答例】**では，元利均等返済を仮定した場合の議論を展開することとした。

さて，このように元利均等返済を仮定すると，毎年の返済額をどのようにして求めるのかが問題となる。これに関しては，最初の年の期首にL＝Ｐｈ×Ｈを全額借り入れ，毎年ｘの返済がその年の期末からＴ年をかけて行われるという状況を想定し，等比数列の和の公式を用いることにより求めることができる。そして，毎年の返済額が求められれば，自宅を購入するケースの予算制約式を立てることができる。

なお，自宅を購入するケースの予算制約式自体は，このような難しい計算をしなくとも，元利均等返済という性質をうまく利用することにより求めることができる。すなわち，毎年の元利均等返済額をＡとおくと，自宅を購入するケースの予算制約式は，

$$Y = Pc \times C + A$$

となるのである。

MEMO

問題❷　ある財の市場には，ｎ人の消費者が存在し，どの消費者の需要曲線も次式で表される。$x = A \times P$（x：需要量，P：価格，A：正の定数）。またこの財の生産には，「規模の経済」が存在し，費用曲線は次式で表される。$T = c \times Q + F$（T：費用，Q：生産量，c：限界費用（一定），F：非可逆的な固定費用）。この市場では，「自然独占」が成立し，一社しか供給者がいないという状態になっているとして，以下の設問に答えなさい。

⑴　図1として，縦軸に価格，横軸に需要量をとり，各消費者の需要曲線を図示しなさい。図2として，縦軸に価格，横軸に市場全体の需要量をとり，市場需要曲線を図示しなさい。どの図についても，縦軸と横軸の切片の値を記入すること。

⑵　独占企業の利潤が最大となる生産量と価格を求めなさい。ただし，導出にいたる過程を限界概念を用いて述べること。

⑶　独占企業は，二部料金制を採用することで⑵における利潤よりも大きな利潤を獲得できる。そのために，購入量1単位あたりの価格と，固定（基本）料金をそれぞれどのような値に設定すればよいかを論じなさい。

⑷　独占の弊害を抑制するための料金規定として消費者の利益を第一に考えつつ，社会的厚生が最大となる二部料金制を導入したい。この時，個々の消費者に課す購入量1単位あたりの価格と固定料金をそれぞれどのような値に設定するのが望ましいのかを述べなさい。また，このような料金規制のもつ限界について論じなさい。

解答例

チェック・ポイント

個別需要曲線と市場需要曲線

⑴　題意の下で，各消費者の逆需要関数は$P = \dfrac{x}{A}$となり，各消費者の需要曲線は**〔図1〕**のように表される。また，市場全体の需要量をXとおくと，市場逆需要関数は，

$$X = nx = nAP$$

$$\therefore P = \frac{X}{nA}$$

となり，市場需要曲線は**〔図2〕**のように表される。

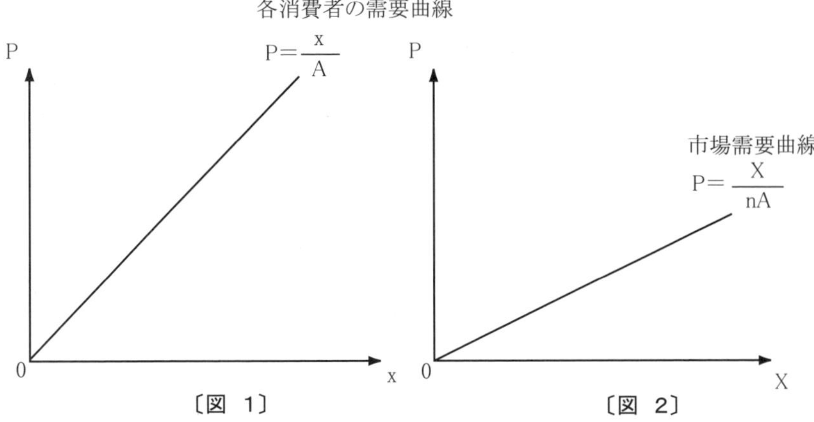

〔図　1〕　〔図　2〕

⑵　独占企業の利潤最大化生産量の決定条件（一階条件）は，Ｑを生産量だけでなく市場需要量をも表すとすると，生産量の追加的な１単位の増大による収入の増加分を表す限界収入ＭＲ(Ｑ)と，生産量の追加的な１単位の増大による費用の増加分を表す限界費用ＭＣ(Ｑ)が等しいこと，すなわちＭＲ(Ｑ)＝ＭＣ(Ｑ)と表され，これを成り立たせるように利潤最大化生産量が決定される。

（売手）独占企業の利潤最大化条件

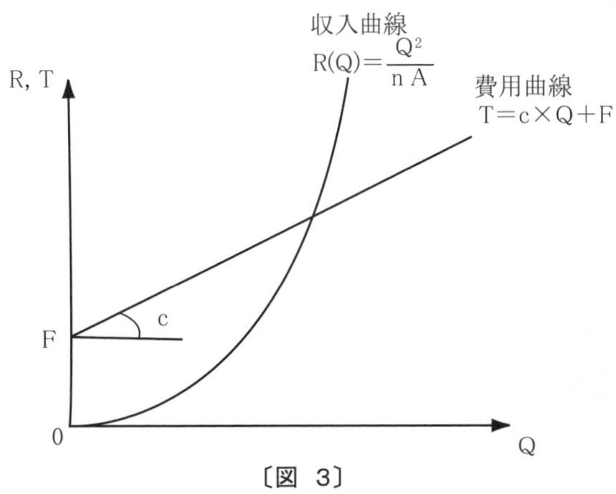

〔図　3〕

しかし，題意の下では，市場逆需要関数がＰ（Ｑ）＝$\frac{Q}{n\,A}$となることから，収入曲線Ｒ（Ｑ）は，

$$R(Q) = P(Q) \cdot Q = \frac{Q^2}{nA}$$

という放物線により表される。それゆえ，〔**図3**〕に示されるように，生産量の増加に伴なって独占企業の利潤はいくらでも増大することから，利潤を最大化する生産量は＋∞となる。また，$P(Q) = \frac{Q}{nA}$より，そのときの価格も＋∞となる。

利潤最大化生産量および価格

(3) 題意の下では，(2)で示された独占企業の利潤最大化行動の結果，利潤が＋∞となるため，それよりも大きな利潤を獲得できるような二部料金制は想定し得ない。

二部料金制の採用

(4) 題意のような，消費者の利益を第一に考えつつ，社会的厚生が最大となる二部料金制を実施するためには，まず個々の消費者に課す購入量1単位あたりの価格については，限界費用であるcに設定すればよい。

また，固定料金については，それを徴収しなかった場合に独占企業に発生する損失額をちょうど補塡する分だけを徴収することが消費者にとっての利益となる。本問の場合には，その損失額は固定費用Fに相当することから，個々の消費者に課す固定料金は$\frac{F}{n}$に設定すればよい。

社会的厚生を最大化する二部料金制

このような料金規制の限界については，次の2点が考えられる。第一に，損失額を固定料金で補塡し，その結果常に収支が均衡するような規制であるために，経営の効率化やコスト削減等のインセンティブが失われるという意味でのX－非効率性が発生するおそれがある。第二には，限界費用の測定が困難であることを挙げることができる。

二部料金制の問題点

別　解

本問では需要曲線が右上がりのケースが想定されているが，これを前提とすると，(3)について適切な解答が導けないため，以下では，需要曲線が右下がりとなるケースについて考察する。

また，問題文中に縦軸と横軸の切片の存在が仮定されていることを考慮して，以下では，個々の消費者の需要曲線が$x = A - P$と表される場合について示すことにする。

(1) 題意の下で，各消費者の逆需要関数は$P = A - x$となり，各消費者の需要曲線は〔図1〕のように表される。また，市場全体の需要量をXとおくと，市場逆需要関数は，

$$X = nx = n(A - P)$$

$$\therefore P = A - \frac{X}{n}$$

となり，市場需要曲線は〔**図2**〕のように表される。

個別需要曲線と市場需要曲線

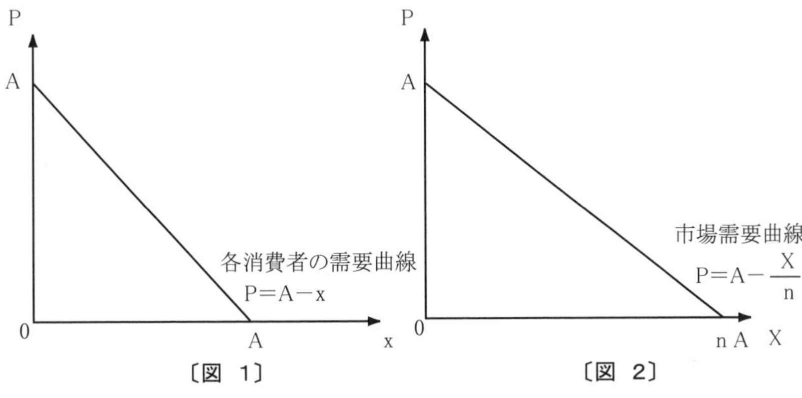

〔図 1〕　〔図 2〕

(2) 独占企業の利潤最大化生産量の決定条件（一階条件）は，Qを生産量だけでなく市場需要量をも表すとすると，生産量の追加的な1単位の増大による収入の増加分を表す限界収入MR(Q)と，生産量の追加的な1単位の増大による費用の増加分を表す限界費用MC(Q)が等しいこと，すなわちMR(Q)＝MC(Q)と表され，これを成り立たせるように利潤最大化生産量が決定される。

（売手）独占企業の利潤最大化条件

需要曲線が$x = A - P$であり，その結果，市場逆需要関数が$P = A - \frac{Q}{n}$となる場合には，収入関数R(Q)は以下のように表され，これをQで微分することにより，限界収入MR(Q)を得ることができる。

$$R(Q) = \left(A - \frac{Q}{n}\right)Q = AQ - \frac{Q^2}{n}$$

$$\therefore MR(Q) = A - \frac{2Q}{n}$$

一方，題意の費用曲線の下では限界費用MCはcとなるので，独占企業の利潤最大化条件MR(Q)＝MCを解くことにより，利潤最大化生産量Q* が次のように求められる。これは，**〔図3〕**のF点のように表される。

$$A - \frac{2Q}{n} = c$$

$$\therefore Q^* = \frac{n(A - c)}{2}$$

また，このときの価格P* は，Q* を市場逆需要関数に代入することにより，

$$P^* = \frac{A + c}{2}$$

と求められる。

さらに，独占企業の獲得する利潤π* は，

$$\pi^* = \frac{n(A - c)^2}{4} - F$$

と計算される。

なお，以上の結論は，A＞cという条件の下で成立するが，もしA≦cであれば，利潤最大化生産量は0となり，価格についてはA以上で不定となる。

利潤最大化生産量および価格

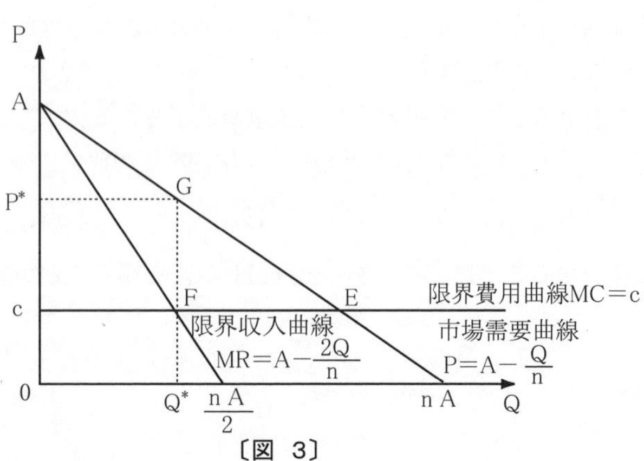

〔図 3〕

(3) 以下では，A＞cが成立しているものとする。いま，二部料金制を採用するにあたり，従量料金としての購入量1単位あたりの価格は，限界費用であるcに設定する。また，(2)の利潤よりも大きな利潤を得るためには，固定（基本）料金として，消費者余剰を全額徴収することにすればよい。このような二部料金制を採用すると，〔**図3**〕のE点で価格と生産量が決定される。このとき，消費者余剰CS_0の大きさは，

$$CS_0 = \text{〔図3〕の}\triangle AcE = \frac{n(A-c)^2}{2}$$

となる。ゆえに，消費者1人あたりの固定（基本）料金は$\frac{(A-c)^2}{2}$とすればよい。

なお，このとき実現される利潤π_0の大きさは，

$$\pi_0 = \frac{n(A-c)^2}{2} - F$$

である。したがって，A≠cである限り，このような二部料金制を採用することにより，(2)に示した独占企業が利潤最大化行動を行った場合の利潤であるπ^*よりも大きな利潤を獲得できることが示される。

二部料金制の採用

(4) 独占の弊害を抑制するための料金規定として，消費者の利益を第一に考えつつ，社会的厚生が最大となる二部料金制を考える上で，以下では，消費者余剰が，固定料金を徴収しなかった場合に独占企業に発生する損失額を上回っていることを前提とする。

このとき，まず個々の消費者に課す購入量1単位あたりの価格については，限界費用であるcに設定すればよい。また，固定料金については，それを徴収しなかった場合に独占企業に発生する損失額をちょうど補填する分だけを徴収することが消費者にとっての利益となる。本問の場合には，その損失額は固定費用Fに相当することから，個々の消費者に課す固定料金は$\frac{F}{n}$に設定すればよい。

社会的厚生を最大化する二部料金制

このような料金規制の限界については，次の3点が考えられる。第一に，損失額を固定料金で補填し，その結果常に収支が均衡す

るような規制であるために，経営の効率化やコスト削減等のインセンティブが失われるという意味でのX－非効率性が発生するおそれがある。第二に，固定料金を徴収しなかった場合に独占企業に発生する損失額が消費者余剰を上回っていれば，損失をわざわざ補填してまで二部料金制を実施し，当該産業を存続させることの社会的な意義はないという問題が生ずる。
第三に，限界費用の測定が困難であることを挙げることができる。

二部料金制の問題点

解答への道

不動産鑑定士第2次試験の経済学において，いわゆる計算問題は長い間出題されてこなかったが，ＴＡＣでは，（売手）独占企業に関する計算問題の出題を予想し，それを全答練第2回で出題した。したがって，本問はそれが的中した問題であると言えよう。

しかし，ｘ＝Ａ×Ｐという形の需要曲線のままでは，経済学的に意味のある適切な解答を導くことができない。そこで，解答の方法としては，

ａ．あくまでも問題文の指示にしたがいつつ，解答することが可能な部分については解答し，不可能なものについては，理由とともに，解答できない旨を記す。
ｂ．問題文に縦軸と横軸の切片の値を記入することが求められていることから，需要曲線をｘ＝Ａ－Ｐであると判断し，それに基づいて解答する。

という2通りが考えられる。

いずれの方法を用いるとしても，まず必要となるのは，与えられた個別消費者の需要曲線を水平方向に集計する（水平和）ことにより，市場需要曲線を求めることである。これに関しては，式による水平和の求め方を知らなくても，(1)で，個別消費者の需要曲線を正しく描くことができれば，グラフの形から市場需要曲線の式を求めることができるだろう。

このようにして，市場需要曲線の式が求められれば，独占企業の利潤最大化条件である限界収入ＭＲ＝限界費用ＭＣを解くことにより，(2)の解答を得ることができる。

また，(3)，(4)の二部料金制については，(3)は消費者余剰の全額を，また(4)は独占企業の赤字部分のみを，それぞれ固定（基本）料金として徴収するような二部料金制を考えればよい。

MEMO

◇ 平成11年度

問題❶ ⑴　わが国の地価は，戦後から今日まで，大きな変動を繰り返してきた。どのような要因によって，わが国の地価の変動が発生してきたと思われるか，その理由を述べなさい。

⑵　つぎに，このような地価の変動は，銀行行動やわが国のマクロ経済にどのような影響を及ぼしていると思われるかを述べなさい。

解答例

チェック・ポイント

⑴　はじめに，戦後から今日までのわが国の地価の動向について概観すると，市街地における商業地，住宅地ともに，次のような3つの特徴を指摘することができる。

1．1960年代において地価は持続的に上昇し，特に1970年代前半には著しく上昇した。

2．1980年代後半から1990年代の初頭において，著しい地価上昇が見られた。

3．1992年以降，地価は下落に転じた。

このうち，1960年代後半から1970年代前半にかけての地価上昇は，一般物価水準の上昇（インフレーション）に伴って生じたものであるのに対して，1980年代後半の地価上昇は，一般物価水準が安定している中で生じた資産インフレであるという相違がある。

（わが国の地価動向の特徴）

次に，地価決定に関する理論モデルについて述べる。通常，土地のような資産（ストック）の理論価格（ファンダメンタルズ・バリュー）は，収益還元価格の考え方に基づいて，次のように決定される。

いま，ある土地の今期の（期末における）収益をR，収益の予想成長率をg，（長期）利子率をrとおくと，収益還元価格の考え方に基づくこの土地の理論価格Pは，この土地を保有することにより得られる将来収益の割引現在価値合計に等しく，

$$P=\frac{R}{1+r}+\frac{(1+g)R}{(1+r)^2}+\frac{(1+g)^2R}{(1+r)^3}+\cdots\cdots=\frac{R}{r-g}\quad\cdots\quad ①$$

（収益還元価格の考え方に基づく土地の理論価格の決定）

と決定される。

また，土地の将来収益についての不確実性（リスク）を明示的に考慮する場合には，土地の価格Pは，リスク・プレミアムρを用いることにより，

$$P = \frac{R}{r + \rho - g} \quad \cdots\cdots\cdots\cdots\cdots\cdots\cdots \quad ②$$

と表される。

不確実性を考慮する場合の土地の理論価格

したがって，収益還元価格の考え方に基づいて決定される土地の理論価格は，他の条件を一定とすれば，

ア．景気の拡大（悪化）により土地から得られる収益が増大（減少）すれば上昇（下落）する。

イ．将来収益の予想成長率の上昇（下落）により上昇（下落）する。

ウ．金融緩和（引き締め）により利子率が下落（上昇）すれば上昇（下落）する。

エ．将来収益に関する危険度の低下（増大）により上昇（下落）する。

という形で変動すると考えられる。

土地の理論価格の変動要因

また，資産価格（地価）がこの理論価格から乖離して上昇する場合，そのような現象を総称してバブルとよぶ。

バブルの定義

さて，以上の考察をふまえつつ，冒頭で述べたわが国の地価の変動について検討する。まず，1960年代における地価上昇は，高度成長期に実施された金融緩和政策によるところが大きいものと考えられる。また，1970年代前半の著しい地価上昇は，列島改造ブームを背景とする過剰流動性を主因としたものであるとみなされている。

1960年代～1970年代前半の地価上昇

次に，1980年代後半の地価上昇であるが，これについては，経済のサービス化に伴うオフィス需要の増大，プラザ合意以後の円高不況対策としての金融緩和，いわゆる土地神話に基づくリスクの希薄化といった要因も指摘されるべきではあるものの，この地価上昇が資産インフレとしての性格をもつこと，およびその後地価が下落に転じたことを考慮すると，これらの要因では説明する

1980年代の地価上昇，1992年以降の地価下落

ことのできないバブルが発生したものと考えられる。また，1992年以降の地価の下落は，このバブルの崩壊としてとらえることができる。

(2) はじめに，地価の変動が銀行行動に及ぼす影響について述べる。地価の変動が銀行行動に及ぼす影響については，不動産融資（建設業・不動産業向けの融資および住宅信用）および不動産担保融資の両面から考察することができる。

まず，不動産融資については，地価の上昇により増大すると考えられる。実際，1980年代の後半から不動産業向け貸出の総量規制が実施された1990年までの間，わが国の銀行の不動産融資は，オフィスビルや住宅の建設ブームを背景に，大幅に増大した。また，地価の下落により不動産業の収益状況が悪化すると，不動産業（およびノンバンク）向けの銀行貸出が不良債権化し，その結果，貸し渋り（クレジット・クランチ）が発生する可能性がある。

次に，不動産担保融資に関しては，地価の上昇により土地の担保価値が高まると増大する一方，地価の下落により土地の担保価値が低下すると減少すると考えられる。しかし，地価の変動が銀行行動に及ぼす影響に関しては，一般に不動産融資を通じた影響の方がより大きいと考えられている。

地価変動が銀行行動に及ぼす影響

最後に，地価の変動がわが国のマクロ経済に及ぼす影響について述べる。一般に，地価の変動は，家計の個人消費と住宅投資，および企業の投資に影響を与えると考えられる（資産効果）。

地価変動がわが国のマクロ経済に及ぼす影響

このうち，家計の個人消費に与える影響については，地価の上昇（下落）が富効果により個人消費を増大（減少）させる可能性を指摘することができるが，地価の変動が未実現のキャピタル・ゲイン（ロス）であることから，この効果は比較的小さいと考えられる。

地価変動が個人消費に与える影響

一方，地価の変動が家計の住宅投資に与える影響であるが，一般に地価の上昇は，住宅取得費用の増大というマイナス要因である一方で，地価の上昇期待に基づく投機的な住宅取得を促進させたり，不動産を担保とする資金調達を容易にするというプラス要因をもつ。これらの要因は，住宅の種類によりその作用の程度が

地価変動が住宅投資に与える影響

異なるが．全体としては，ややマイナス要因が強いと考えられる。したがって，地価の上昇（下落）は住宅投資を減少（増加）させる。

次に，地価の変動の企業行動に与える影響であるが，一般に地価の上昇は，土地を担保とした資金調達を容易にする。また，地価上昇による企業の含み益が株価に反映され，株価が上昇する場合には，それによりエクイティ・ファイナンスが容易になるという効果も存在する。したがって，地価の上昇（下落）は企業の投資を増加（減少）させると言える。

地価変動が企業行動に与える影響

このように，地価の変動は，民間消費や民間投資等の有効需要に対してプラスの影響とマイナスの影響の両方の効果を及ぼすことがわかる。したがって，プラスの影響が強ければ，地価の上昇（下落）は，有効需要の増加（減少）を通じて経済の国民所得を増加（減少）させるのに対して，マイナスの影響が強ければ，地価の上昇（下落）は，逆に有効需要の減少（増加）を通じて国民所得を減少（増加）させるということになるが，1980年代後半の景気拡大と1990年代の平成不況を考慮すると，わが国の場合には，前者（プラスの影響）の方が強かったのではないかと考えられる。

総　括

市街地価格指数（全用途平均：1936年＝1）

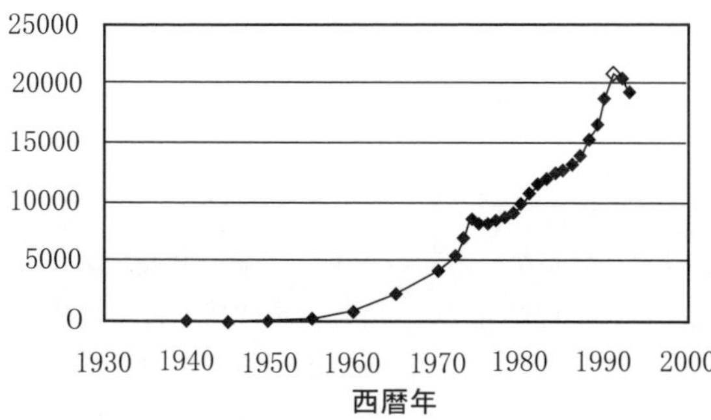

市街地価格指数（商業地：1936年＝1）

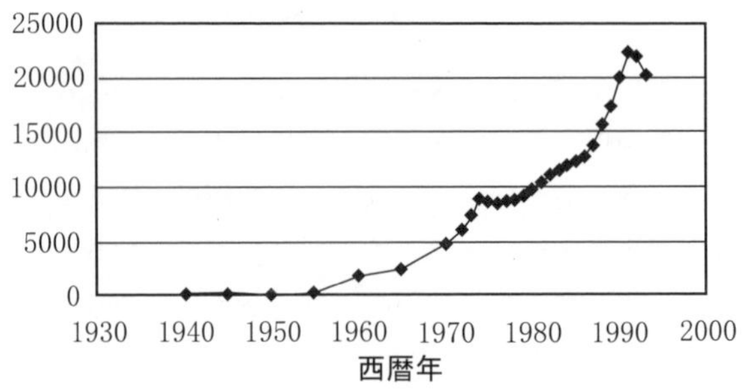

市街地価格指数（住宅地：1936年＝1）

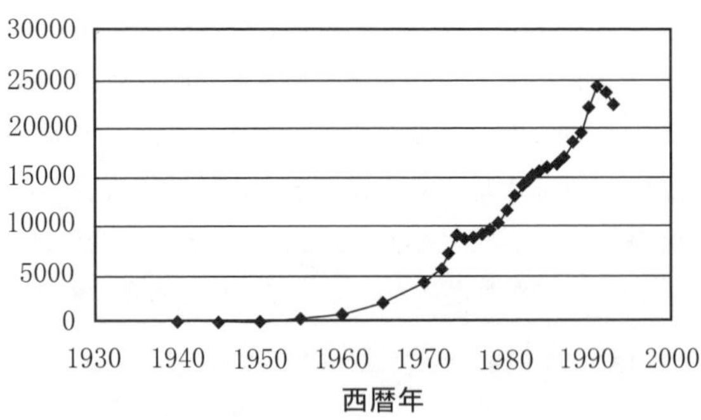

解答への道

以前から，不動産鑑定士第２次試験のマクロ経済学では，現実の日本経済を扱った出題があり得るので，そのための対策を立てておく必要があるということが言われていた。実際，たとえば昭和59年には，「現代日本における経済成長の新しい意義と目標について論じなさい。」というような問題が出題されている。

しかし，最近のマクロ経済学の本試験では，純粋な理論モデルに関する問題か，または平成６年の「金融政策が景気回復に有効的でないケースを平成不況の日本経済を念頭にＩＳ－ＬＭ分析を使って説明しなさい。」という問題のように，現実の日本経済を題材としていたとしても，実質的には理論モデルからの出題とみなしてよいような問題ばかりが出題されてきた。したがって，本問のような現実の日本経済を正面から扱った問題は，その傾向を大きくくつがえすものである。

さて，本問の解答を作成するにあたって重要なポイントは，「どのような要因によって，わが国の地価の変動が発生してきたと思われるか」，および「このような地価の変動は，銀行行動やわが国のマクロ経済にどのような影響を及ぼしていると思われるか」というように，問題文に「わが国の」という文言が入っていることから，単にＩＳ－ＬＭ分析や総需要－総供給分析（ＡＤ－ＡＳ分析）等の理論モデルを用いた分析をしても，問題文に適切に解答したことにはならず，あくまで現実の日本経済に即した形の解答が求められているということである。

そこで，小問⑴については，まず収益還元価格の考え方に基づいて決定される土地の理論価格について説明し，それを基にして，戦後の日本経済における地価の変動を説明していく。

また，小問⑵については，まず地価の変動は，銀行行動に対して，不動産融資（建設業・不動産業向けの融資および住宅信用）および不動産担保融資という2つの経路を通じて影響を与えることを指摘し，それに基づいて分析を進める。

そして，最後に，地価の変動は，家計の個人消費と住宅投資，および企業の投資という3つの経路を通じてマクロ経済に影響を与えることを指摘し，それを基にして，地価の変動がわが国のマクロ経済に与える影響について論じていけばよい。

なお，本問のような，ＩＳ－ＬＭ分析や総需要－総供給分析（ＡＤ－ＡＳ分析）等の基礎的な理論モデルの枠を越えた問題に適切に解答するための対策としては，

1．日頃から経済記事に関心をもって，よく読んでおく。

2．経済白書に最低でも過去5年分ぐらいは目を通しておく。

といったことが考えられる。

しかし，平成10年に計算問題が出題され，現状では，その対策も考慮しなければならないことを考えると，本問のような問題のためだけに多大な時間と労力を割くことは，必ずしも得策ではないと言わざるを得ない。

問題❷ ある架空の町で，工業を始めた業者と，その周辺に居住する住民の間に，紛争が持ち上がった。工場での生産にともなう排煙が，住民の健康に被害をもたらすことが判明したのである。この事態の解決あるいは改善が，業者と住民のあいだの交渉にまかせることで実現される，という考え方がある。しかも，最適な生産量の達成は，最終的に生産量を決定する権限がどちらにあるかには依存しないという。この「考え方」に関連して，以下の問に答えなさい。

(1) この「考え方」が成立するための前提条件を述べなさい。その上で，生産量を横軸，業者の限界利益と周辺住民の限界外部費用を縦軸とする適切な図（これを図1とせよ。）を作成し，図1を使って，この「考え方」を説明しなさい。また，最終的に生産量を決定する権限が業者側にある場合と住民側にある場合のそれぞれについて，両者の間で移転される補償額の上限と下限を，図1で明らかにしなさい。

(2) 業者には，工場での生産を開始する事前に，排煙に含まれる有害物質を抑える技術の開発投資が可能であるとしよう。この投資によって，生産量が投資前と同じであっても，周辺住民の限界外部費用は低下する。最終的に生産量を決定する権限がどちらにある場合でも，生産量をめぐる交渉の結果，両者間で移転される補償額は業者にもっとも有利な水準に決まるものと仮定しよう。このとき，業者に投資誘因が生まれるとすれば，権限が住民側にある場合である。このことを，適切な図（これを図2とせよ。）を作成し，図2を用いて説明しなさい。

解答例

チェック・ポイント

(1) 題意の「考え方」は，コースの定理とよばれる。コースの定理が成立するための前提条件は，

1 権利関係が明確にされていること。

2．交渉のコストがゼロであるか，もしくは無視できるほどに小さいこと。

の2つである。

（コースの定理の前提条件）

続いて，題意にしたがって，以下ではこのコースの定理につい

て説明する。まず，x：業者の生産量，MP(x)：業者の限界利益，ML(x)：住民の限界外部費用とし，〔**図1**〕のように，MP(x)を右下がりの直線により，ML(x)を原点を通る右上がりの直線により，それぞれ表すこととする。

社会的に最適な生産量の決定

このとき，この経済における（社会的に）最適な生産量は，限界利益曲線と限界外部費用曲線の交点に対応する x^* である。したがって，コースの定理は，最終的に生産量を決定する権限が業者側，住民側のいずれにある場合にも，双方の交渉により，この x^* が実現されることを主張するものとなる。

最終的に生産量を決定する権限が業者側にある場合

そこで，はじめに，最終的に生産量を決定する権限が業者側にある場合について説明する。生産量を決定する権限が業者側にある場合，業者は当初，自らの利益を最大化する〔**図1**〕の $\tilde{x}$ に生産量を定めると考えられる。

ここで，住民が業者に対して，補償金を支払うことを条件として生産量を〔**図1**〕の x^* に減らすように交渉したとする。このとき，

（業者が最低限受け取りたい金額（＝△B x^* $\tilde{x}$)）＜（住民が最大限支払ってもよい金額（＝□B x^* $\tilde{x}$ C)）…①

という関係が成り立つことから，この交渉は実現の可能性があると考えられる。

最終的に生産量を決定する権限が住民側にある場合

一方，最終的に生産量を決定する権限が住民側にある場合には，住民は当初，自らが受ける外部費用が最小（ゼロ）になるように，業者に生産を停止させる（生産量＝0）と考えられる。

このとき，業者が住民に対して，補償金を支払うことを条件として生産量を〔**図1**〕の x^* まで増加させることを認めてもらうように交渉したとすると，

（住民が最低限受け取りたい金額（＝△BO x^*)）＜（業者が最大限支払ってもよい金額（＝□AO x^* B)）…②

という関係が成り立つことから，この交渉もまた実現の可能性があると考えられる。

このようにして，事態の解決あるいは改善が業者と住民のあいだの交渉にまかせることで実現されること，および最適な生産量

の達成は最終的に生産量を決定する権限がどちらにあるかには依存しないことが示された。

なお，①式および②式より，最終的に生産量を決定する権限が業者側にある場合の補償額の上限は〔**図1**〕の□B x^* $\tilde{x}$ C，下限は〔**図1**〕の△B x^* $\tilde{x}$であり，権限が住民側にある場合の補償額の上限は〔**図1**〕の□A 0 x^* B，下限は〔**図1**〕の△B 0 x^* である。

(2) はじめに，題意の有害物質を抑える技術の開発投資が行われない場合について考える。まず，最終的に生産量を決定する権限が業者側にある場合に，交渉により最適な生産量である〔**図2**〕の x_1^* が実現されたときに業者が獲得する利益の大きさは，補償金の移転が業者側にもっとも有利な水準になるように決まると仮定されていることから，〔**図2**〕の□A 0 x_1^* B＋□B x_1^* $\tilde{x}$ Cである。

一方，最終的に生産量を決定する権限が住民側にある場合に，交渉により最適な生産量 x_1^* が実現されたときに業者が獲得する利益の大きさは，〔**図2**〕の△A 0 Bとなる。

次に，題意の有害物質を抑える技術の開発投資が行われた場合について考える。このような投資により住民の限界外部費用は低下し，その結果，住民の限界外部費用曲線は，〔**図2**〕の $ML_1(x)$ から $ML_2(x)$ のように下方シフトする。

また，題意より，この投資は生産を開始する前に行われるものであるとされていることから，この投資により業者の限界費用は変化しないと考えられる。したがって，業者の限界利益曲線は〔**図2**〕の $MP(x)$ のままでシフトしない。

このとき，最終的に生産量を決定する権限が業者側にある場合に，交渉により最適な生産量である〔**図2**〕の x_2^* が題意の仮定の下で実現されたときに業者が獲得する利益の大きさは，〔**図2**〕の□A 0 x_2^* D＋□D x_2^* $\tilde{x}$ Eから開発投資に伴うコストを控除したものとなるが，明らかに，

□A 0 x_2^* D＋□D x_2^* $\tilde{x}$ E－開発投資に伴うコスト
＜□A 0 x_1^* B＋□B x_1^* $\tilde{x}$ C…………③

コースの定理の結論

補償額の上限・下限

開発投資が行われないとき権限が業者側にある場合の業者の利益

開発投資が行われないとき権限が住民側にある場合の業者の利益

開発投資が行われたときの住民の限界外部費用曲線の下方シフト

開発投資が行われたとき権限が業者側にある場合の業者の利益

であることから，この場合には，業者に投資を行う誘因は発生しない。

開発投資が行われたとき権限が住民側にある場合の業者の利益

これに対し，最終的に生産量を決定する権限が住民側にある場合には，交渉により最適な生産量 x_2^* が題意の仮定の下で実現されたときに業者が獲得する利益の大きさは，〔**図2**〕の△A 0 Dから開発投資に伴うコストを控除したものとなる。したがって，

△A 0 D－△A 0 B＝△B 0 D＞開発投資に伴うコスト…④

という関係が成り立つならば，業者に投資を行う誘因が発生することになる。

結　論

ゆえに，業者に，工場での生産を開始する前に住民の限界外部費用を低下させる技術の開発投資が可能であるとき，交渉の結果両者間で移転される補償額が常に業者にもっとも有利な水準に決まることを前提とすると，業者に投資誘因が生まれるとすれば，それは権限が住民側にある場合に限られることが示された。

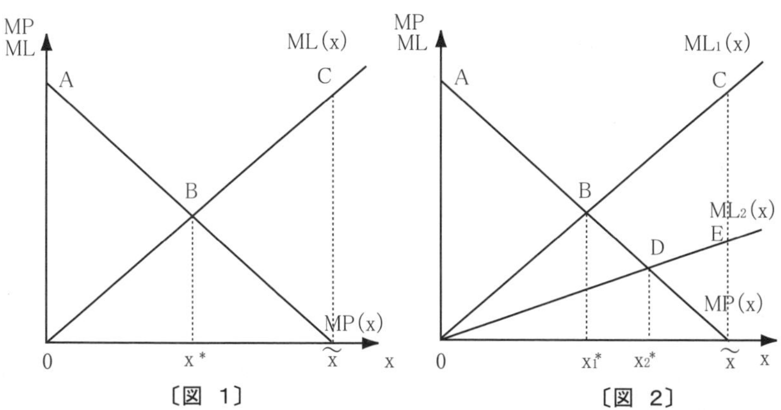

〔図　1〕　〔図　2〕

解答への道

本問は，平成8年度における多数の生産者ｖｓ多数の消費者という設定の下での外部不経済，および平成10年度における費用逓減産業における自然独占に続く「市場の失敗」からの出題であり，外部不経済に関するコースの定理が扱われている。

コースの定理は経済学を勉強する誰もが必ず学ぶ重要論点であること，および基本的な問題の小問(1)と応用的な問題の小問(2)の組合せになっていることの2点から，本問は，受験生の経済学に関する学習の成果を試す上で，非常に適切な問題であると言えよう。

さて，まず小問(1)についてであるが，本問は，コースの定理に関するテキストの記述をそのまま繰り返せばよい。すなわち，はじめに，この経済における社会的に最適な生産量が限界利益曲線と限界外部費用曲線の交点に対応する生産量であることを指摘し，その上で，その生産量が業者と住民のあいだの交渉にまかせることで実現されること，およびその結論は最終的に生産量を決定する権限が業者側にある場合でも，住民側にある場合でも，ともに成り立つことを述べることになる。なお，補償金の上限・下限については，この説明の過程で，おのずと明らかになるだろう。

次に小問(2)であるが，本問については，まず題意より，有害物質を抑える技術の開発投資が生産を開始する前に行われるものであるとされていることから，この投資により業者の限界費用は変化せず，その結果，業者の限界利益曲線がシフトしないことに気づく必要がある。

そして，その上で，

（ｉ）開発投資が行われないときに，最終的に生産量を決定する権限が業者側にある場合の業者の利益

（ⅱ）開発投資が行われないときに，最終的に生産量を決定する権限が住民側にある場合の業者の利益

（ⅲ）開発投資が行われたときに，最終的に生産量を決定する権限が業者側にある場合の業者の利益

（ⅳ）開発投資が行われたときに，最終的に生産量を決定する権限が住民側にある場合の業者の利益

の4つの値を求め，（ⅲ）は（ｉ）よりも必ず小さいが，（ⅳ）は（ⅱ）よりも大きくなる可能性があることを示せばよい。

MEMO

◇平成12年度

問題❶　地価の下落と住宅投資の関係について，次の問に答えなさい。

⑴　地価の下落は，住宅投資にどのような影響を及ぼすと思われるか説明しなさい。その際に，住宅資金の供給者である銀行の行動と，資金需要者である住宅購入者の行動をともに考慮しながら答えなさい。

⑵　地価の下落によるこの住宅投資の変化は，実質ＧＤＰ，物価水準，為替レートにどのような影響を及ぼす可能性があるか説明しなさい（必ず図を用いて説明すること）。

解答例

チェック・ポイント

⑴　はじめに，住宅投資をI_H，利子率をｒ，地価の水準をP_Hとおくと，家計（住宅購入者）の住宅投資は，

$$I_H = I_H(r, P_H) \quad \cdots\cdots ①$$

という関数により表現されると考えられる。

ここで，利子率の上昇は，住宅投資のための資金を借り入れる際のコストの上昇を意味することから，

$$\frac{\partial I_H}{\partial r} < 0 \quad \cdots\cdots ②$$

である。すなわち，他の条件を一定とすれば，住宅投資は利子率の減少関数であり，利子率の上昇（下落）により，住宅投資は減少（増加）する。

また，地価の水準の上昇は，住宅を取得するための費用の増大を意味することから，

$$\frac{\partial I_H}{\partial P_H} < 0 \quad \cdots\cdots ③$$

である。すなわち，他の条件を一定とすれば，住宅投資は地価の水準の減少関数であり，地価の上昇（下落）により，住宅投資は減少（増加）する。

住宅投資と利子率の関係および住宅投資と地価の関係

以上のような前提の下で，題意にしたがって，地価の下落が住宅投資に及ぼす影響について考察する。まず，①式を前提とすれ

ば，地価の下落が住宅投資に及ぼす影響は，(a)直接的な影響および(b)間接的な影響の2つに分けられる。

このうち，(a)の直接的な影響とは，他の条件を一定とした場合の地価下落の効果を意味しており，③式より，地価の下落は住宅投資を増加させる（〔**図1**〕のA→B）。

一方，(b)の間接的な影響とは，地価の下落が資金市場で決定される利子率を変化させ，その利子率の変化を通じて住宅投資の水準が変動することを意味している。

地価の下落が住宅投資に及ぼす影響

そこで，地価の下落が住宅資金の市場に与える影響について考察する。まず，銀行は金利が上昇すると貸出を増やすことから，横軸に資金量，縦軸に利子率をとった平面上において，住宅資金の供給曲線は右上がりであると考えられる。また，家計（住宅購入者）は金利が上昇すると借入を減らすことから，住宅資金の需要曲線は右下がりになる(〔**図2**〕)。

住宅資金の供給曲線・需要曲線

ここで，地価が下落したとすると，土地の担保価値の低下により銀行の住宅資金の融資額が減少することから，住宅資金の供給曲線が左方シフトする。一方，地価の下落は，住宅投資の増加を通じて，家計（住宅購入者）の住宅資金に対する需要を増加させる。したがって，地価の下落により，住宅資金の需要曲線は右方シフトすると考えられる。

地価の下落による住宅資金の供給曲線・需要曲線のシフト

ゆえに，〔**図2**〕に示されるように，地価の下落は住宅資金の市場で決定される利子率を上昇させるが，この利子率の上昇により，住宅投資は減少することになる（〔**図1**〕のB→CまたはB→C′）。

このとき，利子率上昇の程度が小さい場合ないしは住宅投資の利子弾力性がそれほど大きくない場合には，地価下落の直接的な影響が間接的な影響を上回り，住宅投資は増大する（〔**図1**〕のA→C）。しかし，利子率上昇の程度が大きい場合ないしは住宅投資の利子弾力性がきわめて大きい場合には，地価下落の間接的な影響が直接的な影響を上回り，住宅投資がかえって減少することも考えられる（〔**図1**〕のA→C′）。

結　論

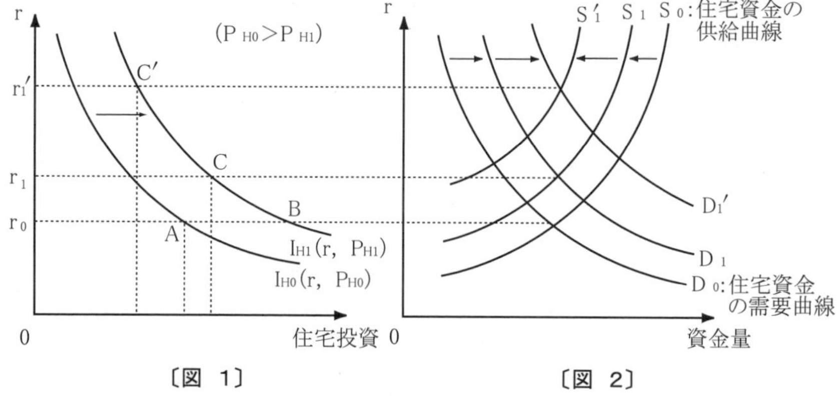

〔図 1〕　〔図 2〕

(2) 住宅投資は民間投資の構成要素の1つであるので，その水準の増加（減少）は，民間投資（I）の増加（減少）をもたらす。そこで，以下では，題意にしたがって，総需要－総供給分析（AD－AS分析）を加味したIS－LM－BP分析（マンデル・フレミング・モデル）を用いることにより，民間投資（I）の水準の変化が実質GDP（Y），物価水準（P），（邦貨建て）為替レート（e）に及ぼす影響について検討する。

なお，自国は外国利子率（r_f）を所与とする変動相場制下の小国であり，国際間の資本移動は完全であるとする（BP曲線は水平）。また，IS曲線は右下がり，LM曲線は右上がりであり，総供給曲線（AS曲線）は，完全雇用水準を下回る実質GDPの下で右上がりであるとする。

マンデル・フレミング・モデルの前提

さらに，物価水準が内生変数になる場合，自国の純輸出（経常収支）CAは，

$$CA = CA\left(Y, \frac{eP^*}{P}\right),\ \frac{\partial CA}{\partial Y} < 0,\ \frac{\partial CA}{\partial\left(\frac{eP^*}{P}\right)} > 0 \cdots ④$$

と定式化される（P*：外国の物価水準）。

ここで，当初〔**図3**〕および〔**図4**〕のE点で均衡が実現していたとして，住宅投資の増加により民間投資（I）が増加すると，IS曲線の右方シフトを通じて総需要曲線（AD曲線）が右方シ

フトし，均衡はいったん〔**図4**〕のＦ点に移る。〔**図4**〕のＦ点では物価水準が上昇していることから，ＬＭ曲線が左方シフトする一方，④式より純輸出（経常収支）が減少し，ＩＳ曲線は左方シフトする。したがって，〔**図4**〕のＦ点は，〔**図3**〕においてはＧ点とＨ点の間の任意の点に対応することになる。

住宅投資の増加によるＡＤ曲線の右方シフト

このとき，この点はＢＰ曲線の上方に位置していることから，資本流入により国際収支の黒字，すなわち外国為替市場における外貨の超過供給が発生する。変動相場制の下では，この外貨の超過供給は，邦貨建て為替レート（ｅ）の下落すなわち自国通貨高・外貨安をもたらし，その結果，④式より自国の純輸出（経常収支）の減少およびＩＳ曲線の左方シフトが起こることとなる。

自国通貨高・外貨安

ところで，変動相場制の下で国際間の資本移動が完全な場合のＩＳ－ＬＭ－ＢＰ分析では，経済の均衡点は，水平なＢＰ曲線と右上がりのＬＭ曲線の交点に決まる。したがって，所与の外国利子率（r_f）の下で，物価水準（Ｐ）の下落に対して実質ＧＤＰ（Ｙ）の増加が対応する。

一方，総需要－総供給分析の下で，経済の供給側面が不変であり，総供給曲線がシフトしなければ，実質ＧＤＰ（Ｙ）の増加に対しては物価水準（Ｐ）の上昇が対応しなければならない。

したがって，この経済の最終的な均衡点は，当初の均衡点であるＥ点以外にはあり得ないと考えられる。

経済の最終的な均衡点

ゆえに，地価の下落により住宅投資が増加した場合，最終的な均衡の下で，実質ＧＤＰおよび物価水準は不変であり，邦貨建て為替レートは下落する。

なお，同様の分析により，地価の下落により住宅投資が減少した場合には，実質ＧＤＰおよび物価水準は不変であるが，邦貨建て為替レートは上昇する。

結　論

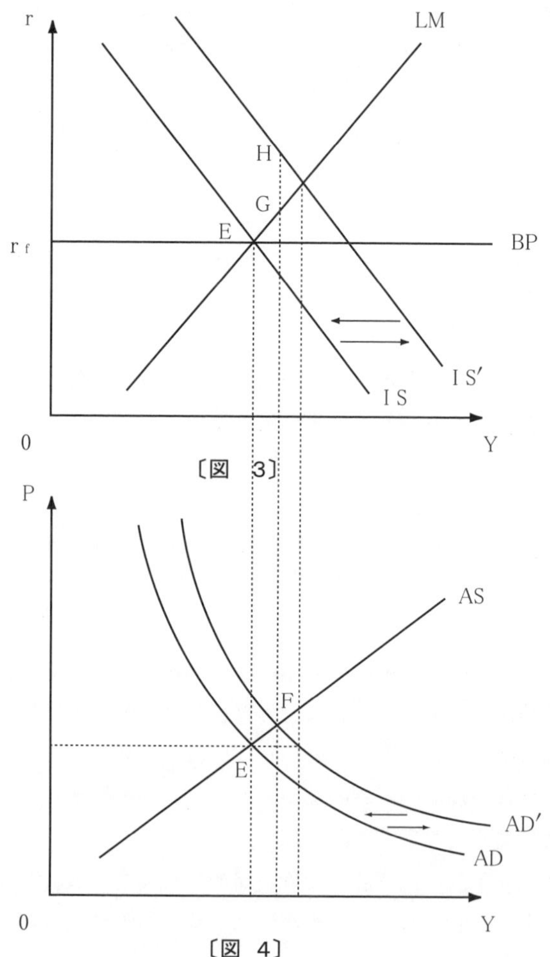

〔図　3〕

〔図　4〕

解答への道

本問は，小問(1)が住宅投資に関する設問であり，小問(2)が総需要－総供給分析（ＡＤ－ＡＳ分析）を取り込んだマンデル・フレミング・モデル（ＩＳ－ＬＭ－ＢＰ分析）に関する設問になっている。

このうち，まず小問(1)については，地価と住宅投資が扱われていることから，現実経済に関する設問であると考えがちであるが，問題文に特に指示が見られないことを考慮すると，住宅投資と住宅資金市場を融合させたモデル分析が要求されていると見るべきであろう。

そこで，

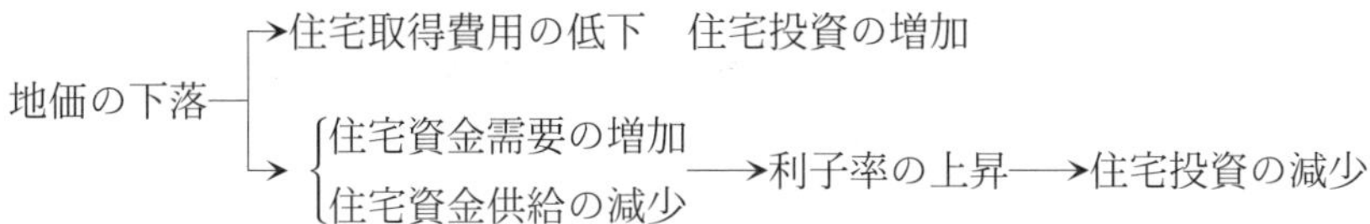

という2種類の効果を説明し，その大小関係により結論が変わってくることを述べればよい。

次に小問(2)であるが，本問は，冒頭に「地価の下落によるこの住宅投資の変化は」と書かれていることから，住宅投資の問題が取り上げられているように見えるが，実は，投資の変動が経済に与える影響に関して，マンデル・フレミング・モデルに基づいて分析させる問題であると考えられる。

しかし，本問の場合には，総需要－総供給分析（ＡＤ－ＡＳ分析）で扱われる「物価水準」についても考慮しなければならないことから，正確には，マンデル・フレミング・モデル（ＩＳ－ＬＭ－ＢＰ分析）に総需要－総供給分析（ＡＤ－ＡＳ分析）を融合させたモデルを用いなければならない。

ただし，それは非常に難しいので，実際には，投資の変動が経済に与える影響に関して，自国が変動相場制下で国際間の資本移動が完全な小国であるケース（ＢＰ曲線水平）を取り上げて分析すればよいものと思われる。

その場合，財政政策が無効になることから，小問(1)で（住宅）投資が増加するという結論が得られた場合，および減少するという結論が得られた場合のいずれにおいても，為替レートは変化するが，国民所得（実質ＧＤＰ）は不変にとどまるということになる。

問題❷　現金のみ 100万円を保有している投資家が，「株式」にどれだけ投資すべきかを決めようとしている。「株式」の今期における配当はすでに済んでおり，現在の株価は10万円である。この投資家は，次のような予想をもっている。“将来，「好況」ならば1株につき1万円の配当を得て，株価14万円で売却できるが，「不況」ならば無配当で株価は6万円に下落。「好況」の確率は0.6，「不況」の確率は0.4。”この投資家は，いま少しでも「株式」を購入するならば，将来，配当を受け取った後（「不況」ならば無配当だが），それらをすべて売却するつもりである。その結果，投資家が最終的に保有することになる現金の量を所得と呼ぼう。そして，所得が例えばc万円であるとき，そのc万円を使って得ることのできる効用をu(c)，そのときの限界効用をm(c)と表そう。効用関数u(c)はcの増加関数で，かつ危険回避型であり，投資家の目標は期待効用の最大化である。投資家が購入しようとする「株式」の株数をaとしよう。ただし，0≦a≦10である。そこで，次の問に答えなさい。

⑴　「好況」の場合の所得をx万円，「不況」の場合の所得をy万円として，xとyをそれぞれaの式（文字として含まれるのがaだけという式）で表しなさい。さらに，aを消去して，yをxの式（文字として含まれるのがxだけという式）で表し，xを横軸，yを縦軸にとってこの関係式のグラフを図示しなさい（この図を図1とせよ）。その際，a＝0に対応する点と，a＝10に対応する点を明示し，それらの横座標及び縦座標も記入しなさい。

⑵　(イ)a＝10の場合の所得の期待値を求めなさい。(ロ)所得がc万円ならば効用はu(c)という上記の約束を用いて，a＝10の場合の期待効用を，適切な式で表しなさい。

⑶　ある一定の期待効用を維持するxとyの組み合わせ，つまり無差別曲線を，xを横軸，yを縦軸として描くとしよう。この無差別曲線上のある点で接線を引くと，接線の傾きの絶対値は，その点における「限界代替率」である。そこで，(ハ)所得がc万円ならば限界効用はm(c)という上記の約束を用いて，a＝5の場合の限界代替率を，適切な式で表しなさい。(ニ)a＝0の場合の限界代替率を，適切な数値（分数）で答えなさい。

⑷　⑴で図示したグラフは予算制約線にほかならない。この予算制約線の傾きの絶対値の経済的な意味及び⑶で定義した「限界代替率」の経済的な意味について，それぞれ述べなさい。それを踏まえて，この投資家がa＝0を選択しないことを説明しなさい。

⑸　この投資家の予想のうち，「好況」の確率が0.7に，「不況」の確率が0.3に修正されたとしよう。このとき，xを横軸，yを縦軸とする適切な図を作成し（これを図2とせよ），投資家の「株式」購入量aがどう変化するかを説明しなさい。

解答例

チェック・ポイント

(1) まず，資産選択の問題であるから，最初の手持ちの金額 100万円を危険資産である株式と安全資産である現金に振り分ける状況を想定する。

ここで，題意にしたがって，購入する株式を a とおくと，株式に振り分ける金額は10 a（万円）となり，手元に残る現金は 100－10 a（万円）となる。

資産の振り分け

次に，株式は危険資産であり，好況・不況によって，資産価値が変動する。題意にしたがえば，好況のときには，1株につき1万円の配当と14万円の売却代金を得られることから，将来，1株当たり15万円の所得をもたらす。したがって，好況の場合の所得 x は，

$$x = 15a + (100 - 10a)$$
$$= 100 + 5a \ (\text{万円}) \qquad (\text{答})$$

と求まる。

好況の場合の所得

同様に，不況のときには1株につき，将来，6万円の所得しかもたらさない。したがって，不況の場合の所得 y は，

$$y = 6a + (100 - 10a)$$
$$= 100 - 4a \ (\text{万円}) \qquad (\text{答})$$

と求めることができる。

不況の場合の所得

このとき，x の式を a について解いた

$$a = \frac{1}{5}x - 20$$

を y の式に代入すると，

$$y = 100 - \frac{4}{5}x + 80$$
$$= 180 - \frac{4}{5}x \qquad (\text{答})$$

を得る（〔図1〕）。

x と y の関係式

(2) 所得の期待値とは，好況のときの所得と不況のときの所得の（確率で加重された）平均値を意味する。ここで，題意のように，

最初の手持ちの現金を全額株式に振り分けたならば，0.6の確率で将来の所得が150万円になり，0.4の確率で将来の所得が60万円になる。したがって，所得の期待値は，

$$所得の期待値=0.6\times150+0.4\times60$$
$$=114\ (万円) \qquad ((イ)の答)$$

と求められる。

所得の期待値

次に，期待効用とは，好況のときの効用と不況のときの効用の（確率で加重された）平均値を意味する。ここで，効用は所得に依存して決定されることから，先ほど求めた好況のときの所得と，不況のときの所得を題意の効用関数に代入すればよい。したがって，期待効用は，

$$期待効用=0.6\times u(150)+0.4\times u(60) \qquad ((ロ)の答)$$

となる。

期待効用

(3) 無差別曲線の限界代替率は，期待効用を表す式を全微分し，それをゼロとおくことにより求められる。

したがって，期待効用 $Eu=0.6\times u(x)+0.4\times u(y)$ を全微分し，それをゼロとおくことにより，限界代替率は，

$$dEu=0.6\times m(x)\times dx+0.4\times m(y)\times dy=0$$

$$\therefore -\left.\frac{dy}{dx}\right|_{\overline{Eu}}=\frac{3}{2}\times\frac{m(x)}{m(y)} \quad \cdots\cdots\cdots\cdots ①$$

と求められる。

限界代替率

この①式に a＝5 のときの x＝125 および y＝80を代入することにより，a＝5 の場合の限界代替率は，

$$-\left.\frac{dy}{dx}\right|_{\overline{Eu}}=\frac{3}{2}\times\frac{m(125)}{m(80)} \qquad ((ハ)の答)$$

となる。

a＝5 の場合の限界代替率

同様に，a＝0 のときの x＝100 および y＝100を代入することにより，a＝0 の場合の限界代替率は，

$$\therefore -\left.\frac{dy}{dx}\right|_{\overline{Eu}}=\frac{3}{2}\times\frac{m(100)}{m(100)}=\frac{3}{2} \qquad ((ニ)の答)$$

である。

a＝0 の場合の限界代替率

(4) (1)で求めた予算制約線の傾きの絶対値の経済的な意味は次のよ

うに示される。いま，株式を1単位購入したとする。このとき，好況の場合の所得は，購入しなかったときに比べて5万円だけ増加する（15万円−10万円＝5万円)。一方，不況の場合の所得は，購入しなかったときに比べて4万円だけ減少してしまう（6万円−10万円＝−4万円)。以上の考察から，予算制約線の傾きの絶対値は，好況の場合の所得を追加的に1万円増やそうとした場合に，不況の場合の所得を何万円犠牲にしなければならないかを意味していると考えられる。

予算制約線の傾きの絶対値の経済的な意味

次に，(3)で定義した限界代替率は，好況の場合の所得を追加的に1万円増やすことができるのであれば，以前と同様の期待効用を得るためには，不況の場合の所得を最大限何万円犠牲にしてもよいと考えるのかを意味する概念である。

限界代替率の経済的な意味

以上を踏まえて，a＝0の状態を分析すると，このときの限界代替率は，(3)で求めた通り $\dfrac{3}{2}$ であることから，次のようなことが言える。

すなわち，好況の場合の所得を追加的に1万円増やそうとすると，不況の場合の所得を $\dfrac{4}{5}$ 万円犠牲にしなければならないが，ここで限界代替率が $\dfrac{3}{2}$ であることに着目すると，好況の場合の所得を追加的に1万円増やすことができるのであれば，不況の場合の所得を最大限 $\dfrac{3}{2}$ 万円犠牲にしたとしても，以前と同様の期待効用を得ることができる。

このとき，$\dfrac{4}{5} < \dfrac{3}{2}$ より，株式を購入して好況の場合の所得を増やすことにより，この投資家の期待効用は増大する。したがって，この投資家はa＝0を選択しないということができる。

投資家がa＝0を選択しない理由

(5) 題意のように好況の確率が0.7に，不況の確率が0.3にそれぞれ変化した場合，同一の点における限界代替率が変化することにより，無差別曲線の形状が変化する。

いま，この投資家の期待効用を最大化するx，yの組み合わせが〔**図2**〕のE点（x^*，y^*）に定まっていたとしよう。このときの限界代替率は，

確率の変化による限界代替率の変化

$$-\left.\frac{dy}{dx}\right|_{\overline{Eu}}=\frac{3}{2}\times\frac{m(x^*)}{m(y^*)}$$

と求まる。

この状態から，題意のように好況の確率が0.7，不況の確率が0.3にそれぞれ変化した場合，先ほどと同じように限界代替率を求めてみると，

$$-\left.\frac{dy}{dx}\right|_{\overline{Eu}}=\frac{7}{3}\times\frac{m(x^*)}{m(y^*)}$$

を得る。

すなわち，題意のような確率の変化が起こると，E点（x^*，y^*）における限界代替率の値が上昇し，その結果無差別曲線の傾きが急になる。

したがって，確率が変化した後の主体的均衡点は，元の主体的均衡点よりも必ず右下方に位置することになる。これは，題意のような確率の変化が起こると，投資家は株式購入量aを増加させるということを示している（〔図2〕）。

投資家の株式購入量の増加

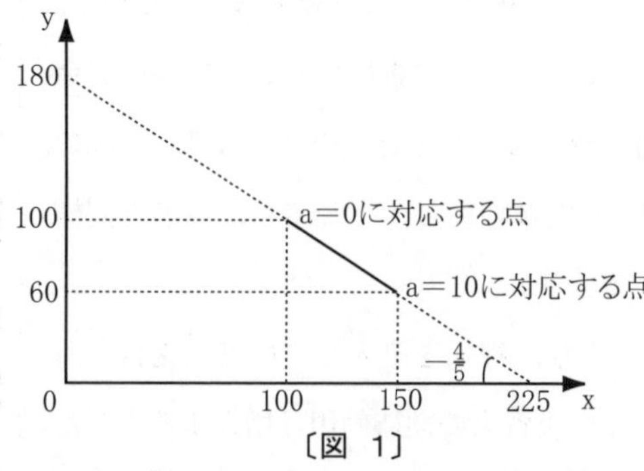

〔図　1〕

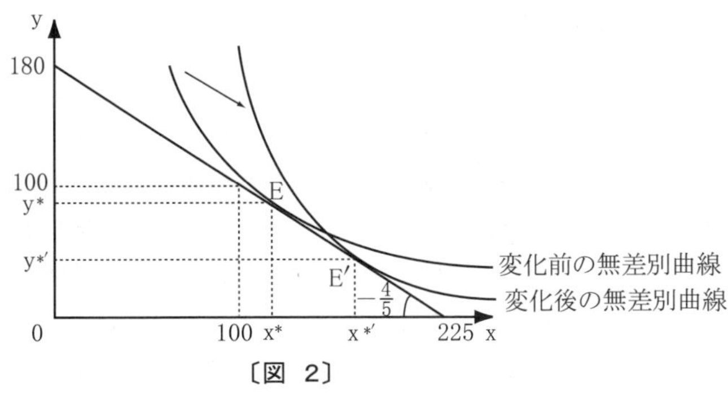

〔図 2〕

解答への道

本問は，不確実性下の投資家の資産選択行動を，無差別曲線を用いて分析させる問題である。

まず，小問(1)については，好況の場合の所得 x と不況の場合の所得 y をそれぞれ a を用いて表し，さらに a を消去することにより， x と y の関係式を求めればよい。

次に，小問(2)は，与えられた確率を用いることにより，所得および効用の期待値を計算させる問題である。本問の場合には，小問(1)および(2)の計算で，確実に点数を取っておくことが重要であると思われる。

続いて小問(3)であるが，本問を解くためには，全微分の知識が必要となる。すなわち，本問の限界代替率は，期待効用Ｅｕの式を全微分し，それをゼロとおくことにより求められる。

小問(4)については，通常の 2 財モデルにおける予算線の傾きの絶対値および限界代替率の経済学的な意味を正しく説明することができれば，それを応用する形で解答することができると思われる。すなわち，予算線の傾きの絶対値および限界代替率の経済学的な意味をふまえることにより，本問の投資家が，株式を保有しない状態から，株式を購入することにより期待効用を増大させることが可能となることを示せばよい。

最後の小問(5)については，確率の変化が限界代替率の変化を引き起こし，その結果，投資家の無差別曲線の形状が変化することに注目しなければならない。このように，確率の変化により無差別曲線の形状が変化すると，期待効用を最大化する最適点が移動し，投資家の株式購入量も変化することになる。

◇ 平成13年度

問題❶　あるひとつの産業だけをとりあげる部分均衡分析によって，「市場の失敗」がない完全競争という仮定の下で，貿易政策のもたらす影響について分析したい。そこで，世界経済が，２つの大国（Ａ国とＢ国）から構成されているとしよう。各国の市場は，それぞれ，縦軸を価格，横軸を需要量及び供給量とする図で，右下がりの需要曲線と右上がりの供給曲線によって表すことができるものとする。また，自由貿易の下で，Ａ国がこの産業における輸入国，Ｂ国が輸出国になるとしよう。このとき，次の問に答えなさい。

⑴　Ａ国が輸入１単位当たり定額の関税を導入するとしよう（Ｂ国は自由貿易政策を採用し続けるとする）。自由貿易の場合と比較して，（１－１）市場均衡におけるＡ国での価格とＢ国での価格は，それぞれ，どのように変化し，貿易量はどのように変化するだろうか。（１－２）Ａ国の社会的厚生（余剰）は，どのように変化し，（１－３）Ｂ国の社会的厚生（余剰）は，どのように変化するだろうか。その結果，（１－４）世界全体でみた社会的厚生（余剰）は，どのように変化するだろうか。
適切な図を作成して説明しなさい。

⑵　関税以外に保護政策として考えられるのは，輸入数量割当（輸入割当）である。そこで，（２－１）輸入数量割当の仕組みを簡潔に説明し，その上で，（２－２）所得分配への影響を別にすれば，輸入数量割当によっても，⑴の関税と同等の効果を及ぼすことが可能であるといわれる理由を，⑴で作成した図を用いて説明しなさい。さらに，（２－３）関税と輸入数量割当の間に所得分配の面で相違が現れるとすれば，それは何かを述べなさい。

解答例

チェック・ポイント

⑴　はじめに，題意の２国モデルにおける自由貿易均衡について説明する。とりあげる財をＸ財とし，Ｘ財価格をＰ，Ａ国のＸ財の需要関数，供給関数をそれぞれD_A(Ｐ)，S_A(Ｐ)，Ｂ国のＸ財の需要関数，供給関数をそれぞれD_B(Ｐ)，S_B(Ｐ)とおけば，Ｘ財の輸入国であるＡ国とＸ財の輸出国であるＢ国の２国により構成

２国モデルにおける自由貿易均衡

される2国モデルの自由貿易均衡は，A国のX財輸入とB国のX財輸出を均衡させる国際価格P^*，すなわち，

$D_A(P^*)-S_A(P^*)=S_B(P^*)-D_B(P^*)$……………………①

を満たす国際均衡価格P^*の下で実現され，そのときのA国のX財輸入量およびB国のX財輸出量は，それぞれ〔**図1**〕のFGおよびKJとなる。

自由貿易均衡下の社会的厚生

また，〔**図1**〕において，自由貿易均衡の下でのA国の総余剰（TS^*_A）およびB国の総余剰（TS^*_B）は，

$TS^*_A=\triangle AP^*G$（消費者余剰）$+\triangle P^*BF$（生産者余剰）…②

$TS^*_B=\triangle HJP^*$（消費者余剰）$+\triangle P^*KI$（生産者余剰）…③

と示される。

題意の輸入関税下の均衡

ここで，題意にしたがって，A国がX財の輸入1単位当たり定額（t）の関税を導入し，B国は自由貿易政策を採用し続けたとする。このとき，A国の国内価格がB国の国内価格である国際価格よりもtだけ高くなることに留意すれば，均衡の下での国際価格は，

$D_A(P^{*\prime}+t)-S_A(P^{*\prime}+t)=S_B(P^{*\prime})-D_B(P^{*\prime})$……④

を満たす$P^{*\prime}$の水準に決定され，そのときのA国のX財輸入量およびB国のX財輸出量は，それぞれ〔**図1**〕のLMおよびUTとなる。

ゆえに，題意の関税が導入されることにより，市場均衡におけるA国での価格は自由貿易の場合に比べて上昇するが，B国での価格は自由貿易の場合に比べて下落する。また，貿易量は，自由貿易の場合に比べて減少する。（1－1の答）

題意の輸入関税下のA国の社会的厚生

次に，〔**図1**〕において，題意の関税が課された場合のA国の総余剰（$TS^{*\prime}_A$）は，

$TS^{*\prime}_A=\triangle A(P^{*\prime}+t)M$（消費者余剰）

$+\triangle(P^{*\prime}+t)BL$（生産者余剰）$+\square LRSM$（関税収入）⑤

となることから，題意の関税が導入された場合のA国の社会的厚生（余剰）は，〔**図1**〕において$\triangle LFN+\triangle MQG>\square NRSQ$が成り立つときには減少するが，逆に$\triangle LFN+\triangle MQG<\square NRSQ$が成り立つ場合には，かえって増大する。（1－2の答）

また，〔図１〕において，題意の関税が課された場合のＢ国の総余剰（$TS^{*\prime}_{B}$）は，

$TS^{*\prime}_{B}$ ＝△ＨＴ$P^{*\prime}$（消費者余剰）＋△$P^{*\prime}$ＵＩ（生産者余剰）⑥

となることから，題意の関税が導入された場合のＢ国の社会的厚生（余剰）は，自由貿易の場合に比べて，**〔図１〕**の□ＫＵＴＪの分だけ減少する。（１－３の答）

題意の輸入関税下のＢ国の社会的厚生

最後に，**〔図１〕**において，題意の関税が導入された場合の世界全体の総余剰（＝$TS^{*\prime}_{A}$ ＋$TS^{*\prime}_{B}$）は，□ＮＲＳＱ＝□ＶＵＴＷより，

$TS^{*\prime}_{A}$＋$TS^{*\prime}_{B}$＝△ＡP^{*}Ｇ＋△P^{*}ＢＦ＋△ＨＪP^{*}＋△P^{*}ＫＩ
－(△LFN＋△MQG＋△KUV＋△WTJ)　⑦

となることから，題意の関税が導入された場合の世界全体でみた社会的厚生（余剰）は，**〔図１〕**の△ＬＦＮ＋△ＭＱＧ＋△ＫＵＶ＋△ＷＴＪの分だけ減少する。（１－４の答）

題意の輸入関税下の世界全体の社会的厚生

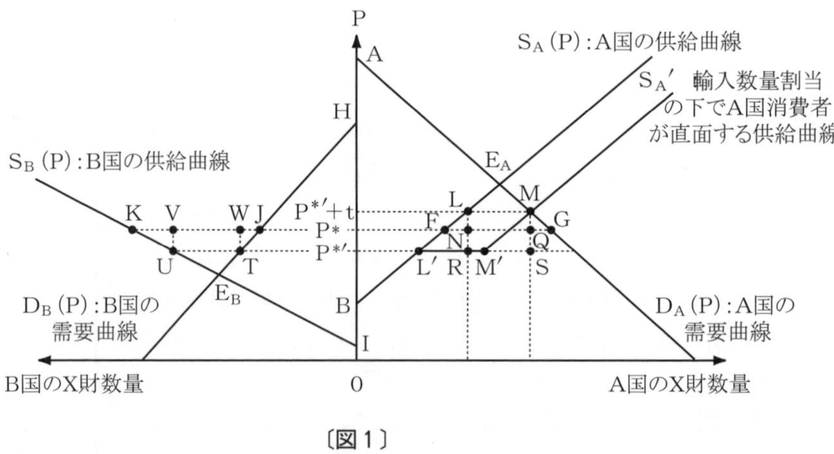

〔図１〕

(2) はじめに，（２－１）の輸入数量割当の仕組みについて説明する。国際貿易のモデルにおいては，通常，輸入数量割当に関して，輸入国の国内に当該国の輸出入を独占的に扱う貿易業者が存在し，その貿易業者があらかじめ決められた量の財を国際市場から輸入するという仕組みが仮定される。

輸入数量割当の仕組み

このとき，割当量が自由貿易均衡の下での輸入量を下回ること

を前提とすれば，均衡の下での当該財の輸入国の国内価格は国際価格を上回り，その結果，貿易業者には正の利潤が発生することになる。

次に，（２－２）の関税と数量割当の同値命題に関して説明する。いま，題意にしたがって，Ａ国が，Ｘ財の輸入量をちょうど(1)の関税の場合の輸入量である〔**図１**〕のＬＭの水準に規制する輸入数量割当を実施したとすると，Ａ国の消費者の直面する供給曲線は，〔**図１**〕の

$BL'M'MS_A'$ へとシフトする（$LM=L'M'$）。

このとき，Ａ国内の需給を均衡させるＸ財価格は，シフト後の供給曲線と需要曲線の交わるＭ点の水準になることから，Ａ国におけるＸ財の国内価格は，(1)の関税の場合と同一の $P^{*\prime}+t$ となる。

また，このような輸入数量割当が実施された場合のＡ国の総余剰（$TS_A^{*\prime\prime}$）は，

$TS_A^{*\prime\prime}$

$=\triangle A(P^{*\prime}+t)M$（消費者余剰）$+\triangle(P^{*\prime}+t)BL$（生産者余剰）$+\square LL'M'M$（貿易業者の利潤）…………… ⑧

となることから，$\square LRSM=\square LL'M'M$ に留意すれば，$TS_A^{*\prime}=TS_A^{*\prime\prime}$ より，Ａ国の社会的厚生（余剰）は，(1)の関税の場合と変わらない。

さらに，Ａ国のＸ財輸入とＢ国のＸ財輸出を均衡させる国際価格は〔**図１**〕の $P^{*\prime}$ であることから，Ｂ国の社会的厚生（余剰）についても，(1)の関税の場合と変わらず，その結果，世界全体の社会的厚生（余剰）についても，(1)の関税の場合と変わらないと言える。

以上の考察から，輸入量を(1)の関税の場合の輸入量と同一の水準に規制する輸入数量割当を行うことにより，(1)の関税と同等の効果を及ぼすことが可能となること（関税と数量割当の同値命題）が示された。

関税と数量割当の同値命題

しかし，このような輸入数量割当と(1)の関税の間には，所得分配の面で相違があり，(1)の関税の下でＡ国政府に発生する関税収

入（＝〔**図1**〕の□ＬＲＳＭ）は，輸入数量割当の場合には，Ａ国の輸入業者の得る利潤（＝〔**図1**〕の□ＬＬ′Ｍ′Ｍ）に置き換わることになる。（２－３の答）

関税と数量割当の間の所得分配に関する相違

解答への道

本問は部分均衡分析に基づく国際貿易の２国モデルに関する設問である。２国モデルであることから，財の国際価格Ｐ*は所与ではなく，２国間の財の輸出入を均衡させるように決定される。

本問の場合には，Ｐ*は，財の輸入国であるＡ国の輸入需要量と財の輸出国であるＢ国の輸出供給量を均衡させるように決定される。

したがって，本問は，厳密には国際価格Ｐ*を所与とする小国モデルではないが，以下の設問については，グラフや途中の説明は異なるものの，小国モデルにおける結論を解答することにより，ある程度の点数を確保することが可能であると考えられる。

（１－１）市場均衡におけるＡ国での価格および貿易量の変化

Ａ国での価格は自由貿易の場合に比べて上昇する。

貿易量は，自由貿易の場合に比べて減少する。

（２－１）輸入数量割当の仕組み

輸入国の国内に当該国の輸出入を独占的に扱う貿易業者が存在し，その貿易業者が，あらかじめ決められた量の財を国際市場から輸入する。

（２－２）関税と数量割当の同値命題

輸入量を，関税の場合の輸入量と同一の水準に規制する輸入数量割当を行うことにより，関税と同等の効果を及ぼすことが可能となる。

（２－３）関税と輸入数量割当の間の所得分配面の相違

関税の下でＡ国政府に発生する関税収入は，輸入数量割当の場合には，Ａ国の輸入業者の得る利潤に置き換わる。

MEMO

問題❷　財政支出の水準を一定とした場合の所得減税の効果について，次の問に答えなさい。

(1)　所得減税の景気刺激効果について，ＩＳ－ＬＭ分析を用いて説明しなさい。

(2)　所得減税を行っても行わなくても景気刺激効果に変わりはない，という考え方がある。これについて説明しなさい。

解答例

チェック・ポイント

(1)　はじめに，題意にしたがって，所得減税がＩＳ曲線を右方シフトさせることについて述べる。公債発行により財政支出の水準を一定に保つという前提の下で所得減税が実施された場合，そのような所得減税は，家計の可処分所得の増大を通じて民間消費を刺激することにより，所与の利子率（ｒ）の下で，財市場を均衡させる国民所得（Ｙ）を増加させる効果をもつ。したがって，所得減税は，財市場を均衡させる国民所得（Ｙ）と利子率（ｒ）の組合せの軌跡として定義されるＩＳ曲線を右方シフトさせることになる。

（所得減税によるＩＳ曲線の右方シフト）

これを，政府の存在する閉鎖経済の下で説明すると，次のようになる。いま，ケインズ型消費関数に基づいて，民間消費を$C=C_0+c(Y-T)$（ただし$C_0>0$，$0<c<1$，Ｔ：租税）とおき，租税を一括固定額税であるとする。このとき，$|\Delta T|$（$\Delta T<0$）の規模の減税が実施されると，所与の利子率（ｒ）の下で，財市場を均衡させる国民所得（有効需要）が，

$$\Delta Y=\frac{-c}{1-c}\Delta T=\frac{c}{1-c}|\Delta T| \cdots\cdots\cdots\cdots\cdots\cdots\cdots ①$$

だけ増加することから，ＩＳ曲線は，①式により表される幅だけ右方シフトする（〔**図１**〕のＥ点→Ｆ点）。

（減税によるＩＳ曲線の右方シフト（一括固定額税のケース））

なお，租税関数が国民所得に依存する場合にも，減税によりＩＳ曲線が右方シフトすることは変わらない。すなわち，租税（Ｔ）が$T=T_0+tY$（ただしT_0は定数，$0<t<1$）という租税関数の形で表される場合，租税関数の定数項T_0の減少および限界税率ｔの低下は，いずれも所与の利子率（ｒ）の下で財市場を均

（減税によるＩＳ曲線の右方シフト（租税関数のケース））

衡させる国民所得（Y）を増大させ，ＩＳ曲線を右方にシフトさせる。

このように，所得減税によりＩＳ曲線が右方シフトすることから，財市場と貨幣市場を同時に均衡させるＩＳ－ＬＭ分析の均衡国民所得（Y*）は増大する（〔図１〕のＥ点→Ｇ点）。このように，所得減税は，景気刺激効果を有すると言える。

所得減税の景気刺激効果

なお，ＩＳ－ＬＭ分析の均衡国民所得の増加分（ΔY*）は，ＩＳ曲線のシフト幅よりも小さくなる。これは，国民所得の増大により貨幣の取引需要が増加し，貨幣市場に超過需要が発生することから，利子率が上昇し，その結果，利子率の減少関数である民間投資が減少し，国民所得の増大が抑制されるというクラウディング・アウト（ヒックス・メカニズム）が引き起こされることによるものである（〔図１〕のＦ点→Ｇ点）。

クラウディング・アウトの発生

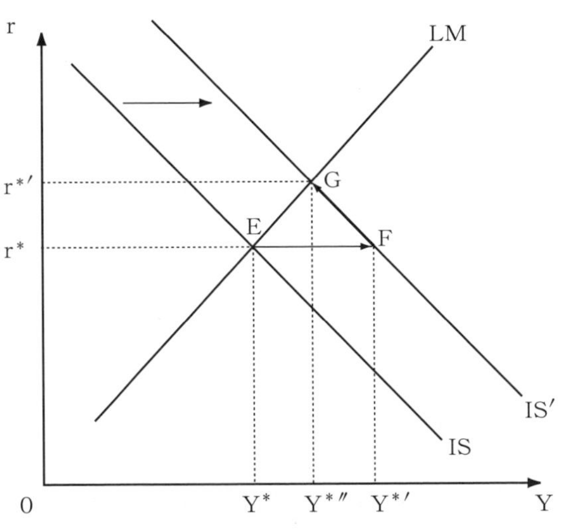

〔図１〕

(2) 所得減税を行っても行わなくても景気刺激効果に変わりはない，すなわち所得減税が無効になるケースとしては，以下の３点が考えられる。

まず，第１に，所得減税は，投資の利子弾力性が無限大であり，ＩＳ曲線が水平なケース，および貨幣需要の利子弾力性がゼロで

所得減税が無効になるケース（ＩＳ曲線が水平な場合，ＬＭ曲線が垂直な場合）

あり，ＬＭ曲線が垂直なケースにおいて，景気刺激効果をもたず，無効になる。なお，このうちの後者は，古典派経済学の想定するケースに相当する。

第２に，減税の財源が公債発行により賄われる場合に，リカード・バローの等価定理（同値命題）が想定するように，家計が公債の償還に伴う将来の増税を合理的に予想するならば，所得減税は景気刺激効果をもたず，無効になる。

これは，より詳細には，次のように説明される。まず，公債の償還に伴う将来の増税が現在世代に対して行われる場合，合理的な当該現在世代は，異時点間の消費理論に基づき，将来の増税に備えて減税額に等しい分だけ貯蓄を増加させると考えられる。現在世代がこのような行動をとるならば，民間消費は増加せず，その結果，国民所得も不変にとどまることになる。

所得減税が無効になるケース（家計が公債の償還に伴う将来の増税を合理的に予想する場合）

また，公債の償還に伴う将来の増税が将来世代に対して行われる場合については，現在世代が将来世代の社会厚生を考慮して行動することを前提とすれば，現在世代は将来世代のために遺産を増やそうとすると考えられる。現在世代がこのような行動をとるならば，民間消費はやはり増加せず，その結果，国民所得も不変にとどまる。

最後に，減税の財源が公債発行により賄われる場合に，貨幣需要に対する資産効果を通じて，公債残高の増大が貨幣需要を増加させるならば，所得減税が景気刺激効果をもたず，無効となる可能性がある（ポートフォリオ・クラウディング・アウト）。

これは，次のように説明される。まず，民間経済主体は，貨幣（安全資産）と債券（危険資産）の間の保有比率に関して，各々最適な比率を有しているものとする。このとき，公債発行により（実質）公債残高が増加すると，民間経済主体は，貨幣と債券の間の最適な保有比率を維持するために，貨幣需要を増やそうとすると考えられる。

所得減税が無効になるケース（資産効果が存在する場合）

このような資産効果に基づく貨幣需要の増大により，ＬＭ曲線が左方シフトすることから，このＬＭ曲線の左方シフトが，所得減税に伴うＩＳ曲線の右方シフトをちょうど打ち消すようなものであるならば，所得減税は景気刺激効果をもたず，無効となる（〔図２〕のＥ点→Ｇ点)。

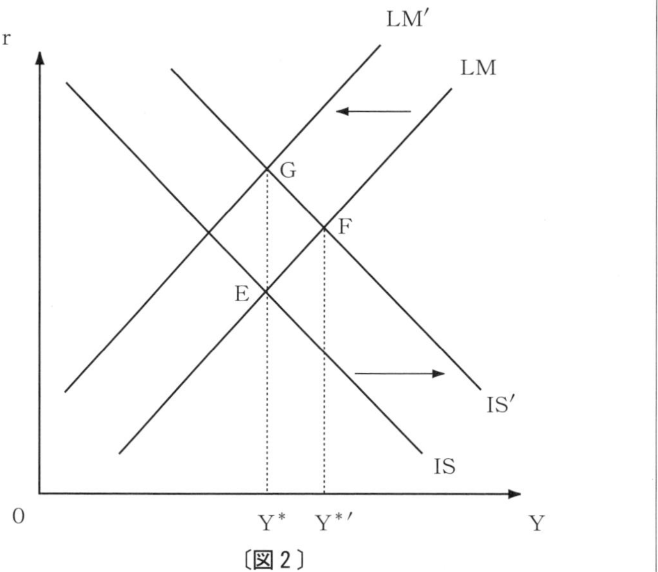

〔図２〕

解答への道

本問は，ＩＳ－ＬＭ分析に基づく財政政策の効果に関する設問である。このうち，まず小問(1)については，減税によりＩＳ曲線が右方シフトし，クラウディング・アウトを伴いつつ，均衡国民所得が増大するというマクロ経済学の基本中の基本とも言える内容となっている。

次に小問(2)については，マンデル・フレミング・モデル（ＩＳ－ＬＭ－ＢＰ分析）に基づいて，ＢＰ曲線が水平な小国における財政政策が無効になることを指摘することも考えられるが，本問のような場合には，開放経済のケースは除外されることが多い。

そこで，

①投資が利子率に対して完全弾力的なケースおよび貨幣需要が利子率に対して完全非弾力的なケース
②家計が公債の償還に伴う将来の増税を合理的に予想するケース
③貨幣需要に対する資産効果の存在するケース

の３点について述べることになるが，このうち，まず①については，ＩＳ曲線が水平な場合およびＬＭ曲線が垂直な場合に，財政政策が無効になることを指摘する。

次に，②については，ライフ・サイクル仮説やミクロ経済学における異時点間の消費理論を念頭に置きつつ，リカード・バローの等価定理（中立命題）に関して説明する。

最後に，③の貨幣需要に対する資産効果についてであるが，貨幣需要に対して資産効果が存在する場合に，公債発行を財源とする（拡張的な）財政政策が実施されると，ＬＭ曲線が左方シフトすることから（ポートフォリオ・クラウディング・アウト），その左方シフトのシフト幅がＩＳ曲線の右方シフトによる国民所得の増大をちょうど打ち消すならば，財政政策は無効となる。

MEMO

平成14年度

問題❶　外部性について次の問に答えなさい。

⑴　技術的外部性が存在する場合には，市場機構が効率的な資源配分を実現できない，すなわち，市場の失敗が起こる可能性がある。これについて理論的に説明しなさい。

⑵　⑴で述べた市場の失敗を克服する方法を２つあげ，その各々について説明しなさい。

解答例

チェック・ポイント

⑴　技術的外部性とは，ある経済主体の意思決定もしくは行動が，市場を経由することなく，直接に他の経済主体の意思決定ないしは行動に与える影響をいう。また，技術的外部性には，他の経済主体に不利な影響を及ぼす技術的外部不経済と，他の経済主体に有利な影響を及ぼす技術的外部経済が存在する。

（技術的外部性の定義）

このような技術的外部性が存在する場合，私的限界費用と社会的限界費用が乖離するが，競争的な市場においては，技術的外部性に基づく限界損失または限界便益は，正または負のコストとして認識されず，個々の企業は，自己の生産に直接的にかかわる私的限界費用のみに基づいて，

価格（限界収入）＝私的限界費用…………………………　①

という利潤最大化条件にしたがって，生産量を決定する。

しかし，経済厚生（総余剰）を最大化するための条件は，

価格＝社会的限界費用……………………………………　②

であり，２つの条件は一致しない。

それゆえ，技術的外部性が存在する場合には，競争的な市場の下で実現される生産量が社会的に最適な生産量とは異なる水準となり，市場機構が効率的な資源配分を実現できないという意味での市場の失敗が起こる可能性がある。

（技術的外部性が存在する場合に発生する市場の失敗）

以下では，まず大気汚染や騒音等の公害に代表される技術的外部不経済が存在するケースについて，Ｘ財の（多数）の生産者が，

X財の（多数の）消費者に外部不経済を及ぼしている状況を取り上げ，部分均衡分析を用いて分析する。なお，以下のモデルにおいて，X財の市場取引量をX，X財価格をPとおく。

ここで，技術的外部不経済に基づく限界損失曲線ML（X）が原点を通る右上がりの直線であることを仮定すると，社会的限界費用SMC（X）は，〔**図1**〕のように，市場供給曲線に相当する私的限界費用曲線PMC（X）に，限界損失曲線ML（X）を垂直方向に加えた曲線として表される。

このとき，次のような余剰分析を行うことができる。まず，X財市場が競争的な場合，均衡は〔**図1**〕のE点に決定されるが，この場合の社会的な総余剰TSは，

TS＝消費者余剰△AP*E＋生産者余剰△P*BE
　　－技術的外部不経済による損失△FBE
　　＝△ABC－△CEF……………………………………③

である。

これに対し，社会的に最適なX財の供給量は〔**図1**〕のX**であり，価格がP**であるとすれば，社会的な総余剰TSは，

TS＝消費者余剰△AP**C＋生産者余剰□P**BDC
　　－技術的外部不経済による損失△CBD＝△ABC…④

となる。

よって，技術的外部不経済が存在する場合，X財の市場供給量X*が社会的に最適な供給量X**に比べて過剰になり，その結果，△CEFだけの厚生損失（死荷重）が発生することが示された。

技術的外部不経済が存在する場合に発生する市場の失敗

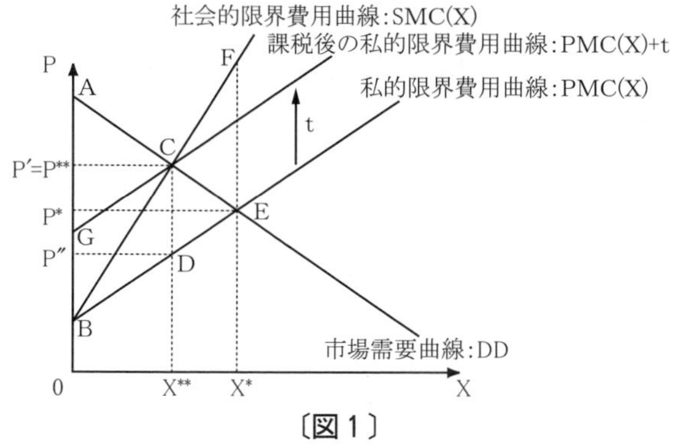

〔**図1**〕

一方，技術的外部経済が存在するケースについても，技術的外部経済によりもたらされる便益を表す限界便益曲線ＭＢ（Ｘ）が原点を通る右上がりの直線であることを仮定すると，同様の分析により，Ｘ財の市場供給量Ｘ*が社会的に最適な供給量Ｘ**に比べて過少になり，その結果，〔**図２**〕の△ＥＣＤだけの厚生損失（死荷重）が発生することが示される。

技術的外部経済が存在する場合に発生する市場の失敗

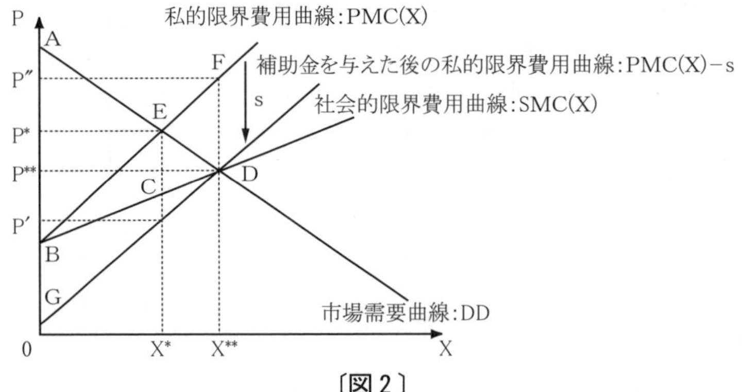

〔**図２**〕

⑵　市場の失敗を克服する方法としては，ピグー的課税・補助金政策と技術的外部性にかかわる当事者間の交渉の２つが存在すると考えられる。そこで，以下では，はじめにピグー的課税・補助金政策により市場の失敗を克服する方法について述べる。

ピグー的課税・補助金政策

まず，技術的外部不経済が存在する〔**図１**〕のケースでは，生産者に対して，Ｘ財生産１単位当たり，社会的に最適な供給量Ｘ**の下での限界損失の大きさ（〔**図１**〕のＣＤ）に等しい金額ｔを課税するという形のピグー的課税政策を実施すればよい。この課税により，均衡における供給量は社会的に最適な供給量Ｘ**に一致し，社会的な総余剰ＴＳも，

ＴＳ＝消費者余剰△ＡＰ′Ｃ＋生産者余剰△Ｐ″ＢＤ
　　＋税収□Ｐ′Ｐ″ＤＣ－技術的外部性による損失△ＣＢＤ
　　＝△ＡＢＣ……………………………………………………　⑤

となり，社会的余剰の最大化，すなわち効率的な資源配分が達成される。

また，技術的外部経済が存在する〔**図２**〕のケースについては，

供給者に対して，X財生産１単位当たり，社会的に最適な供給量 X^{**} の下での限界便益（〔**図２**〕のＤＦ）に等しい金額ｓを与えるという形のピグー的補助金政策を実施することにより，効率的な資源配分が達成されることが示される。

次に，技術的外部性にかかわる当事者間の交渉によって市場の失敗を克服する方法について述べる。このとき，当事者間の交渉に際して，

1. 技術的外部性の発生にかかわる権利関係が明確であること。
2. 交渉のコストがゼロであるか，もしくは無視できるほどに小さいこと。

という２つの前提条件が満たされている下で，技術的外部性に伴う非効率性が，当事者間の自発的交渉により解決されること，およびその際，権利関係のあり方は，交渉の結果とは無関係であるという主張がなされる（コースの定理)。

コースの定理

企業Ａの生産活動が他の経済主体Ｂに技術的外部不経済を与えているケースを前提とすれば，コースの定理の成立は，以下のモデルにより示される。なお，ｘ：企業Ａの生産量，ＭＰ（ｘ）：企業Ａの限界利潤，ＭＬ（ｘ）：企業Ａの生産活動が経済主体Ｂに与える技術的外部不経済に基づく限界損失とし，〔**図３**〕のように，ＭＰ（ｘ）を右下がりの直線により，ＭＬ（ｘ）を原点を通る右上がりの直線により，それぞれ表す。

このとき，この経済における社会的に最適な生産量は，限界利潤曲線と限界損失曲線の交点に対応する x^* であるが，市場機構の下で，企業Ａが自己の利潤を最大化しようと行動した場合，企業Ａの生産量は $\tilde{x}$ となり，社会的余剰は最大化されない。

そこで，このような市場の失敗を当事者間の交渉により解決することを考える。市場機構の下では，企業Ａは，当初の生産量を $\tilde{x}$ の水準に定めると考えられることから，交渉の内容は，経済主体Ｂが企業Ａに対して，補償金を支払うことを条件として，生産量を x^* に減らすように要請するというものとなる。この場合，

$$\begin{bmatrix}\text{企業Aが最低限受け取り}\\ \text{たい金額（＝△B}x^*\tilde{x}\text{）}\end{bmatrix} < \begin{bmatrix}\text{経済主体Bが最大限支払っても}\\ \text{よい金額（＝□B}x^*\tilde{x}\text{C）}\end{bmatrix} \quad ⑥$$

技術的外部不経済が存在する場合の当事者間の交渉

という関係が成り立つことから，この交渉は実現の可能性があると考えられる。

以上より，市場機構の下で効率的な資源配分が実現されないという市場の失敗の問題が，技術的外部性の発生にかかわる当事者間の交渉により，克服されることが示された。

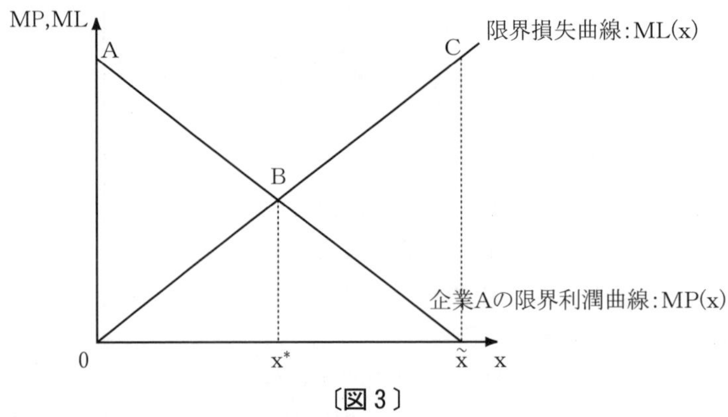

〔図 3〕

解答への道

本問は，技術的外部性の存在により引き起こされる「市場の失敗」に関する基本的な設問である。外部性については，平成11年にコースの定理を扱った設問が出題されていることから，最重要論点という位置づけではなかったものの，ミクロ経済学の中で誰もが必ず学ぶ基本的な論点であるだけに，何を書けばよいかがわからないということはなかったものと思われる。

解答に当たっては，まず小問(1)において，技術的外部性が市場の失敗を引き起こす本質的な理由が，企業の利潤最大化条件（価格＝私的限界費用）と経済厚生（社会的な余剰）の最大化条件（価格＝社会的限界費用）の間の乖離に求められることを明確に述べることが望ましい。

しかし，実際には，部分均衡分析のモデルを用いて，市場均衡の下では社会的な余剰が最大化されず，厚生損失（死荷重）が発生するということが示されていれば，合格レベルに達するものと思われる。

次に，問題文に「技術的外部性」とあることから，技術的外部不経済と技術的外部経済の両方について言及することが必要であると思われる。スペースの問題もあり，技術的外部経済については，ごく簡単な記述にとどめることにならざるを得ないが，やはり，両者をともに扱うことが望ましい。

最後に，小問(2)についてだが，「ピグー的課税・補助金政策」をひとまとめにして扱い，もう１つをコースの定理に基づく「当事者間の交渉」とするのが順当であろう。もちろん，合併や，デポジット方式の採用，排出権を売買する市場の創設といった解決策も存在するので，これらについての知識を持っていれば，それを書いてもよい。

問題❷　マクロ経済モデルは財市場，労働市場，金融市場から構成されている。特に金融市場は，他の市場に比べて，不安定であるといわれる。そのため様々な安定性を維持する措置が金融システムに組み込まれており，これらはプルーデンス政策と総称されている。セーフティー・ネットはその一環である。この実態を踏まえ，次の問に答えなさい。

(1)　セーフティー・ネットの１つに預金保険制度があるが，その仕組み及び政策目的を説明しなさい。

(2)　預金保険制度は，ともすればモラル・ハザードを引き起こすといわれるが，その理由を述べなさい。解答に当たっては，モラル・ハザードについて，情報の非対称性に触れつつ明確に定義しなさい。

(3)　預金保険制度を設計する際，モラル・ハザード対策としてどのような手段が考えられるか，あるいは現実に組み込まれているか述べなさい。

解答例

チェック・ポイント

(1)　預金保険制度とは，預金者を保護し，信用秩序を維持することを目的として，預金保険法に基づいて定められた制度であり，政府，日銀および民間金融機関の出資により設立された預金保険機構が，金融機関が破綻した場合に，預金者に対して預金の一部を保証したり，破綻した金融機関の整理・再建に対する資金援助を行うことをいう。以下では，この預金保険制度に関して，その仕組みを説明する。

（預金保険制度の概要）

はじめに，預金保険機構には，日本国内に本店を有する銀行，信用金庫等の金融機関が強制加入しており，各金融機関は，預金量に応じた保険料を納付する。

次に，預金者を保護する方法としては，預金保険機構が預金者に対して，直接保険金を支払う「ペイオフ方式」と，破綻した金融機関の受け皿となる金融機関に対して，預金を引き継ぐ際に必要となる資金を預金保険機構が援助する「資金援助方式」の２つがある。

また，平成14年４月以降，保険により保護される預金等に限度額を設ける「定額保護」が（部分的に）適用されるようになり，

（預金保険制度の仕組み）

その限度額は，保険の対象となる預金等について，１金融機関ごとに預金者１人あたり元本1,000万円までとその利息等の合計額となっている。

以上の預金保険制度の存在により，銀行取付が起きたとしても，預金者の信用不安を，（ある程度）抑えることができるため，銀行取付の波及を阻止し，信用秩序を維持する上で，この制度は有効な手段となっている。

(2) はじめに，モラル・ハザードについて説明する。モラル・ハザード（道徳的危険）とは，依頼人（principal）と代理人（agent）の間に何らかの契約が結ばれる場合に，依頼人が代理人の契約後の行動を観察することができない（または確証を得ることができない）という形の情報の非対称性が存在する下で発生する現象であり，観察できない行動をとりうる代理人が，自らの行動が依頼人に観察されないことを利用して，自己の利益のために，依頼人の利益に損害を及ぼすような行動をとることをいう。

モラル・ハザードの定義

以上のようなモラル・ハザードの定義を踏まえつつ，本問の預金保険制度が，ともすればモラル・ハザードを引き起こす可能性を有することについて説明する。

まず，預金保険制度がモラル・ハザードを引き起こすのは，依頼人たる預金保険機構が，どのような金融機関の破綻に対しても，それを無制限に救済する場合であると考えられる。

このような場合，代理人たる金融機関は，自らの行動が預金保険機構に観察されないことを利用して，高金利により多額の資金を集め，それをもとに，不良債権化する可能性の高いハイリスク・ハイリターン型の貸付を積極的に行うようになると考えられる。

また，預金者の側も，そのような高金利を提供する金融機関に対して，当該金融機関の経営状態や資産内容に十分に留意することなく，多額の資金を提供するようになる。

このように，金融機関および預金者が，ともにリスクを預金保険機構に肩代わりさせる行動をとるようになると，当該金融機関の破綻の可能性が高まり，その結果，預金保険機構の支払う保険金および資金援助の金額が増大し，預金保険機構および預金保険

預金保険制度が引き起こすモラル・ハザード

機構に加入する他の金融機関に損害を及ぼすことになると考えられるが，これが預金保険制度が引き起こすモラル・ハザードである。

(3) 一般に，モラル・ハザードを防止するための方策として，観察不可能な行動をとる経済主体に対して，当該経済主体にできるだけ望ましい行動をとるインセンティブを与えるような契約を設定することがあげられる。

モラル・ハザードを防止する一般的な方策

そこで，本問のケースのモラル・ハザードを防止する方策として，預金保険機構が支払う保険金および資金援助の総額に上限を設けることにより，金融機関の健全経営に対するインセンティブを高めるようにすることが考えられる。

わが国の預金保険制度において，保険により保護される預金等に，「1金融機関ごとに預金者1人あたり元本1,000万円までとその利息等の合計額」という限度額が設けられているのは，この一例であると解釈することができる。

ただし，あまりにも大きな金融機関の破綻に際しては，信用秩序の維持という観点から，救済を行うべきであるという議論も存在することに留意する必要がある。

預金保険制度におけるモラル・ハザードの防止策

解答への道

本問は，預金保険制度およびモラル・ハザードに関する設問である。問題文の冒頭に「マクロ経済モデルは」と書かれているが，モラル・ハザードがミクロ経済学で扱われる論点であることから，どちらかと言えば，ミクロ経済学に近い設問であると言えよう。

預金保険制度というきわめて今日的なトピックスを扱った設問であるため，預金保険制度の制度面に関する細かい知識が必要であると感じられるかもしれないが，経済学の答案としては、モラル・ハザードに関する説明に力点を置き，預金保険制度自体については，基本的な点だけを述べるというスタイルが望ましいものと思われる。

解答上のポイントとしては，小問(2)のモラル・ハザードの定義をしっかり書くことが重要で，それに加えて，預金保険制度に関する大ざっぱな説明がなされていれば，合格ラインに達するものと思われる。

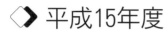

問題❶　地域Aと地域Bの両方の市場で製品を供給している独占企業がある。各企業の需要曲線は

$$P_A = a - y_A,\quad P_B = b - y_B$$

であり，この企業は固定費ゼロ，限界費用ゼロで製品を供給できるものとする。ただし，P_A，P_B，y_A，y_Bはそれぞれ，両市場での製品の価格と販売量である。また，aとbは正の定数で，$a > b > \frac{a}{2}$とする。

ここで，次の2つのケースを考える。

（ケース1）地域Aと地域Bの買い手同士で，その製品の転売ができず，この独占企業が地域Aと地域Bとで異なった価格をつけることが可能であるケース

（ケース2）この独占企業が，地域Aと地域Bで同一価格でその製品を販売しなければならないケース

この独占企業が利潤最大化を目指して行動するとして，次の問に答えなさい。

(1)　ケース1とケース2で，独占企業の利潤がどう異なるか，論じなさい。

(2)　ケース1とケース2で，社会的厚生（余剰）がどう異なるか，論じなさい。

解答例

チェック・ポイント

(1)　ケース1の場合には，独占企業がそれぞれの市場における限界収入と限界費用が等しくなるように生産量を決定する。需要曲線が直線である場合，限界収入曲線は需要曲線と切片が等しく，傾きが2倍の直線になることを考慮すると，地域Aの限界収入曲線は〔**図1**〕のMR_A，地域Bの限界収入曲線は〔**図2**〕のMR_Bのように表される。限界費用がゼロであるため，利潤最大化生産量は限界収入曲線と横軸の交点で定まり，A市場において$y_A{}^* = \frac{a}{2}$，B市場において$y_B{}^* = \frac{b}{2}$となる。また，それぞれ

（ケース1の場合の利潤）

の地域における価格は $P_A{}^*=\frac{a}{2}$，$P_B{}^*=\frac{b}{2}$ となる。費用がゼロであるため，利潤は収入に等しく，地域Aでは，$P_A{}^*\cdot y_A{}^*=\frac{a^2}{4}$，地域Bでは $P_B{}^*\cdot y_B{}^*=\frac{b^2}{4}$ となり，合計で $\pi_1=\frac{a^2}{4}+\frac{b^2}{4}=\frac{a^2+b^2}{4}$ となる。

ケース2の場合には，独占企業は両市場での需要量を合計した需要曲線に直面する。このとき，需要曲線の形状は〔**図3**〕のように，両市場の需要曲線の水平和で表される。両地域合計の限界収入曲線 MR_{AB} は，屈折した需要曲線のそれぞれの部分で，切片が等しく傾きが2倍になることを考慮すると〔**図4**〕のようになる。限界費用（ゼロ）と限界収入が等しくなる利潤最大化生産量は，$y^*=\frac{a+b}{2}$ となり，価格は $P^*=\frac{a+b}{4}$，利潤は $\pi_2=P^*\cdot y^*=\frac{(a+b)^2}{8}$ となる。

ケース2の場合の利潤

ケース1の利潤 π_1 とケース2の利潤 π_2 を比較すると，

$$\pi_1-\pi_2=\frac{a^2+b^2}{4}-\frac{(a+b)^2}{8}=\frac{(a-b)^2}{8}>0$$

となるため，ケース1のほうがケース2よりも独占企業の利潤は大きい。

利潤の比較

(2) 社会的厚生（余剰）の大きさは，生産者にとっての利益を表す生産者余剰と，消費者にとっての利益を表す消費者余剰の合計として表される。

ケース1の場合，生産者余剰（PS_1）の大きさは利潤 π_1 に等しいので

$PS_1=\frac{a^2+b^2}{4}$ である。消費者余剰の大きさ（CS_1）は，〔**図1**〕における $\triangle CP_A{}^*D$ の面積 $\frac{a^2}{8}$ と〔**図2**〕における $\triangle EP_B{}^*F$ の面積 $\frac{b^2}{8}$ の合計で表され，その大きさは $\frac{a^2+b^2}{8}$ となる。よって，社会的厚生（余剰）の大きさ（TS_1）は，

ケース1の場合の社会的厚生（余剰）

$$TS_1=PS_1+CS_1=\frac{a^2+b^2}{4}+\frac{a^2+b^2}{8}=\frac{3(a^2+b^2)}{8}$$

となる。

ケース2の場合，生産者余剰（PS_2）の大きさは利潤π_2に等しいので$\frac{(a+b)^2}{8}$である。消費者余剰（CS_2）は図形GP^*HIの大きさで表されるが，これは△JP^*Hと△GJIの合計として，

$$\frac{(a+b)^2}{16}+\frac{(a-b)^2}{4}=\frac{5a^2-6ab+5b^2}{16}$$

と計算される。よって，社会的厚生（余剰）の大きさ（TS_2）は，

$$TS_2=PS_2+CS_2=\frac{7a^2-2ab+7b^2}{16}$$

となる。

ケース2の場合の社会的厚生（余剰）

ケース1とケース2の社会的厚生（余剰）の大きさを比較すると，

$$TS_1-TS_2=-\frac{(a-b)^2}{16}$$

となるので，ケース2の方がケース1よりも社会的厚生（余剰）は大きい。

社会的厚生（余剰）の比較

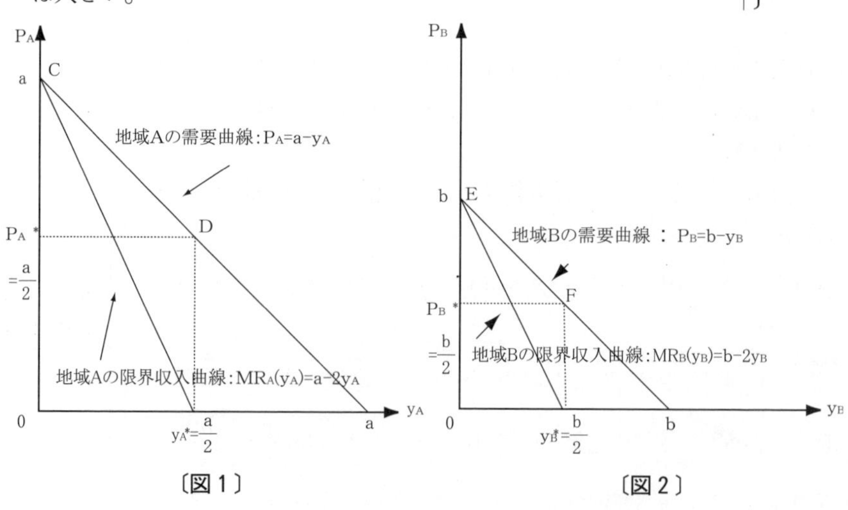

〔図1〕　〔図2〕

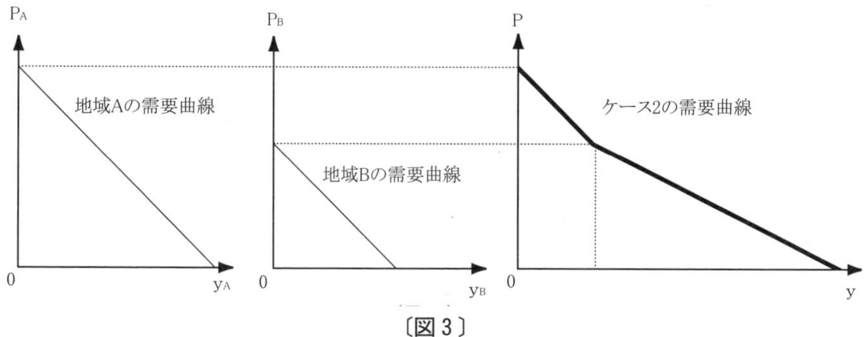
P_A
地域Aの需要曲線
0
y_A
P_B
地域Bの需要曲線
0
y_B
P
ケース2の需要曲線
0
y

〔図３〕

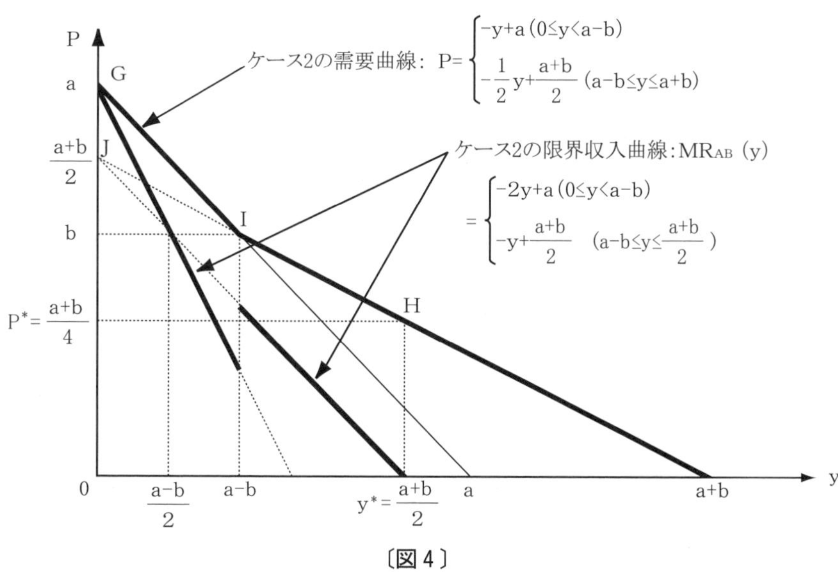
P
G
a
J
$\frac{a+b}{2}$
I
b
H
$P^*=\frac{a+b}{4}$
ケース2の需要曲線：$P=\begin{cases}-y+a\ (0\leq y<a-b)\\ -\frac{1}{2}y+\frac{a+b}{2}\ (a-b\leq y\leq a+b)\end{cases}$
ケース2の限界収入曲線：$MR_{AB}(y)$
$=\begin{cases}-2y+a\ (0\leq y<a-b)\\ -y+\frac{a+b}{2}\ \ (a-b\leq y\leq \frac{a+b}{2})\end{cases}$
0
$\frac{a-b}{2}$
a−b
$y^*=\frac{a+b}{2}$
a
a+b
y

〔図４〕

解答への道

本問は，２つの地域（市場）が分断されている場合の独占企業の価格差別行動（ケース１），および２つの地域間を輸送費ゼロで転売可能な場合の独占企業の行動（ケース２）に関する設問である。独占の理論はミクロ経済学の学習においてほとんどの受験生が学習する分野であること，そして価格差別のモデルが独占企業のモデルの応用として広く学習されていることから，論点としての難易度は高くない。

解答に際しては，まず，「この企業は固定費ゼロ，限界費用ゼロで製品を供給」とあることから，限界費用曲線が横軸に一致していることに注意する必要がある。また，価格差別が可能なケース１に対して，同一価格でその製品を販売しなければならないケース２では，独占企業の利潤は小さくなり，社会的厚生（余剰）は大きくなる，という予想を立てて解答をすすめることで，計算ミスを防ぐことができる。

まずケース１の場合，小問(1)では独占企業が２つの地域のそれぞれで独占企業として利潤最大化行動をとる。独占企業の利潤最大化条件（限界収入＝限界費用）によって，各市場における利潤最大化生産量を求め，価格，利潤を計算することができる。小問(2)では総余剰の大きさが問われているが，小問(1)で求めた利潤にそれぞれの地域で発生する消費者余剰を加えることで求めることができる。

一方，ケース２については，２つの地域の需要曲線を水平和（横集計）した需要曲線を基に利潤最大化行動が行なわれる。小問(1)では，水平和した需要曲線から限界収入曲線の形状を求め，利潤最大化生産量を求め，価格，利潤を計算する。需要曲線が屈折しているため，限界収入曲線は不連続となることに注意してほしい。小問(2)では，消費者余剰の大きさを求める際に煩瑣な計算が必要となる。慎重に計算を進めてほしい。

MEMO

問題❷　金融政策に関する次の問に答えなさい。

(1)　中央銀行は，どのような手段で物価をコントロールしているか。具体的な政策手段を明らかにして，理論的に説明しなさい。

(2)　わが国では，長期にわたって続くデフレーションに対して，量的金融緩和政策を行ってきた。量的金融緩和政策とはどのような政策か，(1)の解答に則して，政策的効果に言及しつつ説明しなさい。

解答例

チェック・ポイント

(1)　物価水準は，ケインズ経済学の総需要－総供給分析を前提とするならば，総需要曲線（ＡＤ曲線）と総供給曲線（ＡＳ曲線）の交点，すなわち，総需要と総供給が一致する水準で決定される。このメカニズムでは，総需要が総供給を上回っていれば物価水準は上昇し，逆に総需要が総供給を下回っていれば物価水準は下落することになる。したがって，物価水準をコントロールするためには，中央銀行が超過需要，もしくは超過供給の状態を作り出せばよい。

ＡＤ－ＡＳ分析にもとづく物価水準の決定

　ここで，中央銀行は総供給の水準には影響を与えることは出来ないが，総需要の水準を変化させることができる（〔**図１**〕）。すなわち，マネーサプライを増加させれば，利子率が下落し，それに伴い民間投資が増加することにより，総需要が増加するので，超過需要を作り出すことができる。逆に，マネーサプライを減少させれば，利子率が上昇し，それに伴い民間投資が減少することにより，総需要が減少するので，超過供給を作り出すことができる。

　このように，中央銀行はマネーサプライを増減させることにより，総需要の変化を通じて，物価水準をコントロールすることができる。マネーサプライはハイパワード・マネーに貨幣（信用）乗数を乗じたものであるから，マネーサプライに影響を与える要因としてハイパワード・マネーのコントロールと貨幣（信用）乗数のコントロールが考えられる。

マネーサプライの増減と物価水準のコントロール

　マネーサプライをコントロールする具体的な政策手段として，

次の３つが考えられる。

第一に，公開市場操作が考えられる。公開市場操作とは，中央銀行が債券市場において有価証券や手形を売買することによってハイパワード・マネーをコントロールする政策である。

第二に，公定歩合政策（操作）が考えられる。公定歩合政策（操作）とは，市中銀行保有の商業手形を中央銀行が割り引く際の割引率を変更することによって，対市中貸出を増減させハイパワード・マネーをコントロールする政策である。

第三に，法定準備率操作が考えられる。法定準備率操作とは，中央銀行が法定準備率の変更を通じて貨幣（信用）乗数をコントロールする政策である。

このように，中央銀行はマネーサプライを増減させる公開市場操作，公定歩合政策（操作），法定準備率操作を採用することにより，総需要の水準を変化させ，物価水準をコントロールすることができる。

中央銀行の政策手段

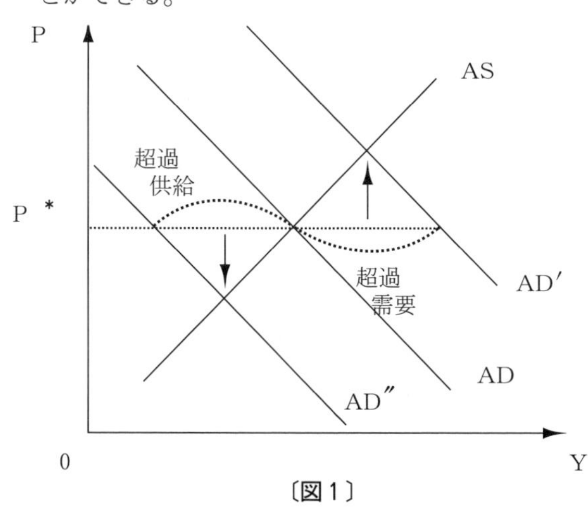

〔図１〕

(2)　デフレーションとは，物価水準の持続的な下落をいう。これは総需要－総供給分析において，総需要の構成項目である消費，投資などが外生的な要因によって減少しＡＤ曲線が左方シフトすること（〔**図2**〕のＡＤ→ＡＤ′），もしくは，技術革新などによりＡＳ曲線が右方シフトすることによって表現される。わが国におけるデフレーションの主因は，総需要の減少にあると考えられている。

デフレーションの定義と原因

量的金融緩和政策とは，金融政策の操作目標を中央銀行預け金残高（当座預金残高）の増加におくことである。(1)で示した政策のうち，公開市場操作における買いオペレーションがこれに該当する。買いオペレーションとは，中央銀行が債券市場において有価証券や手形を購入することによって，中央銀行預け金残高（当座預金残高）を含むハイパワード・マネーを増加させる政策である。このハイパワード・マネーの増加は，貨幣（信用）乗数倍のマネーサプライの増加をもたらし，利子率の下落とそれに伴う民間投資の増加によって，総需要の水準を大きくする。以上のプロセスにより，ＡＤ曲線が右方にシフトする（〔**図3**〕ＡＤ→ＡＤ′）。

量的金融緩和政策の手段と効果

このように，ＡＤ曲線が左方シフトしているデフレーションの状況においては，ＡＤ曲線を右方シフトさせるような量的金融緩和政策は物価水準の下落に歯止めをかけるという意味で有効であるといえる。ただし，わが国の現状では，貨幣（信用）乗数が低下してきており，量的金融緩和政策によってマネーサプライが増加する効果は薄らいでいるといえることから，量的金融緩和政策の実効性は限定的である。

量的緩和政策の有効性

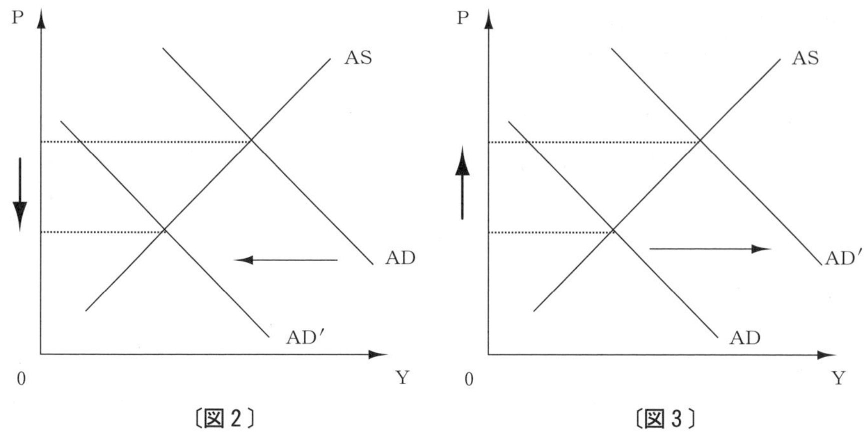

〔図２〕　〔図３〕

解答への道

本問では，中央銀行の金融政策が物価水準に与える影響について，具体的な政策手段に触れながら，理論的に説明することが求められている。

小問⑴では，中央銀行の金融政策がなぜ物価水準をコントロールしうるのか，理論的に明らかにしなければならない。ケインズ経済学の総需要—総供給分析を用いて物価水準がどのように決まるのかを説明し，その上で，金融政策が物価水準にどのような影響を及ぼすかを示せばよい。具体的な政策手段については，伝統的な３つの金融政策の手段（公開市場操作，公定歩合政策，預金準備率操作）を説明する必要がある。

小問⑵では，「量的金融緩和政策」について問われている。従来の利子率を重視した政策から量を重視した政策に金融政策がシフトしていること，また具体的な政策として，中央銀行預け金残高（当座預金残高）をターゲットにしていることが知識として要求される。政策的効果に関しては，ハイパワード・マネーの増加にともなってマネーサプライが増加し，それがＡＤ曲線を右方シフトさせ，デフレーションを止めることが示せればよいであろう。

◇ 平成16年度

問題❶　2つの企業からなるクールノー・モデルを考える。企業 i （$i=1, 2$）は，同質的な生産物をそれぞれ q_i だけ生産している。総供給量が $Q=q_1+q_2$ のとき，市場で需給が一致する価格は $P(Q)=a-Q$ で表されるものとする。また，企業 i が q_i だけ生産する費用は，それぞれ $C_i(q_i)=cq_i$ とする。

(1)　これらの企業がそれぞれの生産量を同時に決定するときのナッシュ均衡を求めなさい。ただし，c，a は正の定数で，$c<a$ とする。

(2)　このとき需要に変化があり，需要量が多く（$a=a_H$）なったり，あるいは需要量が少なく（$a=a_L$）なったりする（$c<a_L<a_H$）。企業1は需要の変化（つまり a_H であるか a_L であるか）を知っているが，企業2は確率1/2で $a=a_H$ となり，確率1/2で $a=a_L$ となることしかわからない。これらの事柄を共有知識として2つの企業が同時に生産量を決定するものとしよう。すべての生産量が正の値をとるナッシュ均衡と，そのときの c, a_L, a_H に関する条件を示しなさい。

解答例

チェック・ポイント

(1)　企業1の利潤（π_1）は，収入 $P(Q)q_1$ から費用 $C_1(q_1)$ を引いて，

$$\pi_1=P(Q)q_1-C_1(q_1)=\{a-(q_1+q_2)\}q_1-cq_1$$

と表される。

同様に，企業2の利潤（π_2）は，

$$\pi_2=P(Q)q_2-C_2(q_2)=\{a-(q_1+q_2)\}q_2-cq_2$$

と表される。

各企業の利潤最大化条件は，利潤を生産量で偏微分した値が0となること（$\frac{\partial \pi_i}{\partial q_i}=0$）であり，

$$\frac{\partial \pi_1}{\partial q_1}=-2q_1-q_2+a-c=0 \quad \cdots\cdots ①$$

反応関数の導出

$$\frac{\partial \pi_2}{\partial q_2} = -q_1 - 2q_2 + a - c = 0 \quad \cdots\cdots\cdots \text{②}$$

で表される。

①，②式を連立して解く事により，ナッシュ均衡となる生産量

$$q_1^* = \frac{a-c}{3}$$

$$q_2^* = \frac{a-c}{3}$$

が得られる。

クール ノー・ナッシュ均衡生産量の計算

(2) 実際のaの値がa_Hである場合，企業1の利潤π_1は

$$\pi_1 = \{a_H - (q_1 + q_2)\} q_1 - c q_1$$

となり，利潤最大化条件は

$$\frac{\partial \pi_1}{\partial q_1} = -2q_1 - q_2 + a_H - c = 0$$

となる。

このとき，企業2の生産量q_2を所与とした場合の企業1の生産量（q_1^H）は

$$q_1^H = \frac{1}{2}(-q_2 + a_H - c) \quad \cdots\cdots\cdots \text{③}$$

となる。

実際のaの値がa_Lである場合，企業1の利潤π_1は

$$\pi_1 = \{a_L - (q_1 + q_2)\} q_1 - c q_1$$

となり，利潤最大化条件は

$$\frac{\partial \pi_1}{\partial q_1} = -2q_1 - q_2 + a_L - c = 0$$

となる。

このとき，企業2の生産量q_2を所与とした場合の企業1の生産量（q_1^L）は

$$q_1^L = \frac{1}{2}(-q_2 + a_L - c) \quad \cdots\cdots\cdots \text{④}$$

となる。

企業1の反応関数の導出

ここで企業2は，企業1が$\frac{1}{2}$の確率で③式で表される生産量

を，$\frac{1}{2}$の確率で④で表される生産量を選択すると考える。そのため，企業2の期待利潤π_2は，

$$\pi_2=\frac{1}{2}[\{a_H-(q_1^H+q_2)\}q_2-cq_2]+$$
$$\frac{1}{2}[\{a_L-(q_1^L+q_2)\}q_2-cq_2]$$

となる。

企業2の利潤最大化条件は，

$$\frac{\partial \pi_2}{\partial q_2}=\frac{1}{2}(a_H+a_L)-\frac{1}{2}(q_1^H+q_1^L)-2q_2-c=0$$

となる。

このとき，企業1の生産量q_1^Hとq_1^Lを所与とした場合の企業2の生産量は

$$q_2=\frac{1}{4}(a_H+a_L-q_1^H-q_1^L-2c)\cdots\cdots\cdots\cdots\quad ⑤$$

となる。

企業2の反応関数の導出

③，④式を⑤式に代入することにより，ナッシュ均衡となる企業2の生産量

$$q_2^{**}=\frac{1}{6}(a_H+a_L-2c)\cdots\cdots\cdots\cdots\quad ⑥$$

を得る。これは，$c<a_L<a_H$のもとで，必ず正の値をとる。

一方，企業1の生産量は，$a=a_H$の場合と$a=a_L$の場合とで異なる。

まず$a=a_H$の場合，ナッシュ均衡となる企業1の生産量は，⑥式を③式に代入することで

$$q_1^{H**}=\frac{1}{12}(5a_H-a_L-4c)$$

となる。これは，$c<a_L<a_H$のもとで，必ず正の値をとる。

次に$a=a_L$である場合，ナッシュ均衡となる企業1の生産量は，⑥式を④式に代入することで

$$q_1^{L**}=\frac{1}{12}(-a_H+5a_L-4c)$$

となる。

クールノー・ナッシュ均衡生産量の計算

この生産量が正の値をとるのは，与えられた条件以外に

$$c < \frac{1}{4}(-a_H + 5a_L)$$

であることが必要である。

生産量が正値をとる条件

解答への道

(1) クールノー型の複占モデルにおいてナッシュ均衡生産量を求める，定型的な問題である。クールノー・ナッシュ均衡となる生産量は，それぞれの企業の利潤関数を生産量で偏微分し，各企業の反応関数を求め，それらを連立方程式として解くことで求められる。

(2) まず$a = a_H$の場合と$a = a_L$のそれぞれの場合について，企業1の反応関数q_1^H，q_1^Lを計算する。次に企業2の反応関数を導出するのであるが，需要の大きさに関して確率的な予測しかできないので，利潤の期待値（期待利潤）を最大にするように生産量を決定する。期待利潤関数は，

$$期待利潤関数 = \frac{1}{2} \times（a = a_H のときの利潤）+ \frac{1}{2} \times（a = a_L のときの利潤）$$

で表される。この期待利潤関数を企業2の生産量で偏微分することにより，企業2の反応関数が求められる。企業2の生産量は，企業1の2つの反応関数（q_1^H，q_1^L）を企業2の反応関数に代入することで，1つの値に決まる。これは，企業2が実際の需要の大きさを知らずに生産量を決めるため，それに応じて生産量を変えることができないためである。一方，企業1は実際の需要の大きさを知って生産量を決めるため，それに応じて生産量を変化させる。企業2の生産量を，実際の需要の大きさに応じた企業1の反応関数に代入することで，それぞれの場合の企業1の生産量を求めることができる。最後に，すべての生産量が正の値をとるための条件を示す。

問題❷ 以下の二本の式からなるＩＳ－ＬＭモデルを考える。

$$\text{ＩＳ曲線} \quad I(i)=S(Y,\ i)$$

$$\text{ＬＭ曲線} \quad L(Y,\ i)=\frac{M}{P}$$

ここで，Ｉ(ｉ)は投資関数，Ｓ(Ｙ，ｉ)は貯蓄関数，Ｌ(Ｙ，ｉ)は流動性選好関数，ｉは利子率，Ｙは国民所得，Ｍは貨幣供給量，Ｐは物価水準であり，$dI/di<0$，$\partial S/\partial Y>0$，$\partial S/\partial i>0$，$\partial L/\partial Y>0$，$\partial L/\partial i<0$を仮定する。このとき，次の問に答えなさい。

⑴ 横軸に国民所得，縦軸に利子率をとってＩＳ曲線を描くとき，それが右下がりになることを説明しなさい。

⑵ 利子率の貯蓄に対する影響が増して，各(Ｙ，ｉ)に対して$\partial S/\partial i$の値が増加したと仮定する。このとき，金融政策の有効性はどのように影響を受けるであろうか。上のＩＳ－ＬＭモデルに則して考察しなさい。なお，物価水準(Ｐ)は変化しないものとする。

解答例

チェック・ポイント

⑴ 題意にしたがって，貯蓄・投資均等式に基づいてＩＳ曲線が右下がりになることを説明する。ここで貯蓄・投資均等式とは，

$$I(i)=S(Y,\ i)$$

であり，財市場は貯蓄と投資が等しくなるような国民所得Ｙ，利子率ｉのもとで均衡するという考え方をあらわしたものである。

今，〔**図１**〕にあるとおり，横軸に貯蓄と投資，縦軸に利子率のもとで，右上がりの貯蓄関数と右下がりの投資関数を想定する。当初，この財市場はE_0点において均衡していたとする。すなわち，E_0点において貯蓄と投資が均衡していたとする。ここで，外生的な要因により国民所得Ｙが増加したとする。すると，国民所得Ｙと正の相関関係を有する貯蓄が増加することから，〔**図１**〕において貯蓄関数が右方にシフトする。したがって，貯蓄と投資を均衡させる利子率はi_0からi_1へ下落する。以上より，国民所

ＩＳ曲線が右下がりになることの説明

得Ｙが増加すると，対応する利子率ｉは下落することが分かる。これを図示すると〔**図２**〕のとおりとなり，題意のＩＳ曲線は右下がりであることが示された。

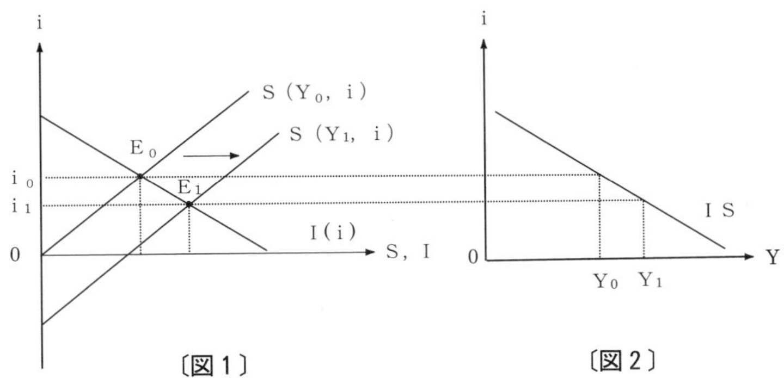

〔**図１**〕　〔**図２**〕

(2)　題意の仮定は，貯蓄の利子弾力性が増加したケースを表していると考えられる。ゆえに，まず，貯蓄の利子弾力性の増加がＩＳ曲線にどのような影響を与えるのかについて考察する。

貯蓄の利子弾力性と貯蓄関数の傾きの関係

貯蓄の利子弾力性の増加は貯蓄関数の傾きを緩やかにする。なぜならば，貯蓄の利子弾力性が増加したことによって，同一の利子率ｉの上昇により，より大きく貯蓄が増加するからである。これを図示すると〔**図３**〕のとおりとなる。

貯蓄の利子弾力性とＩＳ曲線の傾きの関係

次に，貯蓄関数の傾きが緩やかになった場合，ＩＳ曲線にどのような影響を与えるのかについて考察する。上記(1)のとおり，ＩＳ曲線は貯蓄と投資を均衡させるような国民所得Ｙ，利子率ｉの組み合わせとして決定される。ここで，〔**図３**〕にあるとおり，貯蓄の利子弾力性が異なる右上がりの貯蓄関数２本と右下がりの投資関数を想定する。当初，この財市場はE_0点において均衡していたとする。すなわち，E_0点において貯蓄と投資が均衡していたとする。ここで，外生的な要因により国民所得Ｙが増加したとする。すると，国民所得と正の相関関係を有する貯蓄が増加することから，〔**図３**〕において貯蓄関数が右方にシフトする。なお，貯蓄の所得弾力性は２本の貯蓄関数において変わりはないため，右方シフトする幅は両者で同一のものとなる。したがって，貯蓄と投資を均衡させる利子率は，貯蓄の利子弾力性が小さいケース，すなわち貯蓄関数の傾きが急なケースでは i_0 から i_1 へ下落し，貯蓄の利子弾力性が大きいケース，すなわち貯蓄関数の傾きが緩やかなケースでは i_0 から i_2 へ下落する。以上より，貯蓄の利子弾力性が増加したケースでは，同じ国民所得Ｙの増加により，対応する利子率ｉの下落はより小さくなることが分かる。これを図示すると〔**図4**〕のとおりとなり，題意の貯蓄の利子弾力性が増加したケースでは，ＩＳ曲線の傾きは増加する前と比べてより緩やかになることが示された。

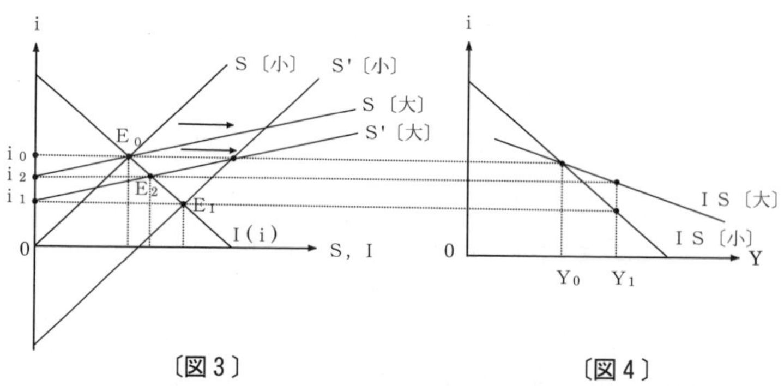

〔**図3**〕　〔**図4**〕

最後に，ＩＳ曲線の傾きがより緩やかになったケースにおける金融政策の有効性について考察する。今〔**図5**〕にあるとおり，貯蓄の利子弾力性が異なる２本のＩＳ曲線とＬＭ曲線を想定し，当初の均衡点がＥ点であったとする。ここで，（拡張的な）金融政策が実施された場合，まずＬＭ曲線が右下方にシフトする。したがって，財市場と貨幣市場を同時に均衡させる点は，貯蓄の利子弾力性が大きいケース，すなわちＩＳ曲線の傾きが緩やかなケースではＦ点となり，貯蓄の利子弾力性が小さいケース，すなわちＩＳ曲線の傾きが急なケースではＧ点となる。以上より，貯蓄の利子弾力性が大きいケースの方が，同一の規模の（拡張的な）金融政策を実施した場合，増加する国民所得Ｙはより大きくなることが分かる。すなわち，題意のような，利子率の貯蓄に対する影響が増した場合の（拡張的な）金融政策は，より有効となることが示された。

貯蓄の利子弾力性と金融政策の効果の関係

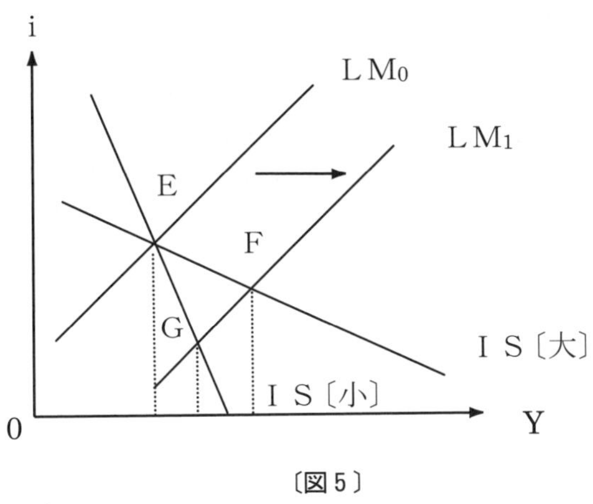

〔図5〕

解答への道

本問は，ＩＳ－ＬＭ分析を用いて，利子率の貯蓄に対する影響が増加したときの金融政策の有効性を問う問題である。貯蓄関数が利子率の増加関数であり，利子率の貯蓄に対する影響度が増したときの金融政策の有効性を問うという応用的な点を除くと，本問は，ＩＳ曲線の傾きの相違により，金融政策の相対的な有効性が異なるという基本的な論証パターンに帰着する。

小問(1)は，財市場の均衡条件式として，貯蓄・投資均等式（Ｓ＝Ｉ）を用いて，ＩＳ曲線の傾きが，利子率に関して右下がりになることを説明できればベストであるが，総供給＝総需要（Ｙ＝Ｃ＋Ｉ）という財市場の均衡条件式を用いた説明も考えられる。

小問(2)は，利子率の貯蓄に対する影響が増加すると，ＩＳ曲線の傾きが，「緩やか」になることに気づけば，金融政策の有効性が高まるという結論は，容易に導けると思われる。

◇ 平成17年度

> **問題❶** 相対取引と市場取引との違いを情報の非対称性の見地から説明しなさい。特に，相対取引については具体的な事例をあげて説明しなさい。

解答例

チェック・ポイント

金融市場における取引は市場取引と相対取引に大別される。市場取引とは，不特定多数の取引者が，規格化された金融商品を競り合いによって取引する市場をいう。株式市場・債券市場はこの典型例である。これに対して相対取引とは，リレーションシップ取引ともいい，取引者同士がお互いに相手を特定化し，評価のうえ成立する契約から成り立っている。たとえば，貸出市場において個々の金融機関は融資相手を識別し，借り手の信用度を値踏みしたうえで金利・期間を決定し，融資契約を結んでいる。

（市場取引と相対取引の説明）

相対取引と市場取引の異なる点は，金融取引の過程に金融仲介機関が存在することであるが，情報の非対称性の見地からは，以下のような違いが見受けられる。

まず，情報の非対称性とは，利害の対立がある場合において，ある主体が別の主体に何らかの約束あるいは決定を迫る契約を提示する際，当該契約を作成する側（プリンシパル）と当該契約を提示される側（エージェント）のうち，どちらか一方は情報を保有しているが，他方は情報をもたない状況をいう。

ここで，株式市場・債券市場などの市場取引の場合は，市場により金融商品の価格・数量が決定されている。すなわち，取引仲介業者（証券会社など）は企業が発行する証券を投資家へ橋渡しすることを目的としており，金融仲介機関としての役割は果たしておらず，基本的に取引費用の節約を行っているにすぎない。したがって，最終的な資金の貸し手（投資家），及び最終的な資金の借り手（企業）と取引仲介業者（証券会社など）の間には利害の対立は存在せず，情報の非対称性は存在しないと考えられる。

（市場取引と相対取引との違い（総論））

他方，相対取引の場合は，金融取引の過程に金融仲介機関が存在しており，最終的な貸し手，及び最終的な借り手と金融仲介機関の間に利害の対立，及び情報の偏在が存在し，情報の非対称性が存在する。

融資契約・預金契約が抱える問題

このような相対取引の具体例として，最終的な借り手である企業と金融仲介機関である銀行との間の融資契約，及び最終的な貸し手である預金者と金融仲介機関である銀行との間の預金契約を想定する。そもそも間接金融においては，信用のある相手に資金を貸したいにもかかわらず，そうした情報が得られない預金者が，より情報をもった機関である銀行に資金の運用を委託している。しかし，往々にして，銀行は，借り手企業の技術・資産価値・将来性などについて，借り手企業よりも情報不足である。また，銀行は，預金者がいついかなる理由で預金を解約するか十分な情報をもっていない。

このように，融資契約，預金契約には利害の対立，及び情報の偏在が存在することから，情報の非対称性が存在するが，情報の非対称性の存在は，以下のさまざまな問題を引き起こす。

最終的な借り手である企業と金融仲介機関である銀行との間の融資契約にかかわっては，アドバース・セレクション（逆選択）とモラル・ハザードがあげられる。

アドバース・セレクション

まず，アドバース・セレクションについて説明する。資金貸借を行う際に，企業の質が銀行にとって分からないという事前情報の非対称性が存在する場合，銀行は企業の質について，取引相手になりうる潜在的な企業の平均的な質をもって推測せざるをえない。これは，質の良い企業にとっては，自分に対して正当な評価がなされた場合に比べて，高めの金利が提示されることを意味している。このため，不満が生じ，潜在的な取引相手から抜けていくことが起こる。この現象をアドバース・セレクションという。

モラル・ハザード

次に，モラル・ハザードについて説明する。借り手企業は通常プロジェクトの選択を行ったり，生産活動に臨んでさまざまな行動を行うが，このような借り手企業の行動が銀行に分からないという期中情報の非対称性が存在する場合，借り手企業が自己の効用を高める行動を行うために，銀行に不利益が生じることがありうる。この現象をモラル・ハザードという。

最終的な貸し手である預金者と金融仲介機関である銀行との間の預金契約にかかわっては，銀行取付けがあげられる。預金者は銀行が直面しているリスクについての情報を十分には持ち合わせていないし，銀行もまた，預金者がいついくら預金を引き下ろすかについての正確な情報を持ち合わせていない。もし，銀行がリスク負担に耐えられなくなり，倒産に至った場合，銀行は手許の支払準備以上の払戻請求には応じることができないことから，預金者の預金は基本的には返済されないか，元本の毀損をもたらすことが考えられる。また，銀行は，預金者がいついくら預金を引き下ろすかを正確に予測することができないことから，手許の支払準備を預金者の実際の払戻請求に対応させることは困難である。したがって，経営内容が悪いときにはいうまでもなく，たとえ健全な経営をしていたとしても，銀行に対する信頼が失われ，倒産の可能性が発生したとき，大半の預金者は合理的な選択の結果として，いっせいに預金を取り崩す行動をとることとなる。この現象を銀行取付けという。

銀行取付け

以上，相対取引の場合には，市場取引と異なり，情報の非対称性にかかわる問題が発生することが具体的に示された。

結論

なお，銀行は，貸出を行う際，借り手の返済能力を審査したり（スクリーニング），資金を貸し出した後も相手を監視して（モニタリング），問題が発見されればその是正を求める。こうした過程を通じて，借り手の信用に関する情報を銀行が獲得することを情報生産という。またバーゼル銀行監督委員会が定めたＢＩＳ規制は，ＢＩＳ比率の外部への公表を通じて，銀行が保有しているリスクを外部に情報提供することを義務付けている。これらにより，融資契約，預金契約に対応した情報の非対称性にかかわる問題の解決が図られている。

解決策

解答への道

金融市場の分野からの出題である。解答する際は，「問いに対して答えているか」に注意しなければならない。相対取引が間接金融であること，及び市場取引が直接金融であることに気づいた上で，それぞれのケースで情報の非対称性の定義を当てはめること，及び両者（市場取引と相対取引）の違いを明示することが求められている。

問題❷ ある経済の消費をC，投資をI，所得をY，利子率をr，貨幣量をM，物価水準をP，政府支出をGとする。消費関数を

$$C = a + bY ; a > 0,\ 0 < b < 1,$$

とし，投資関数を

$$I = c - dr ; c > 0,\ d > 0,$$

とする。貨幣の需要関数Lは，

$$L = e + fY - gr ; e > 0,\ f > 0,\ g > 0,$$

とする。海外部門を考えない閉鎖経済を想定することとする。また，物価水準Pは一定とする。このモデルに対する次の小問に答えなさい。

(1) 政府支出を1単位増加させた場合に，均衡の所得はどれだけ増加するか求めなさい。また，適切な金融政策を組み合わせて，利子率を政府支出の増加前の水準に保つことができた場合には，同じく政府支出の1単位の増加により，均衡の所得はどれだけ増加するか求めなさい。

(2) 現在の日本において，仮に，小問(1)で考えたような，政府支出を増加させる景気対策を行うことを考えた場合に，上記で示されているモデルを使用してその効果を試算したとする。このような試算結果と現実の成果が一致するかどうかについてのあなたの考えを述べなさい。もし一致しないと考えたときには，その根拠を，上記で示されているモデルのどこが現実をとらえきれていないかという点を踏まえて明確に説明し，また，モデルをどのように変更すれば，その問題点が解消されるかについても説明しなさい。

解答例

チェック・ポイント

(1) IS曲線は，閉鎖経済における財市場の均衡条件式$Y = C + I + G$より，

$$Y = C + I + G = a + bY + c - dr + G$$

$$r = -\frac{(1 - b)}{d}Y + \frac{a + c + G}{d} \quad \cdots\cdots\cdots ①$$

IS曲線の導出

と求められる。LM曲線は，貨幣市場の均衡条件式$\frac{M}{P} = L$より，

$$\frac{M}{P} = L = e + fY - gr$$

LM曲線の導出

$$r=\frac{f}{g}Y+\frac{e-\frac{M}{P}}{g} \quad \cdots\cdots ②$$

と求められる。均衡国民所得は，①式と②式を等号で結んでYについて解くことにより，

$$-\frac{(1-b)}{d}Y+\frac{a+c+G}{d}=\frac{f}{g}Y+\frac{e-\frac{M}{P}}{g}$$

$$Y^*=\frac{g(a+c+G)-d(e-\frac{M}{P})}{g(1-b)+df} \quad \cdots\cdots ③$$

となる。③式のGに関する変化分をとることにより，

$$\Delta Y^*=\frac{g}{g(1-b)+df}\Delta G \quad \cdots\cdots ④$$

が得られるので，政府支出を1単位増加させた場合の均衡国民所得の増加分は，

$$\frac{g}{g(1-b)+df}$$ （小問(1)前半の答え）

となる。また，適切な金融政策を組み合わせて，利子率を政府支出の増加前の水準に保つことができる場合とは，財市場のみを考慮する45度線分析において政府支出の増加による効果を考える場合であるので，財市場の均衡条件式Y＝C＋I＋Gより，均衡国民所得Y^*を

$$Y^*=\frac{a+c-dr+G}{1-b} \quad \cdots\cdots ⑤$$

と求め，⑤式のGに関する変化分をとることにより，

$$\Delta Y^*=\frac{1}{1-b}\Delta G$$

が得られることから，政府支出を1単位増加させた場合の均衡国民所得の増加分は，

$$\frac{1}{1-b}$$ （小問(1)後半の答え）

と求められる。

(2) 小問(1)のマクロ経済モデルに基づく試算結果と現実の成果は一

均衡国民取得の計算

政府支出を1単位増加させた場合の均衡国民取得の増加分

利子率が不変の場合の均衡国民所得の増加分

致せず，次に述べる通り，むしろ現在の日本においては，政府支出を増加させる景気対策による現実の成果の方が，試算結果よりも効果が大きいと考えられる。

結論

現在の日本における利子率（金利）は低水準にあるにもかかわらず，企業の設備投資や家計の住宅投資が増加しないことを考慮すると，小問(1)のモデルとは異なり，現在のわが国の投資水準Ｉは，利子率（金利）にはほとんど反応しないと思われる。投資水準Ｉが，利子率（金利）にはほとんど反応しない状況は，小問(1)のモデルにおいて，「$d=0$」に相当する。小問(1)の④式に「$d=0$」を代入すると，均衡国民所得がより増加することがわかる。よって，小問(1)のモデルにおいて，ｄをゼロに変更すればよい。

また，現在のわが国の低い利子率（金利）水準は，貨幣需要が無限大になる「流動性のわな」の状況にあたるとも考えられる。このような状況は，小問(1)のモデルにおいて，「$g\to+\infty$」に相当する。小問(1)の④式において「$g\to+\infty$」とすると，均衡国民所得がより増加することがわかる。よって，小問(1)のモデルにおいて，ｇを「$g\to+\infty$」に変更すればよい。なお，「$d=0$」や「$g\to+\infty$」の場合に，政府支出を増加させる景気対策の効果がより大きくなるのは，政府支出の増加が利子率を上昇させて民間投資Ｉを減少させるクラウディング・アウトが生じないためである。

さらに，小問(1)のモデルにおいては，資産効果が考慮されていないが，政府支出を増加させる財源を市中消化による公債発行に求めるならば，公債発行による公債残高の増大が，消費を増加させる「公債の富効果（ラーナー効果）」を発生させることが考えられる。この資産効果により，公債残高の増大が有効需要である消費の一層の増加をもたらすので，政府支出を増加させる景気対策の効果は，より大きくなると考えられる。「公債の富効果（ラーナー効果）」が発生する状況は，小問(1)のモデルにおける消費関数を，

$$C=\alpha\frac{B}{P}+\beta Y;\ \alpha>0,\ \beta>0$$

根拠とモデルの変更

のように，実質公債残高 $\frac{B}{P}$ に依存する消費部分を追加して変更を加えればよい。

解答への道

ケインズ経済学におけるＩＳ－ＬＭ分析に関する出題である。小問⑴は，文字式による基本的な計算問題である。小問⑴前半の計算問題は，若干注意を要するが，小問⑴後半の計算問題は，45度線分析の計算問題に帰着することに気づけば，計算処理は容易である。

小問⑵は，応用的な問題であり，解答方法は複数あると考えられる。解答方法のひとつとして，試算結果と現実の成果が一致すると主張することも考えられるが，これでは，得点は低いものとなるであろう。高得点を狙うためには，試算結果と現実の成果が一致しないことを，経済学的に根拠を示して詳しく説明する必要がある。解答例では，現実の成果が試算結果よりも大きくなるケースを述べたが，現実の成果が試算結果よりも小さくなるケースを論述することも可能である。そのような解答例とは異なる解答方法としては，①租税を考慮すること，②経済主体の「期待」をモデルに取り入れ，合理的な家計は，現在の公債発行を将来の増税と同一視するので，将来の増税に備えて現在の消費を抑制するため，政府支出増加の効果は限定的であること，③公債残高の増大が貨幣需要に対する資産効果をもたらし，政府支出増加の効果を弱めること，などが考えられる。

◇ 平成18年度

問題❶　消費ｃ円から得られる効用が，ｕ（ｃ）である個人Ａを考える。この個人の所得は100万円とする。また，確率10％でケガをし，この場合に治療費として50万円がかかるとする。つまり，ケガをしないときには100万円の消費を行うことができるが，ケガをして治療費の50万円を支払ったときには，残りの50万円の消費を行うことになる。この個人Ａはリスク回避的であるとする。

(1)　この個人Ａの期待効用を計算しなさい。また，個人Ａの効用関数を図示し，計算した期待効用を図上で示しなさい。

(2)　このような個人Ａと同質の個人が多数存在している経済を想定し，ケガをするリスクを対象とする保険制度を考える。それぞれの個人がケガをすることと，他の人がケガをすることとは独立であるとする。この経済におけるこの保険制度の保険料を計算し，その制度の概要を説明しなさい。また，この保険制度が経済の資源配分に与える効果を，(1)で示した図と同様の図を図示しながら論述しなさい。

解答例

チェック・ポイント

(1)　個人Ａは，ケガをしなかった場合には1,000,000の消費を行い，ケガをした場合には500,000の消費を行うが，ケガをする確率は10％であるため，この場合の個人Ａの消費の期待値Ｅｃ*は，

$$Ec^*=0.9\times1{,}000{,}000+0.1\times500{,}000=950{,}000$$

と求められる。また，個人Ａの効用関数ｕ（ｃ）より，この場合の個人Ａの期待効用Ｅｕ*は，

$$Eu^*=0.9\times u(1{,}000{,}000)+0.1\times u(500{,}000)$$

となる。

このとき，個人Ａはリスク回避的であることに留意しつつ，個人Ａの効用関数を図示し，計算した期待効用を図上で示すと〔**図1**〕のようになる。

期待効用の計算

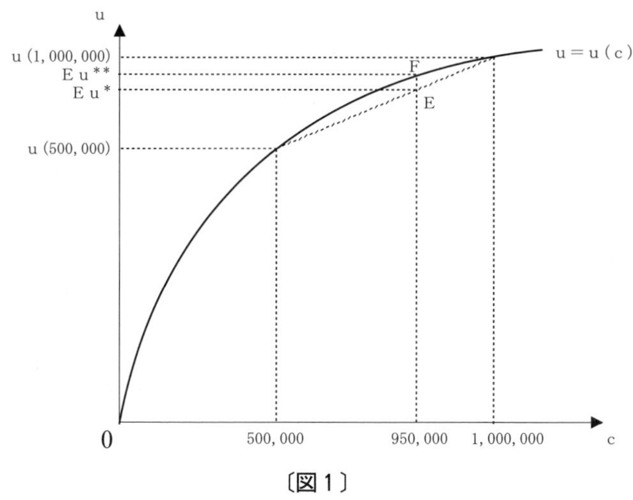

〔図1〕

(2) 保険制度における保険の供給主体（これを保険会社と呼ぶ）はリスク中立的であると仮定する。保険が制度として長期的に持続するためには，当該保険を供給する保険会社の期待利潤が負にならない必要がある。また，当該保険を供給する保険会社の期待利潤が正である場合には，当該保険の供給に対し新規参入のおそれが生じるため，制度として安定しない。したがって，当該保険制度が長期的に持続していくためには，保険会社の期待利潤がゼロになる必要がある。

このとき，保険料率 q を支払い 1 単位の保険に加入すると，ケガをした場合に限り 1 円の保険金を受け取るという保険を考えると，個人の人数を n 人，保険加入単位数を z とするとき，保険会社の期待利潤 E π は，

$$E\pi = n \times q \times z - 0.1 \times n \times 1 \times z$$

となる。

ここで，保険会社の期待利潤はゼロであることから，この場合の保険料率 q^{**} は，

$$E\pi = n \times q \times z - 0.1 \times n \times 1 \times z = 0$$

$$\therefore q^{**} = 0.1$$

と求められる。

保険料の計算

したがって，この場合のケガをした場合の個人Aの消費c_1は，

$$c_1 = 1,000,000 - 0.1 \times z - 500,000 + z = 500,000 + 0.9 \times z$$

となり，ケガをしなかった場合の個人Aの消費c_2は，

$$c_2 = 1,000,000 - 0.1 \times z$$

となる。

一般に，リスク回避的な主体とリスク中立的な主体の間で取引が行われた場合には，全てのリスクがリスク中立的な主体に帰属するような形で取引が行われる。保険会社はリスク中立的なので，当該保険制度においても，個人Aのリスクがなくなり，ケガをした場合もケガをしない場合も個人Aの消費額は等しくなる。よって，個人Aの保険加入単位数z^{**}は，

$$c_1 = c_2$$

$$500,000 + 0.9 \times z = 1,000,000 - 0.1 \times z$$

$$\therefore z^{**} = 500,000$$

となる。

よって，この経済におけるこの保険制度の保険料は，

$$\text{保険料} = q^{**} \times z^{**} = 0.1 \times 500,000 = 50,000$$

と求められ，この場合の消費額は，

$$\text{消費額} = 500,000 + 0.9 \times z^{**} = 950,000$$

となる。

このように，個人Aの消費額は，ケガをした場合もケガをしなかった場合も共通の950,000となるが，このような保険を100%保険という。

以上から，本問の経済における保険制度は，被保険者から保険料を50,000徴収し，ケガをした被保険者に対して500,000支払うというものであり，この保険制度の下では期待利潤はゼロとなる。

また，個人Aは上記保険への加入により期待効用が上昇するため，必ず保険に加入する。その結果，ケガをした場合もケガをしない場合にも消費額は950,000で一定となる。

制度の概要

よって，この場合の個人Aの期待効用Eu^{**}は，個人Aの効用関数$u(c)$より，

$$Eu^{**} = 0.9 \times u(950,000) + 0.1 \times u(950,000) = u(950,000)$$

となる（〔**図1**〕）。

〔**図1**〕より，当該保険制度が存在する場合には，ない場合に比べて個人Aの期待効用が増加していることがわかる。本問では他の個人も個人Aと同質的であることが仮定されており，他の全ての個人も個人Aと同じように保険に加入することにより期待効用が増加する。したがって，当該保険が存在することにより，効率的な資源配分を実現できる。

資源配分に与える効果

■ 解答例・(2)の別解 ■

(2) 一般に，リスク回避的な主体とリスク中立的な主体の間で取引が行われた場合には，全てのリスクがリスク中立的な主体に帰属するような形で取引が行われる。本問では，保険制度における保険の供給主体（これを保険会社と呼ぶ）はリスク中立的であると仮定すると，個人Aはリスク回避的であることから，リスクを全て保険会社が負担することになり，ケガをした場合でもしない場合でも個人Aの消費額は等しくなる。すなわち，保険料率 q を支払いケガをした場合に限り1円の保険金を受け取るという保険に加入すると，保険加入単位数 z としたとき，ケガをした場合の個人Aの消費 $c1$ は，

$$c1 = 500,000 - q \times z + z$$

となり，ケガをしなかった場合の個人Aの消費 $c2$ は，

$$c2 = 1,000,000 - q \times z$$

となり，$c1 = c2$ より，

$$500,000 - q \times z + z = 1,000,000 - q \times z$$

$$\therefore z = 500,000$$

が得られる。そしてこのとき，個人Aの消費額 c^{**} はケガをしたかどうかにかかわらず，

$$c^{**} = 1,000,000 - 500,000 \times q$$

である。

次に保険会社の行動を考える。保険会社の参入・退出がない状況を考えた場合，当該保険会社はライバル企業が存在しないため，個人Aが加入する最大の保険料率 q を設定すると考えられる。個

人Aが保険に加入した場合の効用が加入前の期待効用以上である限り個人Aは保険に加入すると考えられるので，保険会社が設定する保険料率qは

$$u(1,000,000-500,000\times q)\geqq 0.1\times u(500,000)+0.9\times u(1,000,000)$$

を満たすような最大のq，つまり上の不等式が等号で成立するようなqを保険会社は設定するので，この保険料率をq'とすると，q'は

$$u(1,000,000-500,000\times q')=0.1\times u(500,000)+0.9\times u(1,000,000)$$

を満たす。このq'を具体的に計算して求めることはできないが，これらの保険の下での効用は，保険加入前の期待効用と等しくなっており，また，個人Aはリスク回避的なので，独占的な保険会社はリスクプレミアムを上乗せする。そのため$q'>0.1$つまり保険料率はケガをする確率より高くなっている。

保険料の計算

このときの保険会社の期待利潤を見る。個人Aを含めた個人の人数をnとすると，保険会社の期待利潤は，

$$E\pi=n\times q\times z-0.1\times n\times 1\times z$$

となる。ここで，既に求めた$z=500,000$とq'を代入すると，

$$E\pi=n\times q'\times 500,000-0.1\times n\times 1\times 500,000$$

と求められるが，これは$q'>0.1$より正である。つまり保険会社には正の利潤が発生することになる。

よって，この経済におけるこの保険制度の保険料は，

$$保険料=q'\times z=500,000\times q'$$

と求められ，この場合の消費額は，

$$消費額=1,000,000-500,000\times q'$$

となる。

このように，個人Aの消費額は，ケガをした場合もケガをしなかった場合も共通の$1,000,000-500,000\times q'$となるが，このような保険を100%保険という。

以上から，本問の経済における保険制度は，被保険者から保険料を$500,000\times q'$だけ徴収し，ケガをした被保険者に対して500,000支払うというものであり，この保険制度の下では期待利潤は正と

なる。そして，保険制度の下ではこの正の利潤を被保険者に配当すると考えられる。つまり，被保険者の期待効用は加入前と変わらないか，もしくは増加することになる。したがって，この保険制度は，存在しない場合と比べて個人の期待効用を変化させないか，配当を受けた個人については期待効用を増加させると考えられるため，資源配分を効率的にしていると言える。

制度の概要

資源配分に与える影響

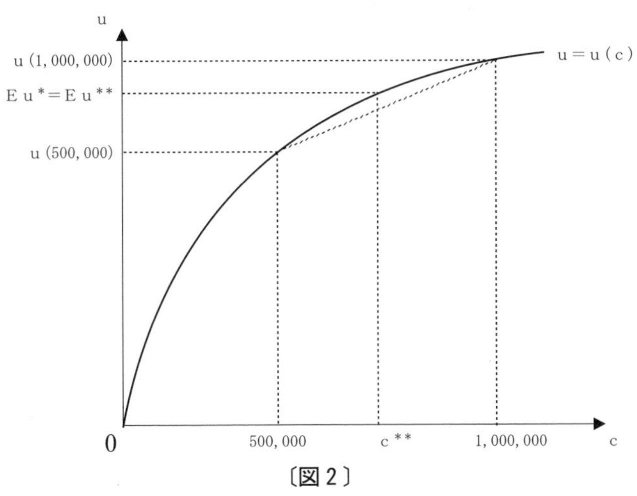

〔図 2〕

解答への道

不確実性からの出題であり，特に消費者の期待効用概念と保険市場についての理解を求める問題であった。二問とも正答にたどり着けた受験生は僅かであったと予想される。⑴は期待効用という言葉などから類推することが一応可能であるが，⑵については自力で正答に到達するのは極めて困難であり，問題1での平均点は極めて低いと思われる。本問が運良くまたは実力で解けた受験生にとってはアドバンテージになるが，解けなかった場合であっても特段不利になることはないと考えられる。

なお，⑵の解答と別解は，前者は保険会社が競争的であることを想定しており，後者は保険会社は問題文の通り「制度」として独占的に保険を供給していることを想定している。この点については問題文ではどちらのケースについて答えるか，明確には示されていないため，どちらを書いても有利不利はないものと考えられる。

問題❷　ある国において景気が後退し財政赤字が増加したとする。このとき次の問に答えなさい。

(1)　財政赤字の増加のうち少なくとも一部は景気後退によると考えられる。その理由を述べなさい。

(2)　景気後退に伴う財政赤字の増加は，経済全体を安定させるという観点から望ましいという考えがある。適切なモデルを用いてこの考えについて説明しなさい。

(3)　景気刺激策として政府が財政支出を増加させたとする。そのとき，金利，物価，為替相場，設備投資，輸出，輸入にはどのような影響があらわれるか。適切なモデルを用いて説明しなさい。

解答例

チェック・ポイント

(1)　政府の財政赤字Dは，租税をT，財政支出（政府支出）をGとおくと，

$$D = G - T$$

であらわされる。このとき，租税を国民所得の増加関数である所得税（租税関数）

$T = tY + T_0$，　Y：国民所得，　t：限界税率，　$0 < t < 1$，
T_0：基礎税額，　$T_0 > 0$

で表現すると，財政支出Gが一定の下で，景気後退により国民所得が減少$\triangle Y < 0$すると，租税は，$\triangle T = t\triangle Y < 0$と減少することから，政府の財政赤字Dの変化分は，

$$\triangle D = -\triangle T = -t\triangle Y > 0$$

と求められ，景気後退による租税の減少（税の自然減）により，政府の財政赤字は増加することになる。

景気後退に伴う租税の減少による財政赤字の増加

(2)　次のような閉鎖経済の45度線分析モデルを考える。

消費関数　$C = c(Y - T) + C_0$，　c：限界消費性向，　$0 < c < 1$，C_0：基礎消費　$C_0 > 0$

投資　　I =一定

租税　　$T = tY + T_0$（所得税（租税関数）の場合）または$T =$

モデルの提示

一定（一括固定額税の場合）

　　財政支出（政府支出）　G＝一定

　景気後退に伴い財政赤字が増加する理由は，(1)で述べた通り，租税が国民所得の増加関数とされる所得税（租税関数）であり，景気後退による国民所得の減少により租税が減少するためである。租税が国民所得に依存しない一括固定額税Tの場合には，景気後退により国民所得が減少しても租税の減少（税の自然減）が起こらないため，財政赤字は増加せず一定のままである。以下では，景気後退に伴う財政赤字の増加を，租税が所得税（租税関数）であるために生じる現象と捉え，民間投資Iの減少による景気後退が生じることを前提として，租税が所得税（租税関数）であるため景気後退に伴い財政赤字が増加する場合の投資乗数と，租税が一括固定額税であるため景気後退の下でも財政赤字が増加しない場合の投資乗数の大小比較を行い，前者の投資乗数が後者の投資乗数より小さくなることを示していく。投資乗数とは，独立支出である民間投資が追加的に1単位変化したときの国民所得の変化分をあらわす係数をいう。民間投資Iの減少により景気後退が生じたとすると，租税が所得税（租税関数）であるため景気後退に伴い財政赤字が増加する場合の投資乗数は，

投資乗数の比較

$$\frac{1}{1-c(1-t)}$$

とあらわされる。他方，租税が一括固定額税であるため景気後退の下でも財政赤字が増加しない場合の投資乗数は，

$$\frac{1}{1-c}$$

と求められる。$0<c<1$，および$0<t<1$より，

$$\frac{1}{1-c(1-t)}<\frac{1}{1-c}$$

　が成立する。上記の不等式は，民間投資が追加的に1単位減少したときの国民所得の減少分は，租税が所得税（租税関数）である場合の方が，租税が一括固定額税である場合よりも小さいことを示している。経済に内在されている景気の自動安定化装置を

「ビルト・イン・スタビライザー」と呼ぶが，所得税（租税関数）$T=tY+T_0$は，このビルト・イン・スタビライザーの役割を果たしていると考えられ，所得税（租税関数）の存在により，景気後退に伴う国民所得の減少が抑制されることになる。以上のことから，景気後退に伴う財政赤字の増加は，経済全体を安定させるという観点からは望ましいといえる。

結果

(3) 景気刺激策として，政府が市中消化による公債発行を財源とする拡張的な財政政策をおこなうものとする。なお，変動相場制下で内外の債券が完全代替的ではない（不完全資本移動）と仮定した上で，ＩＳ－ＬＭ－ＢＰ分析を用いて拡張的な財政政策が金利，為替相場，設備投資，輸出，輸入に及ぼす影響を説明していく。また，物価に与える影響については，ＡＤ－ＡＳ分析を用いて説明していく。

モデルの提示

以下では，〔**図1**〕に示されているように，右下がりのＩＳ曲線，右上がりのＬＭ曲線とともに，内外の債券が完全代替的ではないことから右上がりのＢＰ（国際収支均衡）曲線を想定して分析をおこなう。

拡張的な財政政策によりＩＳ曲線がIS_0からIS_1へ右方シフトすると，均衡点はＢＰ曲線の左上のE_1点にくる。このとき，ＢＰ曲線の左上では国際収支は黒字になっているので，外貨の超過供給により為替相場は邦貨高・外貨安となる。すると，輸出が減少し輸入が増加するため，ＩＳ曲線はIS_1からIS_2へと左方へシフト・バックする。

一方，輸出の減少，輸入の増大により経常収支が悪化すると，国際収支の均衡を回復するためには，国内金利ｒが上昇して資本収支が改善されねばならないので，ＢＰ曲線がBP_0からBP_1へ左方シフトすることになる。

ＩＳ曲線の左方シフト・バックにより，均衡点もE_1点から初期時点のE_0点に向かって戻っていくが，同時にＢＰ曲線が左方シフトしているので，均衡点はE_0点までは戻らず，ＬＭ曲線上のE_0点とE_1点の間の，たとえばE_2点に定まる。したがって，拡張的な財政政策は国民所得の増大とともに国内金利の上昇をも

ＩＳ－ＬＭ－ＢＰ分析

たらすことになる。また，国内金利の上昇により，民間の設備投資は初期時点と比較して減少していることになる。

次に，拡張的な財政政策が物価に与える影響については，〔図2〕に示されているように，右下がりのＡＤ曲線とケインジアンの想定するＡＳ曲線を用いて分析をおこなう。

ＡＤ－ＡＳ分析

拡張的な財政政策をおこなうと，ＡＤ曲線がAD_0からAD_1へ右方シフトするので，均衡点はE_0点からE_1点に移る。このとき，物価水準はP_0からP_1に上昇することになる。

以上の分析により，景気刺激策として政府が財政支出を増加させると，金利の上昇，物価の上昇，邦貨高・外貨安，設備投資の減少，輸出の減少，輸入の増大がもたらされることが示された。

結論

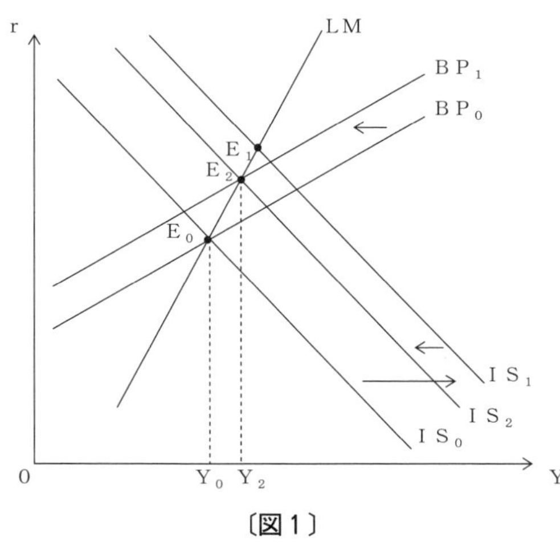

〔図１〕

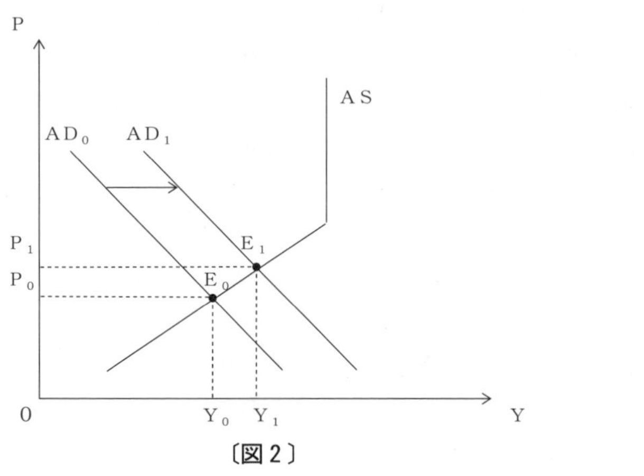

〔図２〕

解答への道

マクロ経済学におけるケインズ経済学に基づいた出題である。小問(1)は，政府の財政赤字が財政支出（政府支出）から租税を控除したものであることに注意すれば，景気後退に伴い租税が減少することを簡単に指摘すれば十分と思われる。

小問(2)は，やや難しい問題と思われる。解答例のように，景気後退に伴う財政赤字の増加を，租税が所得税（租税関数）であるために生じる現象と捉え，所得税（租税関数)がビルト・イン・スタビライザーとして機能することを説明する方法以外に，景気後退に伴う総需要の減少を相殺するために政府が財政支出（政府支出）を拡大したことにより財政赤字が増加する場合を考え，閉鎖経済の45度線分析モデルであれば，財政支出（政府支出）の増加により総需要曲線が上方シフトする結果，均衡国民所得が増加することを示し，または，閉鎖経済のＩＳ－ＬＭ分析モデルを用いるのであれば，財政支出（政府支出）の増加によりＩＳ曲線が右方シフトする結果，均衡国民所得が増加することを説明する方法も考えられる。

小問(3)は，ＩＳ－ＬＭ－ＢＰ分析モデル（マンデル＝フレミング・モデル）を主要モデルとして重点的に説明し，物価水準については，ＡＤ－ＡＳ分析モデルを用いて簡潔に解答すれば十分と思われる。合格ラインは，小問(1)と小問(3)の完全解答を踏まえて７割程度と思われる。

MEMO

◇❯ 平成19年度

問題❶　ある国のｔ期の生産量をＹ(ｔ)，ｔ期首の資本量をＫ(ｔ)，ｔ期の労働量をＬ(ｔ)とする。生産量と生産要素投入量との間の関係を表す生産関数をＹ(ｔ)＝Ｆ(Ｋ(ｔ)，Ｌ(ｔ))とする。ここでは，単純化のため労働量は時間を通じて一定であることを想定し，Ｌ(ｔ)＝１と置くことにする。ここでｆ(Ｋ(ｔ))＝Ｆ(Ｋ(ｔ)，１)と表すことにする。(ｆは増加的な凹関数とする。)

ｔ期の投資量をＩ(ｔ)とし，投資を行うことによってその分だけ資本量が増加するが，生産にともなってδの割合だけ資本が減耗するとする。ｔ期の資本量の増減を△Ｋ(ｔ＋１)＝Ｋ(ｔ＋１)－Ｋ(ｔ)で表すことにする。またｔ期の貯蓄量をＳ(ｔ)とする。この貯蓄量は生産量の一定割合であることを想定し，Ｓ(ｔ)＝ａＹ(ｔ)とする。(ａは定数とする。)

(1)　資本市場の均衡条件を明示し，その条件から資本量の増減を表す式である

$$\triangle K(t+1) = a f(K(t)) - \delta K(t) \cdots\cdots ①$$

を導出しなさい。

(2)　①式で示されている動学方程式を用いて，資本量が厳密に正である定常均衡を図示しなさい。また，この定常均衡の安定性について，図と式を用いて解説しなさい。(資本量が厳密に正である定常均衡が一つだけある場合を想定する。)

解答例

チェック・ポイント

(1)　まず，資本市場の均衡条件（財市場の均衡条件または貯蓄・投資均等式）を示す。いま，本問で想定する経済モデルは，政府の存在しない閉鎖経済であるとする。このとき，資本市場の均衡条件式は，

$$I(t) = S(t) \qquad ②$$

となる。

（資本市場の均衡条件）

次に，②式から，問題文中にある①式を導出する。投資Ｉ(ｔ)

は，総（粗）投資を意味しており，総（粗）投資は資本ストックの新規の増加分である純投資と既存の資本ストックの減耗分を更新する更新投資の合計であることから，総（粗）投資＝純投資＋固定資本減耗（更新投資）であり，式で表現すると，

$$I(t)=(K(t+1)-K(t))+\delta K(t)$$

$$=\triangle K(t+1)+\delta K(t) \quad ③$$

となる。一方，総（粗）貯蓄$S(t)$は，題意より，生産量の一定割合aとされていることから，

$$S(t)=aY(t) \quad ④$$

となる。また，題意より，$Y(t)=f(K(t))$と定義されているので，総（粗）貯蓄$S(t)$は，④式より，

$$S(t)=af(K(t)) \quad ⑤$$

となる。以上より，③式，④式を，②式に代入すると，

$$\triangle K(t+1)+\delta K(t)=af(K(t)) \quad ⑥$$

となる。⑥式左辺の$\delta K(t)$を右辺に移項すると，

$$\triangle K(t+1)=af(K(t))-\delta K(t) \quad ①$$

が導出できる。この①が，いわゆる「ソロー方程式」である。

資本量の増減を表わす式（ソロー方程式）の導出

⑵「1人あたり資本量」または「資本労働比率」をkで表すと，1人あたり資本量kは，

$$k=\frac{K}{L}$$ ただし，K：（一国全体の）資本量，L：（一国全体の）労働量

となるが，本問では労働量LをL＝1とおいていることから，1人あたり資本量kと（一国全体の）資本量Kが等しくなる（k＝K）。定常均衡においては，1人あたり資本量または資本労働比率が，時間を通じて一定となる。題意より，労働$L(t)$は1で，時間を通じて一定であるため，資本$K(t)$も，時間を通じて一定となれば，定常均衡が成立する。資本$K(t)$が，時間を通じて一定となるのは，

$$\triangle K(t+1)=0 \quad ⑦$$

となる場合である。

定常均衡の図示

したがって，定常均衡となるのは，①式，⑦式より，

$$\triangle K(t+1)=af(K(t))-\delta K(t)=0 \quad ⑧$$

となる場合である。ゆえに，定常均衡では，

$$af(K(t))=\delta K(t) \quad ⑨$$

が成立する。これをｆが増加的な凹関数（労働の限界生産力が逓減する上に凸な関数）に基づいて図示したのが，**〔図１〕**のＥ点である。なお，このとき，資本量が厳密に正である定常均衡が一つだけ存在している。

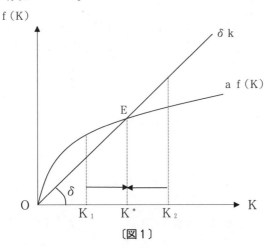

〔図１〕

定常均衡の安定性

次に，**〔図１〕**のＥ点で表される定常均衡の安定性について解説する。Ｅ点でのK^*よりも資本量が小さい場合のK_1では，$af(K_1)>\delta K_1$となっている。この場合，

$$\triangle K(t+1)=af(K_1)-\delta K_1>0$$

となり，資本量は時間とともに，$\triangle K(t+1)=0$となるK^*まで，増加することとなる。一方，Ｅ点でのK^*よりも資本量が大きい場合のK_2では，$af(K_2)<\delta K_2$となっている。この場合，

$$\triangle K(t+1)=af(K_2)-\delta K_2<0$$

となり，資本量は時間とともに，$\triangle K(t+1)=0$となるK^*まで，減少することとなる。したがって，定常均衡K^*は安定的な均衡となっている。

解答への道

問題１は，マクロ経済学における経済成長理論の「ソロー・モデル（新古典派成長理論)」からの出題であるが，多くの受験生には未知の論点であり，解答することは困難であったと思われる。

問題文中には，「ソロー・モデル（新古典派成長理論)」や「経済成長」の文言は見られなかったが，小問(1)のいわゆる「ソロー方程式」の提示や小問(2)の「定常均衡」の文言から，本問が「ソロー・モデル（新古典派成長理論)」であることが判断できたと思われる。

小問(1)は，先にも述べた通り「ソロー方程式」の導出に関する出題である。「１人あたり資本量」または「資本労働比率」をｋで表すと，１人あたり資本量ｋは，

$$K=\frac{K}{L}$$ ただし，Ｋ：（一国全体の）資本量，Ｌ：（一国全体の）労働量

となるが，本問では労働量ＬをＬ＝１とおいていることから，１人あたり資本量ｋと（一国全体の）資本量Ｋが等しくなる（ｋ＝Ｋ）ことに注意が必要であり，また，「資本市場の均衡条件（または財市場の均衡条件)」が「Ｓ＝Ｉ（総貯蓄＝総投資)」となることを理解していることが前提となることから，「ソロー方程式」の導出は，やや難しいと思われる。

小問(2)の「定常均衡の図示」は，ソロー・モデルの典型論点であり，ソロー・モデルを学習したことがある者には容易であったと思われる。しかし，「定常均衡の安定性」の論点は，ソロー・モデルを深く理解していないと解くのが困難と思われる。

合格ラインは，小問(2)の「定常均衡」を図示することで４割程度と思われるが，小問(2)の「定常均衡」を図示することができなくても経済成長に関する記述や資本市場の均衡条件に関する説明を行い部分点を稼ぐことにより合格ラインに限りなく近づくと思われる。

問題❷　N社の企業から成るクールノー経済を考える。この財の市場価格はpであり，需要関数は$Q=1-p$で与えられているものとする。また，各企業は完全に同一の生産条件で生産を行っており，各社の生産水準をqとしてその費用関数は$C=cq$（ただし$c<1$）で与えられているものとする。各企業は他社の生産水準を所与として自分の利益が最大になるように自分の生産水準を決定する。

(1)　$n=3$とする。各企業の生産水準，収益水準，価格水準を求めなさい。

(2)　(1)の設問ではA，B，Cの3社が存在したがこのうちAとBが合併し，市場に存在するのは2社だけになったとする。このときの各企業の生産水準，収益水準，価格水準を求めなさい。また，その結果は合併前の諸変数の水準を比べてどう変化しているか，それは経済厚生上，どのような意味をもつかを論じなさい。

(3)　(2)の設問で市場に残った2社がさらに合併して1社になったとする。このときの各企業の生産水準，収益水準，価格水準を求めなさい。また，その結果は(2)の諸変数の水準を比べてどう変化しているか，それは経済厚生上，どのような意味をもつかを論じなさい。

(4)　企業数がn社の場合の各企業の生産水準，収益水準，価格水準を求めなさい。また，企業数nが非常に大きいときに価格水準がcに収束することを示しなさい。さらに，そのことの経済厚生上の意味を論じなさい。

解答例

チェック・ポイント

(1)　企業iの利潤をπ_iとする。このとき，各企業$i=A, B, C$の利潤は，

$$\pi_i=\{1-(q_A+q_B+q_C)\}q_i-cq_i \quad ①$$

で与えられる。上の式を用いて，まずA社について利潤最大化の一階条件を求めると，

$$1-q_B-q_C-c-2q_A=0 \quad ②$$

が得られる。同じようにしてB社とC社についても利潤最大化の一階条件を求めると，

$$1-q_A-q_C-c-2q_B=0 \quad ③$$

個別企業の利潤最大化条件

$$1 - q_A - q_B - c - 2q_C = 0 \quad ④$$

と得られる。例えば②式を$q_A = (1 - q_B - q_C - c)/2$と書き直したものは，B社とC社の生産量が決まったときの，A社の最適反応（利潤を最大化する生産量）を与えてくれる関数であることから，最適反応関数と呼ばれる。B社・C社についても同様である。

反応関数の説明

クールノー均衡における各社の生産量は，②③④の3本の方程式をq_A，q_B，q_Cについて解いたものである。したがって，各社の生産量は，

$$q_A^* = q_B^* = q_C^* = \frac{1 - c}{4}$$

で与えられることになる。価格は逆需要関数に各企業の生産量を代入することにより得られることから，

$$p^* = 1 - (q_A^* + q_B^* + q_C^*) = \frac{1 + 3c}{4}$$

また，この水準における収益水準はこの生産量を利潤式に代入することにより得られ，

$$\pi_A^* = \pi_B^* = \pi_C^* = \left(\frac{1 + 3c}{4}\right)\left(\frac{1 - c}{4}\right) - c\left(\frac{1 - c}{4}\right)$$

$$= \left(\frac{1 - c}{4}\right)^2$$

である。

クールノー均衡の導出

(2)　A社・B社が合併して社名はA社のままであったとする。このときはA社とC社の2社間でのクールノー競争になる。

A社とC社の利潤は，企業$i = A, C$に対して

$$\pi_i = \{1 - (q_A + q_c)\} q_i - c q_i \quad ⑤$$

と与えられ，A社とC社の利潤最大化の一階条件を求めると，

$$1 - q_c - c - 2q_A = 0$$

$$1 - q_A - c - 2q_C = 0$$

個別企業の利潤最大化条件

の2本の方程式が得られる。これを前問と同じようにしてq_A，q_cについて解くことで，各企業の生産水準が得られ，価格水準，収益水準も(1)と同じようにして求められる。これらを以下に示す。

$$q_A^{**} = q_C^{**} = \frac{1-c}{3}$$

$$p^{**} = \frac{1+2c}{3}$$

$$\pi_A^{**} = \pi_C^{**} = \left(\frac{1-c}{3}\right)^2$$

クールノー均衡の導出

これらを(1)の結果と比較すると，価格水準・各企業の生産水準・収益水準はすべて増加することが分かる。また，合計の生産水準は減少し，収益水準の合計（生産者余剰）は増加する。したがって，クールノー競争において参入企業数が減少した場合，企業の価格支配力が高まることから，生産者余剰は増加するが，パレート効率的な生産量からさらに減少することから，総余剰が減少する，すなわち経済厚生が悪化することが分かる。

経済厚生の比較

(3) (2)の（合併後の）A社とC社が合併したとする。このときの独占企業の利潤πは，

$$\pi = (1-Q)Q - cQ$$

で与えられる。なお，Qは独占企業の生産水準である。利潤最大化の一階条件より

$$1-2Q-c=0$$

独占企業の利潤最大化条件

が得られるので，これをQについて解くことにより，独占均衡の生産水準が得られる。また，前問までと同じようにして，そのときの価格水準と収益水準が求められる。これらを以下に示す。

$$Q^{*} = \frac{1-c}{2}$$

$$P^{*} = \frac{1+c}{2}$$

$$\pi^{*} = \left(\frac{1-c}{2}\right)^2$$

独占均衡の導出

これらを(2)の結果と比較すると，価格水準・各企業の生産水準・収益水準はすべて増加することが分かる。また，合計の生産水準は減少し，収益水準の合計（生産者余剰）増加する。したがって，クールノー競争において参入企業数が減少し独占の状態に至った

独占市場における経済厚生の評価

場合，企業の価格支配力が高まることから，生産者余剰は増加するが，パレート効率的な生産量からさらに減少することから，総余剰が減少する，すなわち経済厚生が悪化することが分かる。

(4) 企業数が n 社のケースを考える。このとき，企業 $i=1,2,\cdots,n$ の利潤 π_i は，

$$\pi_i=(1-(q_i+Q_{-i}))q_i-cq_i$$

で与えられる。ただし，$Q_{-i}=q_1+\cdots+q_{i-1}+q_{i+1}+\cdots+q_n$ であり，企業 i 以外の生産量の合計を表している。各企業について利潤最大化の一階条件を求めると，企業 i について，

$$1-c-Q_{-i}-2q_i=0 \quad ⑥$$

個別企業の利潤最大化条件

ここで，各企業の費用関数が同一であることから，各企業の生産量は同一（$q_j=q_i$ for all $j \neq i$）となる。したがって，

$$Q_{-i}=(n-1)q_i \quad ⑦$$

となり，これを⑥式に代入することによって，n 個式の方程式を解くことなくクールノー均衡を求めることができる。クールノー均衡における各企業の生産水準，価格水準，収益水準は，以下のようになる。

$$q_i^{***}=\frac{1-c}{1+n}$$

$$p^{***}=\frac{1+nc}{1+n} \quad ⑧$$

$$\pi_i^{***}=\left(\frac{1-c}{1+n}\right)^2$$

クールノー均衡の導出

ここで，⑧式から n が非常に大きな値をとるとき，分母・分子の 1 は相対的に無視できるほど小さな値となることから，結局 n が大きくなるにしたがって価格水準は c に収束することが分かる。すなわち，参入企業数が増加し，市場が完全競争に近づくほど財の価格は企業の限界費用（c）に近づき，やがてはパレート最適な生産量，すなわち経済厚生を最大化させる生産量が実現される。

完全競争市場における経済厚生の評価

解答への道

一般的な寡占市場（クールノー・モデル）からの出題である。このような出題形式に慣れていない受験生は戸惑ったかもしれないが，よく見ると(2)は基本レベルの複占クールノー・モデル，(3)は標準的な独占の問題である。この部分で最低限得点を確保しておきたいところである。また，設問では市場に存在する企業数が増加するに従って，つまり競争形態が独占から完全競争に近づくにつれて，資源配分にどのような効果をもたらすかを聞いている。この部分に関しては，たとえ計算が出来なかったとしても，直観的に解答出来る部分であろう。ここで部分点を稼いでおきたい。

以上を踏まえた結果，問題 2 に関しては 6 割程度の得点がボーダーになってくると思われる。特に問題 1 が難問であったため，この問題 2 の出来が最終的な結果にも大きく影響してくるのではないだろうか。

MEMO

◇ 平成20年度

問題❶ 経済政策に関する次の問に答えなさい。

(1) 貨幣に対する需要は短期金利が上昇すると減少し，所得が増加すると増加する。貨幣需要がこのような性質をもつ理由を説明しなさい。ただし，説明に際しては，消費者の意思決定に関する理論モデルに言及しなさい。

(2) 中央銀行が国債を市場から購入すると短期金利は低下する。この仕組を説明しなさい。また，短期金利が低下すると長期金利も低下する。この仕組みを説明しなさい。さらに，短期金利の低下が国民所得と為替相場に及ぼす影響を理論モデルを用いて説明しなさい。

(3) 財政支出を増加させると長期金利を上昇する。この仕組を説明しなさい。また，財政支出の増加が為替相場と経常収支に及ぼす影響を理論モデルを用いて説明しなさい。

(4) 国民所得を増加させる手段として減税は無効であるという主張と有効であるという主張がある。無効であるという主張を展開する論者の立場に立ってその論拠を説明しなさい。有効であるという主張を展開する論者の立場に立って無効論の欠点を指摘しなさい。

解答例

チェック・ポイント

(1) 貨幣需要は，投機的需要と取引需要から構成される。題意の通り，投機的需要は短期金利と負の相関関係にあり，取引需要は所得と正の相関関係にある。

〔貨幣需要の分類〕

まず，投機的需要が短期金利と負の相関関係にあることを説明する。

貨幣の投機的需要は，資産を安全資産である貨幣の形で保有するか，それとも危険資産である債券の形で保有するかを選択する資産選択の考え方（流動性選好理論）を用いることにより，短期金利の減少関数であることが示される。

流動性選好理論の前提として短期金利と債券価格が負の相関関係にあることを考慮すると，短期金利の上昇は債券価格の下落をもたらす。このとき，各消費者が想定する債券の正常価格が現在

〔投機的需要が短期金利と負の相関関係にある説明〕

の債券価格を上回り，その結果，債券価格が将来上昇し，キャピタル・ゲインが得られると予想する消費者が増加することになる。このような消費者は，債券を需要し，貨幣を手放すので，債券需要は増大し，貨幣の投機的需要は減少する。ゆえに，貨幣の投機的需要は短期金利と負の相関関係にあると考えられる〔**図1**〕。

次に，取引需要が所得と正の相関関係にあることを説明する。

貨幣の取引需要は，貨幣を取引手段として保有しようとする貨幣需要なので，取引が活発になり，経済全体の取引総額が大きくなればなるほど需要は増加すると考えられる。このとき，経済全体の取引総額は，一般にその経済の（国民）所得と正の相関関係を有すると考えられる。すなわち，（国民）所得は，経済の取引総額の代理変数であるとみなされるのである。ゆえに，貨幣の取引需要は（国民）所得と正の相関関係にあると考えられる〔**図2**〕。

取引需要が所得と正の相関関係にある説明

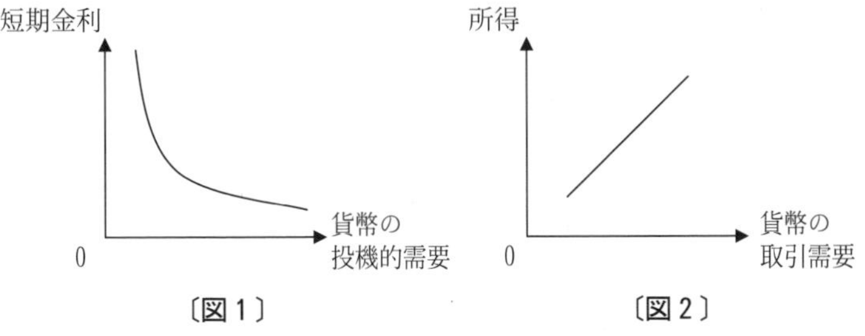

〔**図1**〕　〔**図2**〕

(2)　開放経済下で，変動相場制を採用している小国のマクロ経済を想定する。ただし，内外の債券の代替性は，不完全であると仮定する。題意より，中央銀行が，国債を市中銀行から購入する買いオペレーションによって，市中の名目貨幣供給量を増加させる拡張的金融政策を行なった場合を考える。

以下では，はじめに，ＩＳ－ＬＭ－ＢＰモデルを用いて，拡張的金融政策を行った場合に，短期金利ｒが低下する仕組みを説明するとともに，国民所得Ｙと為替レートｅに及ぼす影響を示す。その次に，短期金利ｒが低下した場合に，長期金利r_Lも低下する仕組みを説明する。

当初，小国のマクロ経済は，〔**図3**〕の点Ｅで均衡していたと

買いオペにより短期金利が低下する理由

する。この国の中央銀行が拡張的な金融政策を行うと，ＬＭ曲線の右方シフトにより，国内短期金利ｒは低下する（〔**図３**〕のｒ′）。

このとき，資本流出が発生し資本収支が赤字となるので，国際収支も赤字となる。その結果，外貨に対する需要が増大し，外貨の需要曲線が上方シフトする。その結果，外国為替市場で超過需要が生じ，邦貨安外貨高（ｅの上昇）となる（〔**図４**〕のｅ′）。

為替相場に及ぼす影響

すると，輸出が増加するとともに輸入が減少するので，純輸出は増加することになる。純輸出の増加によって国内有効需要は増加するため，ＩＳ曲線は右方シフトする。それと同時に，ＢＰ曲線もｅの上昇によって下方シフトするので，最終的な均衡は，たとえば〔**図３**〕のＥ″となる。したがって，拡張的な金融政策によって，国民所得は増加することになる（〔**図３**〕のＹ″）。

国民所得に及ぼす影響

次に，短期金利ｒが低下した場合に，長期金利 r_L も低下する仕組みを説明する。「金利の期間構造に関する期待理論」によると，長期金利 r_L は，現在の短期金利ｒと将来の予想短期金利 r^e の平均値として決定されることになる。

現在の短期金利ｒが低下したとすると，将来の予想短期金利 r^e も低下すると考えられる。したがって，「金利の期間構造に関する期待理論」に基づけば，短期金利ｒが低下した場合には，長期金利 r_L も低下することになる。

短期金利と長期金利の関係

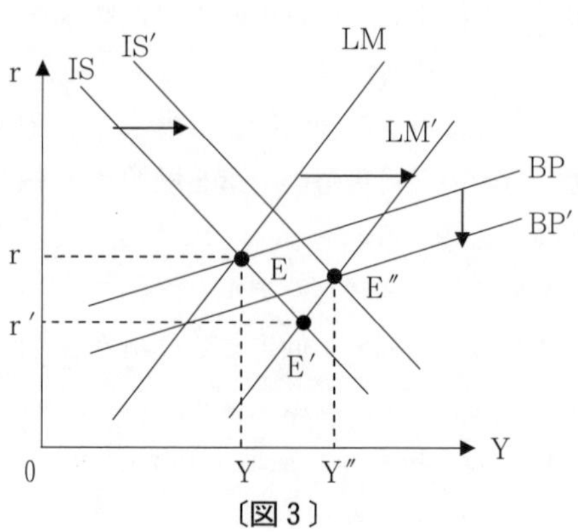

〔図３〕

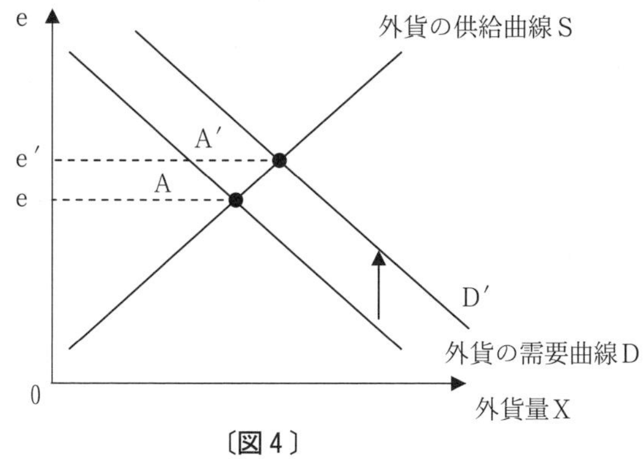

〔図4〕

(3) 有効需要のひとつである財政支出（政府支出）の増加は，財市場において国民所得の増加をもたらす。この国民所得の増加は，貨幣市場において国民所得の増加関数である貨幣の取引需要を増加させ，貨幣市場の超過需要をまねくため短期金利は上昇することになる。短期金利が上昇する結果,予想短期金利の加重平均である長期金利も上昇することになる。以上が，財政支出（政府支出）を増加させると長期金利が上昇する仕組みである。

長期金利が上昇する仕組み

財政支出（政府支出）の増加による短期金利の上昇により資本流入が増加する結果，資本収支が黒字化し国際収支も黒字化する。国際収支の黒字は外国通貨に対する超過供給を意味することから，外国為替市場において邦貨建て為替相場（レート）を下落させて自国通貨高が生じることになる。グラフ〔図5〕を用いると，財政支出（政府支出）の増加に伴う短期金利の上昇により資本流入が増加する結果，外貨の供給が増加して，外貨の供給曲線が右方シフトするため，邦貨建て為替相場（レート）が下落し，自国通貨高が生じることになる。経常収支を「純輸出＝輸出－輸入」にほぼ等しいとすると,輸出は邦貨建て為替相場（レート）の増加関数,輸入は邦貨建て為替相場（レート）の減少関数であるから，財政支出（政府支出）の増加は，経常収支を減少（悪化）させることになる。グラフ〔図6〕を用いると，邦貨建て為替相場（レート）がｅからｅ′へ下落することにより，経常収支ＮＸは，ＮＸからＮＸ′に減少（悪化）する。

為替相場に及ぼす影響

経常収支に及ぼす影響

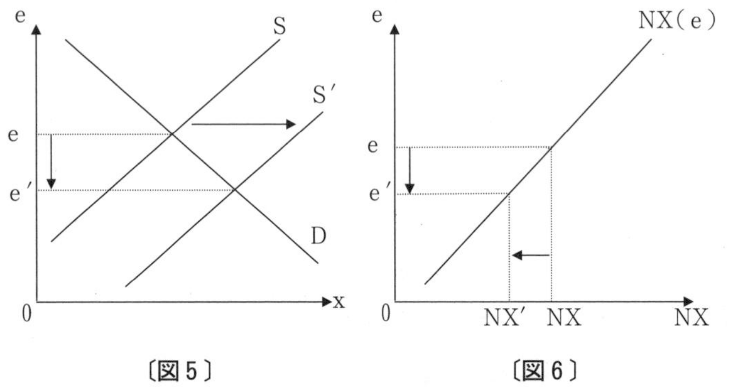

〔図5〕　〔図6〕

(4)　国民所得を増加させる手段として減税は無効であるという主張の論拠は「リカードの等価定理」にある。リカードの等価定理によると，今期と来期を生存し，生涯所得で生涯消費をまかなう合理的な消費者を想定し，今期に公債発行を財源とした減税を行なったとしても，合理的な消費者は，今期の公債発行を来期の増税と同一のものと考えるので，来期の増税に備えて今期の貯蓄を増加させることになり，今期の減税により今期の消費は増加しないことになるから，国民所得を増加させる手段として減税は無効である。

リカードの等価定理

国民所得を増加させる手段として減税は有効であるという主張を展開する論者からすれば，無効論の論拠となるリカードの等価定理の重大な欠点は，金融市場において消費者が借入れ制約に直面していることを考慮していないことである。金融市場において消費者が借入れ制約に直面する場合，今期の消費を決定するのは，生涯所得ではなく今期の所得であることから，今期に公債発行を財源とした減税を実施すると，消費者の今期の可処分所得が増加することから，今期の消費は増加することになり，国民所得を増加させる手段として減税は有効となる。また，リカードの等価定理においては，合理的な消費者を想定しているが，実際の消費者は完全合理性ではなく，限定合理性を有していることから，必ずしも今期の公債発行を来期の増税と同一視することはないといえるから，国民所得を増加させる手段として減税は有効となる。

リカードの等価定理に対する反論

解答への道

小問(1)は，貨幣需要が短期金利の減少関数，（国民）所得の増加関数である理由を述べさせる問題であるが，短期金利を利子率におきかえて考えれば，ケインズの流動性選好理論を中心に説明すれば足りる基本問題である。

小問(2)は，まず金融緩和政策が短期金利を低下させる仕組みを述べ，次に短期金利が低下すると長期金利も低下する仕組みを説明し，最後に金融緩和政策が国民所得と為替相場（レート）に及ぼす影響を理論モデルを用いて説明する問題となっている。短期金利と長期金利の連動性については，やや応用的な論点となっているが，それ以外の論点は，ＩＳ－ＬＭ－ＢＰ分析を用いた基本的なものである。

小問(3)は，まず拡張的な財政政策が長期金利を上昇させる仕組みを述べ，次に拡張的な財政政策が為替相場（レート）と経常収支に及ぼす影響について述べさせる問題であるが，いずれも基本的な問題である。解答例のほかに，ＩＳ－ＬＭ分析やＩＳ－ＬＭ－ＢＰ分析を用いた分析も可能である。

小問(4)は，国民所得を増加させる手段として減税が無効であるとする論者の論拠を，「リカードの等価定理」から引用させると同時に，それに対する批判を述べさせるやや応用的な論点である。

小問(1)から小問(3)で多くの時間と解答スペースを使用することを考慮すると，小問(4)の解答は，グラフ等は用いる必要がない簡潔なものとなるであろう。

問題❷ 個人aと個人bが存在している純粋交換経済を考える。経済には財1と財2の2財が存在しているとする。

個人aの財1と財2の初期保有量をそれぞれw^a_1，w^a_2とし，個人bの財1と財2の初期保有量をそれぞれw^b_1，w^b_2とする。個人aの財1および財2の消費をそれぞれc^a_1，c^a_2とし，その消費から得られる効用を$u(c^a_1, c^a_2) = c^a_1 \times c^a_2$とする。また，個人bの財1および財2の消費をそれぞれc^b_1，c^b_2とし，その消費から得られる効用を$u(c^b_1, c^b_2) = c^b_1 \times c^b_2$とする。ここで財の初期保有量に関して$(w^a_1, w^a_2) = (2, 1)$，$(w^b_1, w^b_2) = (1, 2)$を仮定する。

(1) この経済で実現可能な配分をエッジワースのボックスダイヤグラムを用いて表し，パレート効率的である配分を図示しなさい。また，この経済において財の初期保有量で定義される配分（初期配分）よりパレート改善的である配分を同じ図の上に示しなさい。

(2) この経済の競争均衡を計算し，競争均衡配分を(1)の解答に用いた図の上に図示しなさい。

(3) 実際の経済における取引において(2)で用いた競争均衡の概念の適用が適切でないと思われる事例を1つ挙げ，その理由を述べなさい。

また，その事例において適用することが適切と思われる競争均衡以外の配分メカニズムを1つ挙げ説明しなさい。

解答例

チェック・ポイント

(1) 〔図1〕のエッジワースのボックスダイヤグラムにおいて，点Wは初期配分を表している。ここで，パレート効率的な配分とは，「もはや他のどの経済主体をも不利にすることなく，ある経済主体を有利にする余地の無い資源配分の状態」のことを指し，設問においてその必要条件は①2財が完全利用されており，かつ②個人a，bの限界代替率が一致することである。したがって，グラフ上では個人a，bの無差別曲線が接している，点E，E′，E″のような配分がパレート効率的な配分であり，これらの軌跡

パレート効率的な配分

である線分abが契約曲線である。一方，初期配分（W）では両者の無差別曲線（$\overline{U}^a$，$\overline{U}^b$）が交差しており上の条件②を満たさないため，これはパレート効率的な配分とはいえない。すなわち，$\overline{U}^a$と$\overline{U}^b$が作るレンズの内側における任意の配分は，初期配分Wと比較して個人a，b双方の効用を改善させることになる。ここから，初期配分よりパレート改善的な配分の集合は，$\overline{U}^a$と$\overline{U}^b$が作るレンズの内側の領域で表される。

パレート改善的な配分

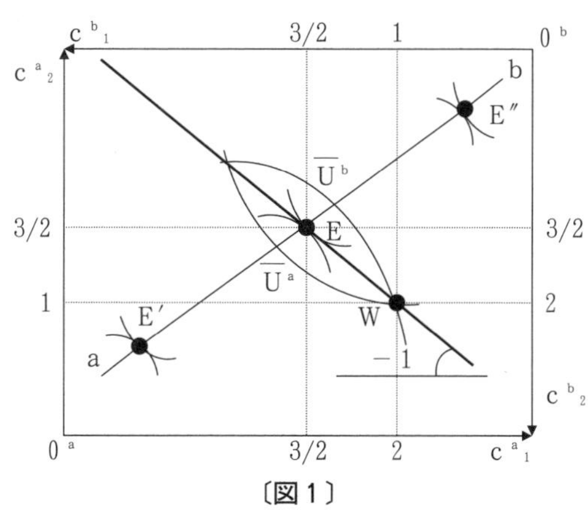

〔図1〕

(2) 財1の価格をp_1，財2の価格をp_2とする。各個人の各財に対する需要関数を求める。個人a，bの予算制約式はそれぞれ

$$p_1 c^a_1 + p_2 c^a_2 = 2p_1 + p_2 \quad \cdots\cdots ①$$

$$p_1 c^b_1 + p_2 c^b_2 = p_1 + 2p_2 \quad \cdots\cdots ②$$

で与えられる。また，個人a，bの効用最大化条件はそれぞれ

$$\frac{c^a_2}{c^a_1} = \frac{p_1}{p_2} \quad \cdots\cdots ③$$

$$\frac{c^b_2}{c^b_1} = \frac{p_1}{p_2} \quad \cdots\cdots ④$$

で与えられる。よって③式を①式に代入することにより，個人aの財1に対する需要関数

$$c^a_1 = 1 + \frac{p_2}{2p_1} \quad \cdots\cdots ⑤$$

が得られ，これを③式に代入することで個人aの財2に対する需

需要関数の導出

要関数

$$c^a_2=\frac{p_1}{p_2}+\frac{1}{2} \quad ⑥$$

が得られる。同じようにして，個人bの財1と財2に対する需要関数が

$$c^b_1=\frac{1}{2}+\frac{p_2}{p_1} \quad ⑦$$

$$c^b_2=\frac{p_1}{2p_2}+1 \quad ⑧$$

と求められる。

競争均衡の導出

財2の需給が一致するような相対価格$\frac{p_1}{p_2}$は⑥式と⑧式により

$$\frac{p_1}{p_2}+\frac{1}{2}+\frac{p_1}{2p_2}+1=3$$

で与えられるので，これを$\frac{p_1}{p_2}$について整理することにより，$\frac{p_1}{p_2}=1$が得られる。ワルラス法則により，この相対価格は同時に財1の市場の需給を一致させるので，この相対価格は競争均衡相対価格である。

また，この相対価格を⑤～⑧式で与えられる需要関数に代入すると，競争均衡配分が得られる。したがって競争均衡は，

$$\frac{p_1}{p_2}=1,(c^a_1, c^a_2)=\left(\frac{3}{2},\frac{3}{2}\right),(c^b_1, c^b_2)=\left(\frac{3}{2},\frac{3}{2}\right)$$

である。競争均衡配分$(c^a_1,\ c^a_2)(c^b_1,\ c^b_2)$は，上図のE点で与えられる。

競争均衡の前提

(3) 競争均衡を適用する上での重要な仮定の一つはプライス・テーカーの仮定である。プライス・テーカーの仮定とは，経済主体は，財の価格を，自らは操作できないものとみなして意思決定を行う，という仮定である。しかし現実の市場ではプライス・テーカーの仮定は必ずしも満たされない。

たとえば，国に許可されたA社だけがX財の供給を行えるものとする。すなわちA社はX財に関する独占的供給者である。この

とき，この国の消費者はA社以外からX財を購入することはできないので，A社はX財について価格支配力を持つ。したがってかかる状況では競争均衡の前提であるプライス・テーカーの仮定が満たされないため，競争均衡の概念を適用することは適切ではない。

競争均衡が適切ではない理由

この場合，競争均衡よりも妥当な配分メカニズムは「独占均衡」である。独占均衡とは，企業の利潤をP(X)X－C(X)とするとき（X：生産量，P(X)：市場逆需要関数，C(X)：費用関数），

MR(X)＝MC(X)

もしくは

P(X)＋P′(X)X＝MC(X) ……………………………… ⑨

を満たすXとして配分が与えられる配分メカニズムのことである。ただしMR(X)は限界収入，MC(X)は限界費用，P′(X)は逆需要の需要に関する微分である。競争均衡ではP＝MC(X)の関係が成立し，⑨式とは異なるので配分も一般的には異なり，競争均衡に比べて過小になる。

独占均衡

解答への道

小問⑴は，パレート効率的（最適）な資源配分をボックスダイヤグラムを用いて図示する基本問題である。

小問⑵は，純粋交換経済の競争均衡（完全競争市場均衡）を計算させ，それを図示させる計算問題である。ただし，個人aと個人bを識別する添え字aおよびbを，それぞれ指数と混同するケアレスミスには注意が必要である。

小問⑶は，「配分メカニズム」という用語に注意が必要である。「配分メカニズム」といえば，資本主義経済の「市場（価格）メカニズム」と社会主義経済の「計画メカニズム」が代表的なものであるが，本問においては，「配分メカニズム」が何を意味するのか解釈が難しい微妙な状況となっている。独占均衡について述べた解答例のほかに，寡占市場の分析，政府による純粋公共財の供給，金融市場における銀行を通じた資金の配分メカニズムなどについて解答することも可能と思われる。

◇平成21年度

問題❶　需要関数がD(p)＝100－pで与えられる市場を考える。市場での供給は，当初は企業1により独占されていたが，その後，企業2が参入し複占となった。企業1，企業2とも，限界費用は20で一定であり，固定費用は存在しない。また，企業1と企業2の製品は全く同質である。次の問に答えなさい。

⑴　当初の企業1による独占での生産量と価格及び利潤を，図と計算の両方により求めなさい。

⑵　企業2の参入後，企業1と企業2の間で価格競争（ベルトラン競争）が始まった。この価格競争により，市場での価格はどのように推移し，最終的にどのような水準に均衡するのか述べなさい。また，価格競争の均衡における各企業の生産量と利潤も求めなさい。

⑶　仮に，企業1と企業2の間でカルテルを結ぶならば，各企業の価格と生産量及び利潤はどのような水準になるのか述べなさい。また，そのようなカルテルは禁止されるべきだという根拠を余剰分析によって示しなさい。

⑷　現実の経済を顧みて，⑵のような企業間の価格競争の圧力を緩和するため，実際の企業がとっている方策を2つ挙げ，それぞれ説明しなさい。

解答例

チェック・ポイント

⑴　（市場）需要関数が，D(p)＝100－pと与えられることから，企業1の生産量をx_1とすると，この独占企業の直面する市場逆需要関数は，

$p=100-x_1$　…………………………………………①

となる。また，企業1の限界費用は20で一定であり，固定費用が存在しないことから，企業1の費用関数$C_1(x_1)$は，

$C_1(x_1)=20x_1$　……………………………………②

と表現される。以上より，企業1の利潤π_1は，

$\pi_1=(100-x_1)\times x_1-20x_1$　…………………③

と定式化されることから，これをx_1で微分してゼロとおくこと（利潤最大化条件）により，生産量（x_1^*）が求められる。

独占企業の利潤最大化生産量の計算

$$\frac{d\pi}{dx_1}=(100-2x_1)-20=0 \quad \cdots\cdots④$$

$\therefore \quad x_1{}^*=40$（答）

独占価格および利潤の計算

$x_1{}^*=40$を①式に代入することにより，このときの価格が，$p^*=60$（答）と求められる。さらに，$x_1{}^*=40$を③式に代入することにより，企業１の利潤$\pi_1{}^*$が，$\pi_1{}^*=(100-40)\times40-20\times40=1,600$（答）と求められる。

独占均衡および利潤のグラフによる表現

独占均衡は，市場取引量をX（$=x_1$）と表し，限界収入を$MR(X)=100-2X$，限界費用を$MC=20$とすると，以下の〔**図１**〕のM点で表される。

〔**図１**〕を用いると，生産量は，限界収入曲線$MR(X)=100-2X$と限界費用曲線$MC=20$の交点により，$x_1{}^*=40$（答）と求めることができる。また，$x_1{}^*=40$のときの市場需要曲線$p(X)=100-X$の高さから，価格が$p^*=60$（答）と求められる。さらに，本問では固定費用が存在しないことから，独占企業の利潤$\pi_1{}^*$は生産者余剰（＝粗利潤）と等しく，〔**図１**〕の□FBDMの面積により，$\pi_1{}^*=□FBDM=(60-20)\times40=1,600$（答）と求められる。

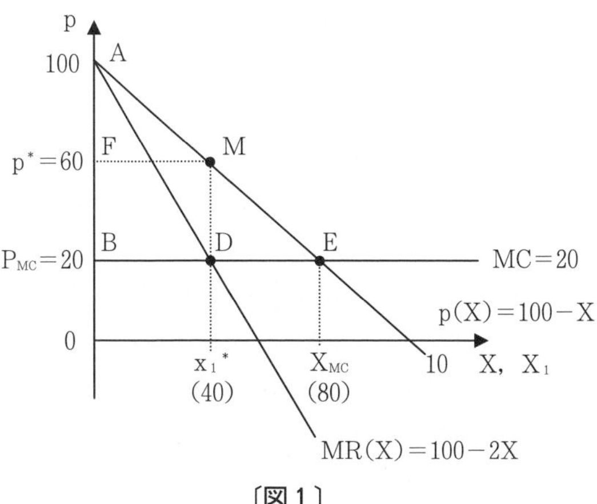

〔**図１**〕

⑵　企業１と企業２の製品は全く同質であるため，企業２の参入後，企業１と企業２の間で価格競争（ベルトラン競争）が始まると，少しでも低く価格を設定した企業が，市場需要量の全てを自己の

ものとすることができる。

したがって，どちらの企業も低価格戦略をとり，価格を切り下げていくが，この価格の切り下げは，損益分岐点価格に至るまで続くことになる。

本問では，両企業の限界費用（＝平均費用）は，ともに20で同一であることから，最終的に市場での価格は$p_{MC}=20$（答）の水準に均衡することになると考えられる。

ベルトラン均衡における各企業の価格水準

このときの企業１の生産量x_1，企業２の生産量x_2は一意には定まらないが，２社の生産量の合計は，$X_{MC}=x_1+x_2=80$となるという条件を満たしている（答）。さらに，価格が損益分岐点価格となるため，企業１の利潤π_1^{**}，企業２の利潤π_2^{**}は，ともに$\pi_1^{**}=\pi_2^{**}=0$（答）となる。

ベルトラン均衡における各企業の生産量と利潤の計算

(3) カルテルには様々な形態があるが，ここでは次の内容のカルテルを締結することを前提とする。

① 価格競争をしない（価格を同一とする）。

② 数量競争をしない（生産量を同一とする）。

企業１と企業２の間で上記内容のカルテルを結ぶ場合，実質的には同一企業の生産活動とみなすことが出来るため，独占状態と同様の状況となる。

したがって，(1)で求めたとおり，均衡価格p^*は60，均衡生産量（均衡における２社の生産量の合計）X^*は40となるため，企業１の価格は60（答），生産量は40÷２＝20（答）となる。他方，企業２も同様に，価格は60（答），生産量は20（答）と計算される。以上より，企業１，企業２ともに利潤は次のように計算される。

企業１（企業２）の利潤＝60×20－20×20＝800　（答）

カルテルを結ぶ場合の各企業の価格，生産量，利潤の計算

次に，独占状態のケース〔**図１**〕を余剰分析すると，次のようになる。

生産者余剰＝□$F0x_1{}^*M$－□$B0x_1{}^*D$

＝60×40－20×40

＝1,600

消費者余剰＝□$A0x_1{}^*M$－□$F0x_1{}^*M$

カルテルを結ぶ場合の余剰分析

$=(100+60)\times 40\div 2-60\times 40$

$=800$

総余剰＝生産者余剰＋消費者余剰

$=1,600+800$

$=2,400$

他方，本問(2)のように，一般的な競争原理に基づき価格が限界費用と等しくなることを前提とすると，余剰は次のようになる。

生産者余剰＝□$B0X_{MC}E$－□$B0X_{MC}E$

$=20\times 80-20\times 80$

$=0$

消費者余剰＝□$A0X_{MC}E$－□$B0X_{MC}E$

$=(100+20)\times 80\div 2-20\times 80$

$=3,200$

総余剰＝生産者余剰＋消費者余剰

$=0+3,200$

$=3,200$

したがって，死荷重が800（＝3,200－2,400）発生して資源配分が非効率になるため，カルテルは禁止されるべきだと言われる。なお，カルテルにより，消費者余剰も2,400（＝3,200－800）減少することになるため，消費者保護の観点から禁止されるべきだとも言われる。

(4) 上記(2)から読み取れる通り，企業間の価格競争が始まると企業利益を損なうことにつながる。したがって，現実の経済では価格競争の圧力を緩和するために，様々な方策が実際の企業でとられている。

具体的には，製品の差別化と合併等の企業提携が挙げられる。製品の差別化には様々な種類があるが，①製品の高付加価値化，技術革新による新製品開発などの品質の差別化，②ブランドイメージ構築，ターゲットのニッチ化などによる誘因の差別化，などが挙げられる。製品差別化は価格以外のものを戦略変数とすることから価格競争そのものを回避することになり，価格競争の圧力を緩和することにつながる。

価格競争圧力を緩和するための方策

企業提携とは，複数の企業が開発・生産・物流などの各分野において協力する関係を意味する。企業提携によるメリットは様々あるが，①各企業の開発技術が融合することにより技術革新が起き易い，②生産規模が拡大し，スケールメリットによるコスト低減効果が得られる，③物流拠点の統廃合等の合理化により，管理コストを削減することができる，④合併により提携先との結合利潤の最大化を図ることになるため競業他社との摩擦を回避することができる。これらのメリットを享受することにより価格競争力を高めることができ，価格競争の圧力を緩和することにつながる。

解答への道

小問(1)は，独占企業の利潤最大化行動をグラフおよび式で分析する，典型的な基本問題である。

小問(2)は，価格を戦略変数とするベルトランモデルからの出題である。2社の生産する製品が全く同質的なケースは，講義・答練の中で直接扱ってはいないが，このような場合，少しでも低く価格を設定した企業が，市場需要量の全てを自己のものとすることができることと，相手の戦略（価格）に対して自らの最適な戦略（価格）を対応させるという（価格）反応関数の概念を正しく理解していれば，正答に辿り着くことはそれほど難しくないと考えられる。なお，(2)については，価格が損益分岐点価格となるため，$x_1 + x_2 = 80$の条件を満たす限り，企業1の生産量x_1，企業2の生産量x_2はどのような水準であっても，各企業の利潤は0となり，無差別である。そのため，数学的には，x_1，x_2は一意には定まらないと考えられるが，企業1と企業2の製品の同質性，費用関数の対称性に注目し，2社が，価格が20のときの市場需要量80を等分すると考えて，$x_1 = x_2 = 40$（答）としても，正答になると考えられる。

小問(3)は，結合利潤（各企業の利潤の和）の最大化と余剰分析に関する問題である。独占の場合と同様であることに気づくことができれば，あとは基本的な知識で解答可能な問題といえるだろう。

小問(4)については，現実の経済を顧みて，企業行動を考える問題である。普段から新聞等に親しんでいないと解答が難しいように感じられるかもしれないが，実際のところ，製品差別化を前提としたベルトランモデルを知っていれば，また，

⑶で見たように，カルテルを結んだ場合に結合利潤が最大化することを踏まえれば，十分解答は可能であろう。

問題❷　ある国で不動産価格が急落したとする。それがマクロ経済に与える影響について，次の問に答えなさい。

⑴　不動産価格の下落はクレジット・クランチを引き起こすことがあると言われている。クレジット・クランチとは何か説明しなさい。クレジット・クランチが企業の投資行動とマクロ経済に及ぼす影響を説明しなさい。ただし，説明に際しては適切な理論モデルに言及しなさい。

⑵　BIS（国際決済銀行）による自己資本比率規制とは何か説明しなさい。「この規制があることにより不動産価格の下落がマクロ経済に及ぼす悪影響が大きくなる」という見方がある。この見方の根拠を説明しなさい。また，その見方の適否を論じなさい。

⑶　中央銀行の最後の貸し手機能とは何か説明しなさい。不動産価格が下落する状況下で中央銀行が果たす役割を，最後の貸し手機能と関連づけながら説明しなさい。

⑷　不動産価格の下落に伴うマクロ経済の悪化を止めるために財政支出を増やしたとする。財政支出の増加が，①利子率，②為替相場，③物価，④産出量，⑤経常収支のそれぞれの変数に及ぼす影響を適切なモデルを用いて説明しなさい。また，「財政支出の増加ではマクロ経済の悪化を止めることはできない」という主張の根拠を説明し，その主張の適否を論じなさい。

解答例

チェック・ポイント

⑴　クレジット・クランチとは，金融市場において急激な信用収縮が発生している状況をさしている。企業の保有する不動産価格が低下すると，当該企業の財務内容が悪化し，また不動産担保融資における担保価値が下落するため，銀行は企業に対する新規および追加融資に対して慎重になる。特に，設問のようにマクロ・レベルで不動産価格が急落した場合，このような銀行によるいわゆる「貸し渋り」が広範にわたって見られることになる。

（クレジット・クランチの説明）

このようなクレジット・クランチの発生が，企業行動およびマクロ経済に与える影響を，IS-LM分析を用いて考察する。当初，経済が〔**図1**〕のE_0点で均衡していたものとする（ただし，図中のY、rは各々国民所得（産出量）および利子率を表している)。ここで，上述のクレジット・クランチが発生した場合，銀行の信用創造機能が低下し，信用乗数が低下するため，貨幣市場において名目貨幣供給量が減少することになる。その結果，LM曲線はLMからLM′に左上方にシフトする。一方，この貨幣市場における利子率の上昇は財市場において企業投資を抑制させることになる。結局新たな均衡はE_1となり，当初と比較して国民所得（産出量）は低下し（$Y_0 \to Y_1$），利子率は上昇することになる（$r_0 \to r_1$）。

クレジット・クランチが投資とマクロ経済に及ぼす影響

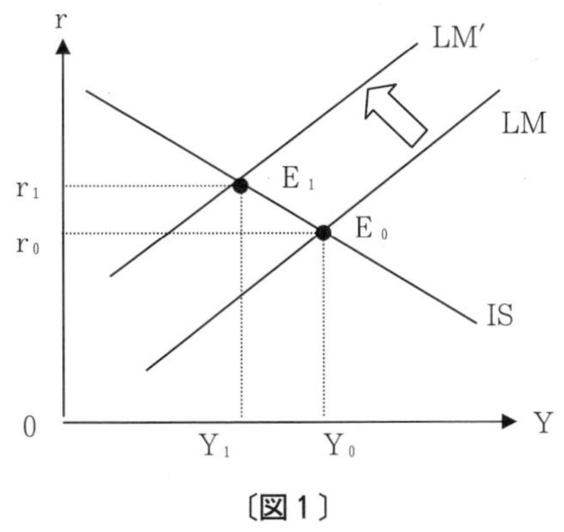

〔図１〕

(2)　BISによる自己資本比率規制（BIS規制）とは，国際業務を行う銀行は一定水準（８％）以上の自己資本比率を保たなくてはならないという取り決めである。ここで，自己資本比率とは信用リスクを有する資産（リスク・アセット）に対する自己資本の割合で，

BIS規制の説明

$$自己資本比率 = \frac{自己資本}{リスク・アセット}$$

によって求められる。ただし，リスク・アセットの評価額は，銀行の保有する個々の資産（債券や企業融資等）を各々の信用リスクで加重したものの合計として求められる。

このようなBIS規制が存在する中で，設問のように不動産価格が下落すると，銀行保有不動産の評価額の低下を通じて，分子である自己資本が減少する。また，不動産価格の低下は(1)で述べたように貸出先企業の信用リスクを増大させるため，分母であるリスク・アセットの評価額を増加させることになる。この結果，不動産価格の低下は銀行の自己資本比率を低下させることになり，銀行はBIS規制をクリアするために企業融資など信用リスクを有する資産の総量を抑制する必要がある。このように，BIS規制の存在は不動産価格の低下時における銀行の貸出抑制を強め，(1)で見たクレジット・クランチによるマクロ経済への悪影響を増幅する可能性がある。

BIS規制がマクロ経済に及ぼす悪影響についての説明

(3) 中央銀行の最後の貸し手機能とは，中央銀行が「銀行の銀行」として市中銀行に対して資金を貸し出す機能をいい，資金不足に陥った市中銀行の経営破綻などを回避し，金融システムの安定化を図るための中央銀行の重要な機能である。

最後の貸し手機能の説明

市中銀行の重要な機能は，預金者から預かった資金を企業などに対して貸し付ける「金融仲介機能」であるが，不動産価格が下落する状況下では，市中銀行は保有する企業向け貸付金の担保価値やREITなどの資産価値の下落による自己資本比率の低下のため，企業などへの新たな貸し出しを減少させることになるが，中央銀行は，最後の貸し手として，市中銀行が保有する社債やCP（コマーシャル・ペーパー）などのリスク資産を買い取ることにより，積極的に民間の信用リスクの一部を自ら引き受け，低下した市中銀行の金融仲介機能を補完・活性化させる役割を果たしている。

中央銀行の役割

(4) 〔**図2**〕のように，変動相場制かつ不完全資本移動（BP曲線が右上がり）を前提としたIS-LM-BP分析（マンデル＝フレミング・モデル）を用いると，クレジット・クランチによるLM曲線のLMからLM′への左方シフトによるマクロ経済の悪化を止めるため，財政支出を増やしたとすると，有効需要の増加によるIS曲線のISからIS′への右方シフトにより均衡はE_2点に移ることから，産出量（国民所得）は増加し，（国内）利子率は上昇する。利子率の上昇による資本流入の増大による資本収支の改善とそれに伴う国際収支の黒字化により，外国通貨に対する超過供給が発生し，

政支出増加の効果

外国通貨安・自国通貨高がもたらされる。この自国通貨高により，BP曲線のBPからBP′への上方シフトと純輸出の減少（経常収支の悪化）に伴うIS曲線のIS′からIS″への左方シフトが生じ，最終的な均衡はE_3点となる。したがって，①利子率は上昇，②（邦貨建て）為替相場は下落（自国通貨高），④産出量は増加し，⑤経常収支は悪化する。また，クレジット・クランチによるLM曲線の左方シフトに起因する総需要曲線（AD曲線）の左方シフトによるマクロ経済の悪化を止めるため，財政支出を増やしたとすると，有効需要の増加によるIS曲線の右方シフトに伴う総需要曲線（AD曲線）の右方シフトにより，③物価は上昇する。

財政政策無効の根拠と適否

「財政支出の増加ではマクロ経済の悪化を止めることはできない」という主張の根拠は，〔**図3**〕のようにIS－LM－BP分析（マンデル＝フレミング・モデル）において，変動相場制かつ完全資本移動（BP曲線が水平）のもとでは，財政支出の増加が，為替相場の下落（自国通貨高）による純輸出の減少で完全に相殺されるというものである。理論的には，変動相場制かつ完全資本移動（BP曲線が水平）の下では，拡張的な財政政策は無効であるが，現実の経済においては，資本移動は不完全であり，BP曲線が右上がりであると考えられるので，拡張的な財政政策は有効であるとした方が妥当である。

各曲線の定義

なお，IS曲線とは，財市場を均衡させる国民所得（産出量）と利子率の組合せの軌跡，LM曲線とは，貨幣市場を均衡させる国民所得（産出量）と利子率の組合せの軌跡，BP曲線は国際収支を均衡させる国民所得（産出量）と利子率の組合せの軌跡である。また，総需要曲線は，IS－LM分析の均衡国民所得（＝財市場と貨幣市場を同時に均衡させる国民所得）と物価水準の組合せの軌跡をいう。

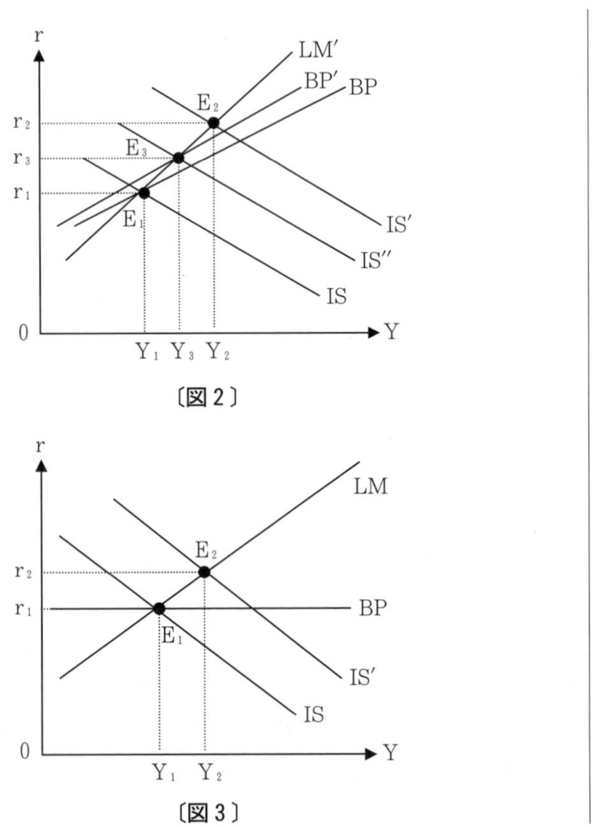

〔図2〕

〔図3〕

解答への道

資産価格（ここでは不動産価格）の変動がマクロ経済全体に与える影響を聞いた問題である。まず，不動産価格の変動は資金の需要サイド（企業・家計）のバランスシートを変化させることによって，その信用力に影響を与えることになる。そして，この借り手の信用力の変化は，資金の供給サイド（銀行）の貸出行動に影響を与えることになる。特に，設問のようにマクロ・レベルで資産価格が急激に下落した場合，金融市場において大きな信用収縮（クレジット・クランチ）が発生する可能性がある。

一方，資産価格の変動は銀行のバランスシートにも影響を及ぼすことになる。ここで，BIS規制であるように銀行に一定以上の自己資本比率が求められているような場合，保有資産の価値下落によって銀行のバランスシートが悪化したとき，銀行は自己資本比率を維持するために保有リスク資産を圧縮しなくてはならない。したがって，このような自己資本比率規制の存在は，銀行による景気順循環的な貸出行動を助長し，経済全体の変動性を高める可能性がある。

いずれにしても，クレジット・クランチの発生によって銀行の信用創造機能が大幅に低下している場合，利子率を低下させることによって名目貨幣供給量を増加させ，民間の投資を誘発するといった伝統的な金融政策の効果は限定的なものになる。ここから，まず金融政策としては中央銀行が市中銀行から社債等のリスク資産を買い取ることによって，企業の民間経済主体の信用低下を中央銀行が補完するような政策が求められるだろう。また，金融市場が麻痺している状況では，そもそも金融政策によってマクロ経済の悪化を食い止めることが出来ない可能性がある。このような場合は，積極的な財政支出によって収縮した民間需要を政府が穴埋めし，経済の底割れを防止するといった施策も必要となってくるだろう。

平成22年度

問題❶ 以下のような同質的なマンションを取引する市場を想定し，次の問に答えなさい。ここで，Ｄは需要戸数，Ｓは供給戸数，ｐは一戸当たりの販売価格を表す。また，このマンションの建築（供給）量に比例して周辺住民に迷惑が及ぶと考えよう。

需要曲線：Ｄ＝3,200－４ｐ　マンション業者の供給曲線：Ｓ＝－400＋２ｐ　近隣住民全体に及ぼす迷惑等の外部費用：Ｃ＝75×Ｓ

(1) このマンション市場が競争的であるとして，市場均衡のマンション販売量，販売価格，消費者余剰（マンション住民の余剰），生産者余剰（マンション業者の余剰），近隣住民への外部費用，社会的総余剰及び資源配分上の損失（死荷重）を計算して解答用紙の表中(1)に記入しなさい。

(2) 最適資源配分（社会的総余剰が最大となるマンション戸数）でのマンション販売量，販売価格（外部費用を販売価格に含める。），消費者余剰，生産者余剰，近隣住民への外部費用，社会的総余剰及び資源配分上の損失を計算して解答用紙の表中(2)に記入しなさい。

(3) このような外部不経済があるマンション市場で最適な資源配分を達成する方法として，価格を用いる方法（課税と減産補助金）と，交渉による方法があるが，これらについて説明しなさい。

解答例

チェック・ポイント

(1)及び(2)

	市場均衡 (1)	最適資源配分 (2)
販売量	800	700
販売価格	600	625
消費者余剰	80,000	61,250
生産者余剰	160,000	175,000
外部費用	60,000	52,500
社会的総余剰	180,000	183,750
資源配分上の損失	3,750	0

各項目の計算結果

(3) 外部不経済があるマンション市場で最適な資源配分を達成する方法として，まず価格を用いる方法（ピグー的課税・補助金政策）について述べる。第1に，政府がマンション業者に対してマンションの建築（供給）1単位当たり，（社会的に最適な生産量における）外部不経済に伴う限界損失に等しい金額である75の従量税を課税する方法がある。この方法により，マンション業者の限界費用が75だけ増加するため，供給曲線（私的限界費用曲線）は外部不経済に伴う限界損失に等しい金額である75だけ上方に平行シフトし，社会的限界費用曲線と一致するため，最適な資源配分である戸数700が実現できる（下図参照）。第2に，政府がマンション業者に対してマンションの供給を1単位減らすごとに，同上の金額である75の従量補助金（減産補助金）を与える方法がある。従量補助金（減産補助金）は，企業が追加的に1単位生産を行う場合，獲得を断念することになる金額であり，機会費用に相当する。このような機会費用についても，分析上考慮するため，減産補助金によっても，マンション業者の供給曲線（私的限界費用曲線）は従量税のケースと同様に，75だけ上方に平行シフトし，社会的限界費用曲線と一致するため，最適な資源配分である戸数700が実現できる（下図参照）。

価格を用いる方法

次に，当事者であるマンション業者と周辺住民の間の自発的な交渉による方法について述べる。外部性の発生源であるマンション業者に，利潤を最大化する権利がある場合には，交渉は戸数800からスタートし，外部性の受け手である周辺住民がマンション業者に補償金を支払い，減産を求めることになる。この際の補償金の総額は，減産によるマンション業者の利潤の減少分以上，減産による周辺住民の外部性に伴う損失の減少分以下となる。一方，周辺住民に，外部性による損失を受けない権利がある場合には，交渉は戸数0からスタートし，マンション業者が周辺住民に補償金を支払い，増産を求めることになる。この際の補償金の総額は，増産による周辺住民の外部性に伴う損失の増加分以上，増産によるマンション業者の利潤の増加分以下となる。以上のような当事者間の経済合理的・自発的な交渉により，社会的に最適な資源配

交渉による方法

分が実現する。その際，外部性の発生源の経済主体が私的な利益を最大化する権利をもつか，外部性の受け手の経済主体が外部性を受けない権利をもつかは，結論とは無関係であるという主張を，コースの定理という。

コースの定理が成立するためには，（ⅰ）外部性を発生する主体と，外部性による影響を受ける主体のどちらに権利が認められているかが明確であること，（ⅱ）交渉をすることのコストが無視できるほどに小さいこと，（ⅲ）当事者どうしがお互いに，相手の（限界）便益や（限界）損失の大きさを熟知していること，（ⅳ）所得の移転にともなって限界条件が変化しないこと，といった条件が必要となる。上記の条件の下で，社会的に最適な生産量が実現されるとき，

社会的に最適な生産量の下での総余剰

>市場メカニズムの下での総余剰

という関係が成り立つので，その差額をうまく当事者どうしの交渉により分配すれば，当事者すべての経済厚生がより改善されるような状態を実現することができる。

コースの定理が成立するための前提条件

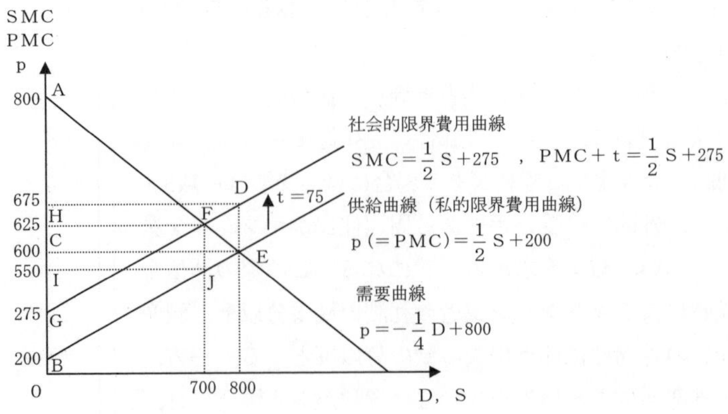

解答への道

⑴ 与えられた需要曲線（需要関数）とマンション業者の供給曲線（供給関数）から，市場逆需要関数と市場逆供給関数はそれぞれ，

$$p=-\frac{1}{4}D+800 \quad \cdots\cdots \quad \text{市場逆需要関数} \qquad ①$$

$$p=\frac{1}{2}S+200 \quad \cdots\cdots \quad \text{市場逆供給関数} \qquad ②$$

と表すことができる。②式の市場逆供給関数は，マンション業者の直面する限界費用であり，私的限界費用（ＰＭＣ）と考えることができる。

一方，与えられた近隣住民全体に及ぼす迷惑等の外部費用をＳで微分することにより，外部不経済に伴う限界損失（ＭＤ）が，ＭＤ＝75と求められるため，マンションの供給に関する社会的限界費用（ＳＭＣ）は，

$$SMC=PMC+MD=\frac{1}{2}S+275 \qquad ③$$

と求められる。

①式と②式において，Ｄ＝Ｓとして連立して解くことにより，市場均衡におけるマンション販売量が$D^*=S^*=800$，販売価格が$p^*=600$と求められる。市場均衡は，**〔図１〕**のＥ点で表される。余剰分析を行うと，以下のようになる。

消費者余剰（マンション住民の余剰）＝△ＡＣＥ

$$=\frac{1}{2}\times 200\times 800=80,000 \qquad ④$$

生産者余剰（マンション業者の余剰）＝△ＣＢＥ

$$=\frac{1}{2}\times 400\times 800=160,000 \qquad ⑤$$

近隣住民への外部費用＝□ＧＢＥＤ＝75×800＝60,000 ⑥

社会的総余剰＝△ＡＣＥ＋△ＣＢＥ－□ＧＢＥＤ

＝△ＡＧＦ－△ＦＥＤ＝180,000 ⑦

資源配分上の損失（死荷重）＝△ＦＥＤ＝3,750 ⑧

（注）資源配分上の損失（死荷重）は，後述する⑵の最適資源配分における社会的総余剰（△ＡＧＦ）と，⑴の社会的総余剰（△ＡＧＦ－△ＦＥＤ）の

差で求めることができる。

(2) ①式と③式において，p＝SMC，D＝Sとして連立して解くことにより，最適資源配分におけるマンション販売量が$D^{**}=S^{**}=700$，販売価格が$p^{**}=625$と求められる。この資源配分は，〔**図1**〕のF点で表される。余剰分析を行うと，以下のようになる。

消費者余剰（マンション住民の余剰）$=\triangle AHF=\frac{1}{2}\times 175\times 700$

$=61,250$ ⑨

生産者余剰（マンション業者の余剰）$=\square HBJF=\frac{1}{2}\times(425+75)$

$\times 700=175,000$ ⑩

近隣住民への外部費用$=\square GBJF=75\times 700=52,500$ ⑪

社会的総余剰$=\triangle AHF+\square HBJF-\square GBJF$

$=\triangle AGF=183750$ ⑫

資源配分上の損失（死荷重）$=0$ ⑬

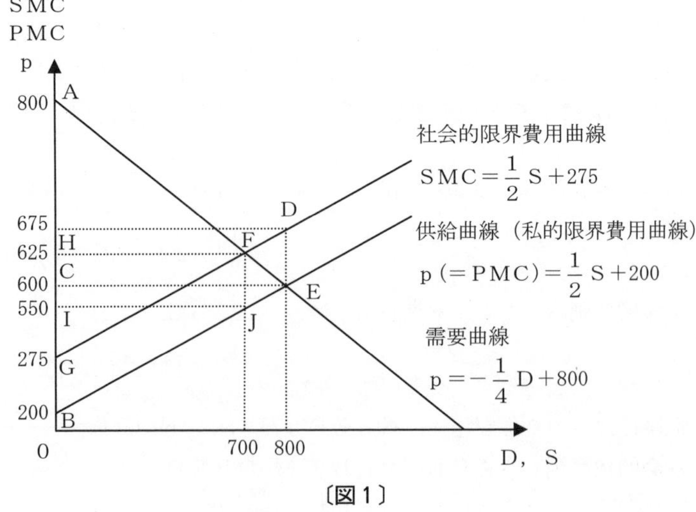

〔**図1**〕

(3) 外部不経済がある市場で最適な資源配分を達成する方法（外部性の内部化の方法）として，まず，ピグー的課税・補助金政策が考えられる。具体的には，政府が生産者に対して生産1単位当たり，社会的に最適な数量における外部不経済に伴う限界損失に等しい金額の従量税を課税する方法，または，政府が生産者に対して減産１単位当たり，社会的に最適な数量における外部不経済に伴う限界損失に等しい金額の従量補助金（減産補助金）を与える方法がある。経済学では，この減産補助金のような，いわゆる機会費用も，分析上（意思決定上）考慮することに留意する必要がある。これらの方法により，供給曲線（私的限界費用曲線）は外部不経済に伴う限界損失に等しい金額分だけ上方に平行シフトし，最適な資源配分が実現できる。

次に，当事者どうしの経済合理的・自発的な交渉について述べる。当事者どうしの交渉は，コースの定理に基づいた解決策である。コースの定理が成立するためには，

i　外部性を発生する主体と，外部性による影響を受ける主体のどちらに権利が認められているかが明確であること

ii　交渉をすることのコストが無視できるほどに小さいこと

iii　当事者どうしがお互いに，相手の（限界）便益や（限界）損失の大きさを熟知していること

iv　所得の移転にともなって限界条件が変化しないこと

といった条件が必要となる。上記の条件の下で，社会的に最適な生産量が実現されるとき，

社会的に最適な生産量の下での総余剰
　　＞市場メカニズムの下での総余剰　　⑭

という関係が成り立つので，その差額をうまく当事者どうしの交渉により分配すれば，当事者すべての経済厚生がより改善されるような状態を実現することができる。

問題❷　次の問に答えなさい。なお，解答に当たっては政府の財政活動及び海外部門は無視することとする。

(1)　資産価格の上昇により，資産効果が発生し，それが将来的に続くと考えられる場合に，企業部門の投資はどうなるか。投資の限界効率について説明した上で，経済全体の投資の限界効率表を用いて答えなさい（(1)のみにおいては，実質利子率は一定であると仮定しなさい。）。

(2)　資産価格の上昇により，資産効果が発生した場合に，国民所得，利子率及び物価水準はどうなるか。ＩＳ－ＬＭ分析及びＡＤ－ＡＳ分析により示しなさい。なお，曲線のシフトについては，なぜその曲線がその方向にシフトするのかあわせて解説すること。

(3)　資産価格の上昇は，金融面からはマクロ経済にどのような影響を及ぼすか。国民所得，利子率及び物価水準への影響をＩＳ－ＬＭ分析及びＡＤ－ＡＳ分析により示しなさい。なお，曲線のシフトについては，なぜその曲線がその方向にシフトするのかあわせて解説すること。

(4)　(3)のメカニズムが続くと，どのような弊害を生じうるか。また，特にその弊害に対処するため，金融面では例えばどのような政策が考えられるか。

解答例

チェック・ポイント

(1)　投資の限界効率（ρ）とは，投資の予想収益率をいい，

$$C=\frac{Q_1}{1+\rho}+\frac{Q_2}{(1+\rho)^2}+\cdots+\frac{Q_n}{(1+\rho)^n} \qquad ①$$

の関係式をみたす。ただし，Ｃ：投資費用，Q_1：企業の第ｉ期（ｉ＝1, 2, …, ｎ）の予想収益である。

投資の限界効率の説明

家計部門の消費関数が国民所得と資産価格の増加関数であると仮定すると，将来的に続くと考えられる資産価格の上昇により，家計部門の消費が増加するという資産効果が発生すると，企業の各期の予想収益が増加することになるため，Ｃ（投資費用）一定の下では，①式の関係式をみたすために，投資の限界効率（ρ）は上昇する必要がある。

資産価格の上昇による投資の限界効率の上昇

個別企業の投資の限界効率表とは，横軸に投資額，縦軸に投資の限界効率をとった平面において，企業の投資が，投資の限界効

率が高い順に実施されるという仮定から右下がりに描かれるグラフである。そのため，個別企業の投資の限界効率表を集計したものである経済全体の投資（I）の限界効率表もまた右下がりの曲線になると考えられる。

投資の限界効率表の説明

企業は，投資の限界効率（ρ）と実質利子率（r）が一致する水準まで投資を実施すると考えられるので，経済全体の投資関数は，経済全体の投資の限界効率表の縦軸の変数である投資の限界効率（ρ）を実質利子率（r）におきかえることにより求められる。したがって，経済全体の投資関数は，経済全体の投資の限界効率表と同一の右下がりの形状を有する。

投資関数の説明

一定の実質利子率 r_0 の下で，資産価格の上昇に伴う資産効果により投資の限界効率が上昇すると，経済全体の投資関数は，$I = I(r)$ から $I = I'(r)$ へ上方にシフトするため，企業部門の投資（I）は，I_0 から I'_0 へ増加することになる〔**図1**〕。

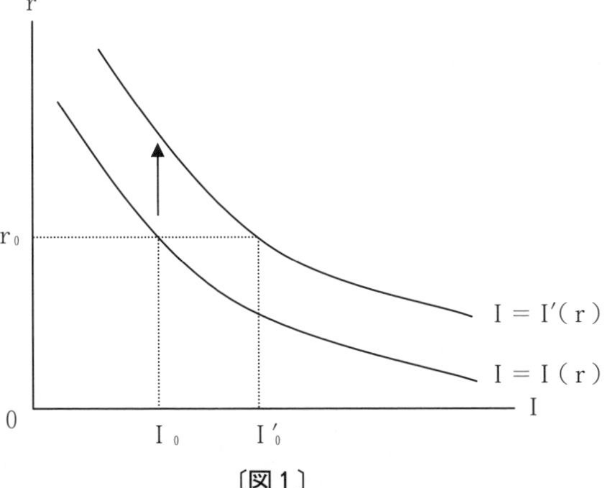

〔**図1**〕

資産価格の上昇が企業部門の投資に及ぼす効果

(2) (1)から，資産価格の上昇によって家計部門の消費及び企業部門の投資は増加すると考えられる。これらの効果は，財市場における総需要を拡大させ，〔**図2**〕においてIS曲線は IS_1 から IS_2 へと右方向にシフトし，新たな均衡はF点へと移る（ただし，図中のY，r，Pはそれぞれ国民所得，利子率及び物価水準を表している）。これを資産価格上昇前の均衡E点と比較すると，国民所得はＹ$_1$からＹ$_2$へと増加しており，また利子率はｒ$_1$からｒ$_2$へと上昇している。さらに，この総需要の拡大はＡＤ曲線を右方向にシフトさせる（**〔図３〕**のＡＤ$_1$⇒ＡＤ$_2$)。その結果，経済の均衡はＧ点からＨ点に推移し，物価水準はＰ$_1$からＰ$_2$へと上昇することになる。

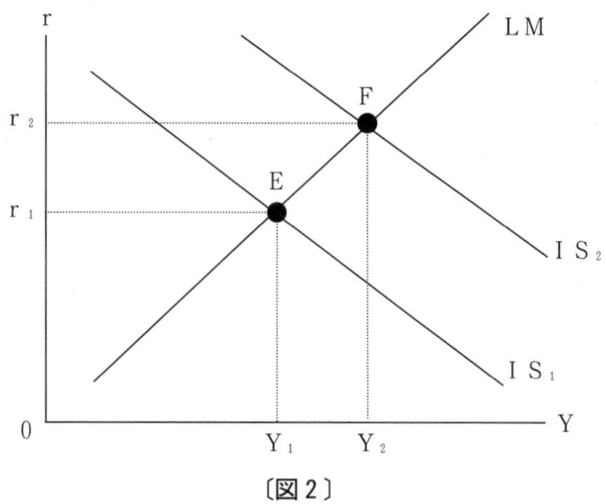

〔図２〕

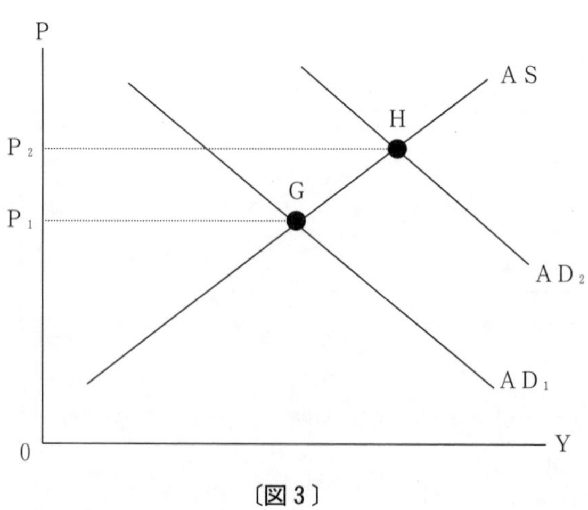

〔図３〕

資産価格の上昇が，国民所得，利子率及び物価水準に及ぼす効果と曲線のシフト方向の説明

(3)　企業や家計の保有する資産の資産価格が上昇すると，当該企業の財務内容が改善したり，それらの資産を担保とする融資の際の担保価値が上昇したりするため，銀行は企業や家計に対する新規

及び追加融資を積極的に行うようになる。このような銀行行動がマクロ経済変数（国民所得，利子率及び物価水準）に与える影響を，ＩＳ－ＬＭ分析およびＡＤ－ＡＳ分析を用いて考察する。

当初，経済が**〔図４〕**のE_0点及び**〔図５〕**のF_0点で均衡していたものとする。ここで，銀行が積極的な融資行動を行った場合，貨幣（信用）乗数の上昇を通じて，貨幣市場において名目貨幣供給量が増加することになる。この結果，ＬＭ曲線はLM_0からLM_1に右下方シフトし（**〔図４〕**），総需要曲線もＡＤからＡＤ′へと右方シフトすることになる（**〔図５〕**）。

したがって，物価水準がP_0のままで変化しなければ，国民所得はY_0からY_1へと増加する。ただし，このとき物価水準がP_0の下では総需要が総供給を上回ってしまうため，物価水準はP_2へ上昇し，その結果，ＬＭ曲線がLM_1からLM_2へ左上方にシフトするとともに，国民所得はY_1からY_2へ減少する。

結局，新たな均衡は**〔図４〕**のE_2点および**〔図５〕**のF_2点となり，当初と比較して，国民所得はY_0からY_2へ増加し，利子率はr_0からr_2へ下落する。このとき，ディマンド・プル・インフレーションが発生しており，物価水準はP_0からP_2へ上昇することになる。

資産価格の上昇が金融面を通じて国民所得，利子率及び物価水準へ及ぼす影響と曲線のシフト方向の説明

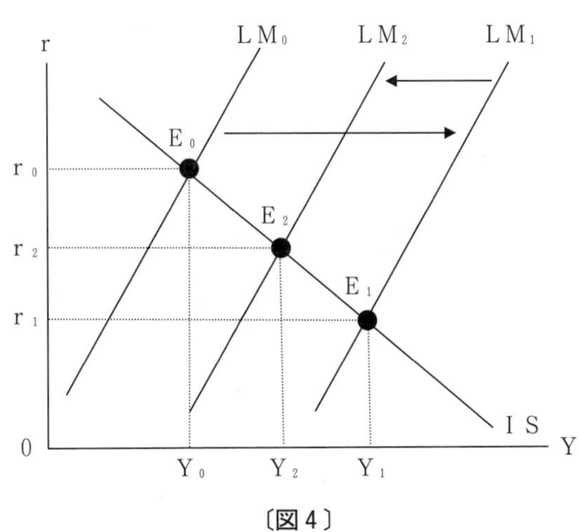

〔図４〕

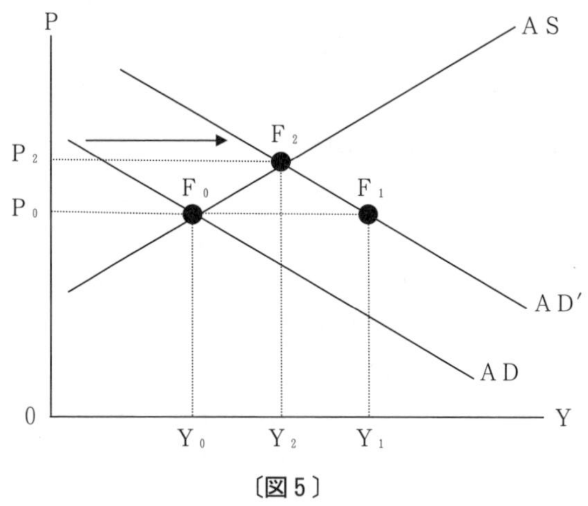

〔図5〕

(4) (3)のメカニズムでは，資産価格の上昇によって信用が拡大し，これが財需要及び資産需要を増加させて，物価水準及び資産価格を上昇させる結果となる。したがって，このメカニズムによって継続的な物価水準及びさらなる資産価格の上昇が発生し，これらがマクロ経済に対する弊害となりうる。これらに対処するためには，中央銀行による金融引き締め政策が考えられる。資産価格の上昇時に，中央銀行が貨幣供給量を減少させることによって，財及び資産に対する需要を抑制し，継続的な物価水準及び資産価格の上昇メカニズムを止めることができると考えられる。

資産価格の上昇が金融面を通じてもたらす弊害

弊害に対処する金融政策

解答への道

小問(1)及び小問(2)は，資産価格の上昇が財市場における総需要に与える影響を問うた，典型的な問題である。一般に，資産価格の上昇は，家計部門の消費及び企業部門の投資の増加を通じて，財市場における総需要を拡大させる。この総需要の増加は，国民所得の増加，利子率の上昇及び物価水準の上昇をもたらすことになる。

一方，小問(3)及び小問(4)は，資産価格の上昇が金融市場を通じて，マクロ経済に与える影響を問うている。資産価格の上昇は，信用拡大を通じて財及び資産への需要を増加させ，これが物価水準の上昇とさらなる資産価格の上昇をもたらす。

このような循環がひとたび発生すると，経済では継続的な物価水準及び資産価格の上昇が見られるようになる。解答では，右上がりのＡＳ曲線を仮定していたが，ＡＳ曲線が垂直部分を持つ場合，国民所得はやがて完全雇用国民所得の水準に到達するため，その後の資産価格の上昇は物価水準の上昇という弊害のみをもたらすことになる。したがって，継続的な資産価格の上昇に対しては，何らかの政策的な対処が必要となるだろう。

◇❯ 平成23年度

問題❶　立地など他の条件は全く同じであるが，質の異なる２種類の戸建て住宅市場を想定し，次の問に答えなさい。市場では，需要者は良質な住宅に対しては5,000万円の需要価格（支払意思額；住宅を買っても良いと思っている価格）を持っており，質の悪い住宅に対しては3,000万円の需要価格を持っているとする。また，質の良い住宅の供給価格は4,500万円，質の悪い住宅の供給価格は2,500万円であり，市場には質の良い住宅と質の悪い住宅が１対１で存在するとする。なお，需要者は危険中立的だと仮定する。

⑴　需要者が，個々の住宅の質を分かっている場合に，住宅市場ではどのような取引が生じるかについて説明しなさい。

⑵　需要者が，個々の住宅の質は分からないが，市場に質の良い住宅と質の悪い住宅が１対１の割合で存在することは知っているとする。その時，需要者の需要価格はどうなるか。その時の需要曲線と供給曲線を図１に描き，市場でどのような取引が生じるかについて説明しなさい。

⑶　住宅の質に関する情報が需要者と供給者で異なっている場合（情報の非対称性）に発生する「市場の失敗」を経済学用語では何と言われているか。また，その場合どのような問題があるかを説明しなさい。

⑷　⑶と同様に，賃貸住宅で借家人の質に関する情報の非対称性が存在するときに，どのような「市場の失敗」が生じるか説明しなさい。

⑸　⑶及び⑷の「市場の失敗」に対して，日本ではどのような施策が採られているか。また，その施策の問題点は何かを説明しなさい。

解答例

チェック・ポイント

⑴　需要者が，個々の住宅の質を分かっている場合，まず，良質な住宅に関しては，需要価格（5,000万円）が供給価格（4,500万円）を上回っているため，売買取引が成立する。つぎに，質の悪い住宅に関しても，需要価格（3,000万円）が供給価格（2,500万円）を上回っているため，売買取引が成立する。

売買取引が成立することの説明

需要者が，個々の住宅の質を分かっている場合には，良質な住宅と質の悪い住宅はそれぞれ別個の財と捉えられることになるため，良質な住宅と質の悪い住宅の売買取引が，それぞれ別の市場で別個に成立する。この場合，住宅市場において「市場の失敗」は発生しないものと考えられる。

(2) 需要者が，個々の住宅の質は分からない場合，質の良い住宅も質の悪い住宅も同じ市場で考えることになり，一物一価の法則により，いずれの住宅も同一の価格が成立することになる。需要者が，市場に質の良い住宅と質の悪い住宅が1対1の割合で存在することは知っている場合，危険中立的な需要者の需要価格は，良質な住宅に対する需要価格と質の悪い住宅に対する需要価格の（加重）平均（期待値）になるものと考えられる。需要者の需要価格は，以下のように計算される。

$$\frac{1}{2}\times 5,000+\frac{1}{2}\times 3,000=4,000\text{（万円）}$$

需要者は，市場価格が4,000万円以下ならば住宅を需要し，4,000万円超ならば住宅を需要しないものと考えられる。

需要者の需要価格について

一方，供給者は，市場価格が2,500万円未満ならばいずれの住宅も供給せず，2,500万円以上・4,500万円未満ならば質の悪い住宅のみを供給し，4,500万円以上ならば質の悪い住宅と質の良い住宅を両方供給するものと考えられる。このときの需要曲線と供給曲線は，〔**図1**〕の実線のようになる。

供給曲線について

このとき，市場均衡はE点となり，均衡価格は4,000万円となる。供給者はこの価格では質の悪い住宅のみを供給することから，市場では質の悪い住宅の売買取引のみが生じ，質の良い住宅の売買取引はなされないことになる。

その後，需要者も，質の悪い住宅のみが流通していることにいずれ気づき，需要価格を3,000万円まで引き下げることになり，需要曲線は下方シフトすると考えられる（〔**図1**〕の破線）。長期的には，市場均衡は〔**図1**〕のF点となり，均衡価格は3,000万円まで下落することになると考えられる。

市場均衡の説明

(3) 一般に，市場メカニズムが効率的な資源配分をもたらさないケースを，「市場の失敗」とよぶ。住宅の質に関する情報が需要者と供給者で異なっている場合（情報の非対称性）に発生する「市場の失敗」は，経済学用語では「逆選択（アドバースセレクション）」と言われている。本問では，情報の非対称性により，市場では質の悪い住宅のみが供給され，質の良い住宅の供給はなされないという逆選択の問題が生じることになる。

逆選択の説明

(4) 賃貸住宅で借家人の質に関する情報の非対称性が存在するときには，家主が借家人の質を判別できず，結果として質の悪い借家人を選択してしまうという逆選択の問題が生じうる。

家主は，期日通りに家賃を支払い，住居をきれいに使おうと考えている質のよい借家人には比較的低額の家賃を，そうではない質の悪い借家人には比較的高額の家賃を要求するものと考えられる。市場には，質の良い借家人と質の悪い借家人の両方が存在するものと考えると，家主の提示する家賃は，(2)と同様，期待値を考え，両者の（加重）平均となるであろう。このとき，質の良い借家人はこの物件を選択しないものと考えられるため，入居者は質の悪い借家人のみになるものと考えられる。このとき，質の良い（潜在的な）借家人が，（適正賃料の）賃貸住宅を借りることができないという「市場の失敗」が生じる。

逆選択の説明

(5) まず，(3)の「市場の失敗」については，情報を持つ住宅の供給者が，情報を持たない住宅の需要者に対して，質を判別できる情報を発するという施策（シグナリング）が採られている。具体的には，取引の際に，耐震性能や遮音性などの品質を明示すること（住宅性能表示制度）や，不具合があった場合に一定期間内であれば無料で修理をするといった保証を行うこと（瑕疵担保責任制度）がこれに該当する。前者の施策については，本来第三者機関が評価を行うべきところ，売り手と関係の深い者が品質を偽装して保証を行い，コストの低い質の悪い住宅を質の良い住宅と見せかけて販売するといった問題点が考えられる。

(3)に関する施策と問題点

つぎに，(4)の市場の失敗については，賃貸契約前の入居審査の段階で，借家人の属性を開示させ，家賃の支払意思や能力がない，あるいは部屋を乱暴に使おうとしているような質の悪い借家人を排除するという施策（スクリーニング）が採られている。この施策については，借家人のプライバシーを侵害するおそれがあるという問題点がある。さらに，賃貸契約後の借家人の行動を観察することは難しいため，借家人のモラルハザードによる住居の汚損等を完全に防止することは困難であるという問題点も考えられる。また，敷金や保証金という形で賃貸契約時に一定の金員を借家人から預かり，住居の汚損等の問題があった場合にこれらを用いて対処するという施策も採られている。この施策については，契約時の借家人の負担が高額になるため取引が活発になりにくいという問題点の他，退去時の返還トラブルについても問題点となるおそれがある。

(4)に関する施策と問題点

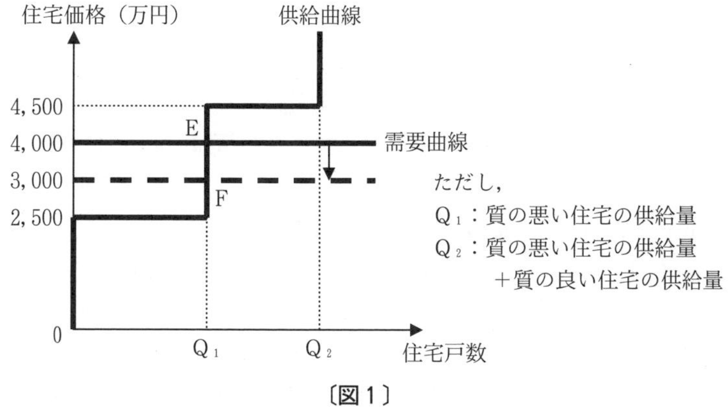

〔図1〕

解答への道

(1) 需要者が，追加的な1単位の需要に際して最大限支払っても良いと考える金額を，「需要価格」とよぶ。供給者が，追加的な1単位の供給に際して最低限受け取りたいと考えている金額（＝限界費用）を，「供給価格」とよぶ。需要価格が供給価格を上回る場合，取引が成立する。

(2) 不確実な状況下における危険中立的な需要者の需要価格は，良質な住宅に対する需要価格と質の悪い住宅に対する需要価格の（加重）平均（期待値）になるものと考えられる。期待値は，

（確率）×（値） の合計

で定義される。市場に質の良い住宅と質の悪い住宅が1対1の割合で存在する

ものとすれば，質の良い住宅を選ぶ確率も，質の悪い住宅を選ぶ確率も，ともに $\frac{1}{2}$ と考えられることから，本問における需要者の需要価格は，以下のように計算される。

$$\frac{1}{2}\times 5,000+\frac{1}{2}\times 3,000=4,000\ (\text{万円})$$

(3) 取引される財・サービスの品質ないし契約相手の属性に関して，売手と買手の間に情報の非対称性が存在する場合（不完備情報），逆選択（逆淘汰，アドバースセレクション）の問題が生じうる。一般に，情報の非対称性（不完備情報）のため，品質の劣る財・サービスが市場に多く出回り，品質の良い財・サービスの取引が阻害されるという現象を，逆選択とよぶ。逆選択は，本問の住宅市場の他，中古車市場，保険市場などでも起こりうる現象である。

(4)，(5)

本問では，借家人は自らの質に関する情報を十分に有しているのに対し，家主は借家人の質を正しく知ることができないという形の情報の非対称性を考える。このとき，(3)と同様，逆選択の問題が生じることになるが，その他，モラルハザード（道徳的危険）の問題も生じうると考えられる。

モラルハザードは，契約が結ばれた後に，契約相手の行動を観察することが不可能であるか，あるいは観察可能でも確証を得ることができないという形の情報の非対称性が存在する場合に，契約後において観察できない行動をとりうる経済主体が，自己の利益のために相手に損害を及ぼすような行動をとることをいう。本問においては，賃貸契約後に，借家人が住居を乱暴に使うことにより家主に損害を及ぼすような行動をとることが考えられる。モラルハザードはその他，自動車事故賠償保険，銀行の融資，固定給の労働者などでも起こりうる現象である。

MEMO

問題❷ 次の問に答えなさい。

⑴ 短期のケインジアンモデル（価格及び賃金一定）の財市場を考える。租税及び海外部門は無視し，利子率及び民間投資は一定とする。政府支出の乗数効果と限界消費性向についてそれぞれ何かを説明し，両者の関係を式で示しなさい。記号は適宜設定すること。

⑵ 短期のケインジアンモデル（価格及び賃金一定）の利子率と貨幣の需給量の関係を図示し，説明しなさい。次いで貨幣市場が均衡する利子率と国民所得の関係を図示し，説明しなさい。図中の線がなぜそのような形状になるのかも併せて説明しなさい。記号は適宜設定すること。

解答例

チェック・ポイント

⑴ 利子率が一定の下で，政府支出GをΔGだけ増加させると，均衡国民所得Y^*は政府支出乗数$\frac{1}{1-c}$倍増加する。このように，政府支出の増加がその政府支出の増加よりも大きな国民所得の増加をもたらすことを，政府支出の乗数効果という。cは，限界消費性向であり，国民所得が追加的に1単位増加したときの消費の増加分をいう。限界消費性向は，$0 < c < 1$をみたす値である。政府支出の乗数効果は，

（政府支出の乗数効果の説明）

（限界消費性向の説明）

$$\Delta Y^* = \frac{1}{1-c}\Delta G$$

と定式化できる。これは，消費関数を$C = cY + C_0$（C：消費，C_0：基礎消費），民間投資をIとした場合の財市場の均衡条件式$Y = C + I + G$をYについて解くことにより，

$$Y = C + I + G = cY + C_0 + I + G$$

$$Y^* = \frac{C_0 + I + G}{1-c}$$

を求め，Y^*のGについての変化分をとることにより求めることができる。限界消費性向のとりうる値が$0 < c < 1$の範囲であるため，政府支出乗数$\frac{1}{1-c}$は1よりも大きい値をとる。政府支

（政府支出の乗数効果の定式化）

出が乗数効果をもつのは，政府支出の増加によりもたらされる国民所得の増加が，次々と消費の増加を誘発するためである。このことを定式化すると，

$$\Delta Y^* = \Delta G + c\Delta G + c^2\Delta G + \cdots = \frac{1}{1-c}\Delta G$$

となる。

(2) 名目貨幣供給量（名目マネー・ストック）Mは，現金通貨と預金の合計であり，物価水準をPとすると，実質貨幣供給量は $\frac{M}{P}$ と表され，名目貨幣供給量が利子率に依存しないものとすると，利子率と実質貨幣供給量の関係は，〔図1〕の垂直線で表現できる。貨幣需要Lは，貨幣の取引需要$L_1(Y)$と貨幣の投機的需要$L_2(r)$の合計からなる（$L = L_1(Y) + L_2(r)$）。貨幣の取引需要は，貨幣を取引（支払）手段として保有しようとする貨幣需要である。国民所得Yの増加にともなって，貨幣を取引手段として保有する必要性が増大することから，貨幣の取引需要$L_1(Y)$は，国民所得Yの増加関数である。貨幣の投機的需要は，貨幣を安全資産として保有しようとする貨幣需要である。利子率rの上昇により，貨幣と代替的な金融資産である債券の価格が下落し，これにより将来のキャピタル・ゲインを狙う投資家が増加することになり，資産としての債券需要が増加する一方で，貨幣の投機的需要は減少することになる。したがって，貨幣の投機的需要は，利子率rの減少関数となる。横軸に実質貨幣需要L，縦軸に利子率rをとると，一定の国民所得Y_1の下で，利子率に依存する貨幣需要は，貨幣の投機的需要のみとなるため，実質貨幣需要曲線は，右下がりの形状を有する。〔図1〕において，一定の国民所得Y_1の下での貨幣市場の均衡は，E_1で示され，均衡利子率は，r_1となる。〔図1〕において，一定の国民所得がY_1からY_2に増加すると，国民所得Yの増加関数である貨幣の取引需要$L_1(Y)$が増加するため，実質貨幣需要曲線は，右方にシフトする。その結果，貨幣市場の超過需要を解消するために利子率が上昇して貨幣の投機的需要が減少する必要があることから，均衡利子率は

実質貨幣供給量

貨幣の取引需要

貨幣の投機的需要

実質貨幣需要曲線

貨幣市場の均衡

r_1からr_2へ上昇する。貨幣市場を均衡させる国民所得と利子率の組合せの軌跡をＬＭ曲線というが，〔**図２**〕において，国民所得の増加に伴う貨幣の取引需要の増加により，貨幣市場の均衡利子率は上昇するため，F_1点とF_2点をプロットして描いた貨幣市場を均衡させる国民所得と利子率の組合せの軌跡であるＬＭ曲線は，右上がりの形状を有する。

貨幣市場が均衡する利子率と国民所得の関係

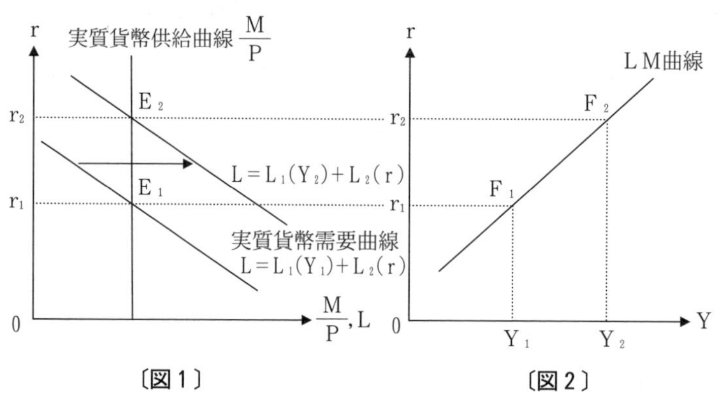

〔**図１**〕　〔**図２**〕

解答への道

(1)　閉鎖経済の45度線分析に関する出題である。限界消費性向の定義とその値のとりうる範囲を示したうえで，政府支出の増加が，その政府支出乗数倍の国民所得を増加させること説明し，定式化すればよい。また，乗数過程の各段階における国民所得の増加分を合計することにより，政府支出の乗数効果を説明すると，より丁寧な解答になる。

(2)　貨幣市場の部分均衡分析に関する出題である。利子率と貨幣の需給量の関係については，実質貨幣供給曲線は，名目貨幣供給量が利子率に依存しない場合には，垂直線になることを説明し．貨幣需要Ｌについては，国民所得の増加関数である貨幣の取引需要$L_1(Y)$と利子率の減少関数である貨幣の投機的需要$L_2(r)$の合計からなることを説明する必要がある。そして，財市場で決定される国民所得を所与のものとすると，利子率に依存する貨幣需要は，貨幣の投機的需要のみとなるため，実質貨幣需要曲線は，右下がりの形状を有することを説明し，実質貨幣供給曲線と実質貨幣需要曲線の交点で貨幣市場が均衡することを指摘すればよい。

貨幣市場が均衡する利子率と国民所得の関係については，国民所得の増加に伴う貨幣の取引需要の増加により，貨幣市場の均衡利子率は上昇するため，貨幣市場を均衡させる国民所得と利子率の組合せの軌跡であるＬＭ曲線は，右上がりの形状を有することを説明すればよい。

◇ 平成24年度

問題❶

(1) 同質で競争的であり，外部性のない賃貸住宅市場を想定して，次の問に答えなさい。賃貸住宅需要関数，民間賃貸住宅供給関数を下記のように設定し，補助政策を採らなかったケース０，この賃貸住宅市場で消費者に１戸当たり150／月の補助金を与えたケース１と，政府が1,500戸の賃貸住宅を供給するケース２を考える。この３つのケースの賃貸住宅取引量，賃貸住宅家賃と，消費者余剰（居住者の余剰），生産者余剰（民間賃貸住宅供給者の余剰），補助金総額，社会的総余剰，資源配分上の損失（死荷重）などを計算して解答用紙表(1)に記入して表を完成させなさい。なお，政府も民間の賃貸住宅供給者と同じ費用関数を持つものとする。

賃貸住宅需要関数（戸）：$D = 5,000 - 5p$

民間賃貸住宅供給者の供給関数（戸）：$S = -4,000 + 10p$

pは月当たり家賃

(2) 次に，補助政策の家計の行動を見ていく。各世帯の予算制約と住宅とその他財の無差別曲線を解答用紙図のように設定する。補助規制策がない時は，解答用紙図中のＥのように，月収100,000円で，家賃1,000円／㎡・月で40㎡の住宅に住み，その他財（その他財価格を１とする）を60,000の消費をしているとする。以下，住宅の㎡当たりの家賃は一定とする。ここで，どのような住宅家賃に対しても住宅家賃の半額を補助金として与えた結果，80㎡の住宅に住んで60,000のその他財を消費するケースＡと，家計にケースＡと同額の所得補助金（使途自由）を与えたケースＢの予算制約線と無差別曲線を解答用紙図に描き加え比較して住宅市場の効率性の観点から論じなさい。

(3) (1)及び(2)を基に住宅に対する補助制度のあり方を効率性から検討し，現状の日本の住宅補助制度に関して住宅市場の効率性と公平性の観点から論じなさい。

解答例

チェック・ポイント

(1)

	ケース 0	ケース 1	ケース 2
賃貸住宅の家賃	600	650	500
賃貸住宅取引量	2000	2500	2500
居住者消費者余剰	400000	625000	625000
民間住宅供給業者生産者余剰	200000	312500	50000
補助金		375000	
供給者の赤字			112500
社会的総余剰	600000	562500	562500
資源配分上の損失	0	37500	37500

(2)

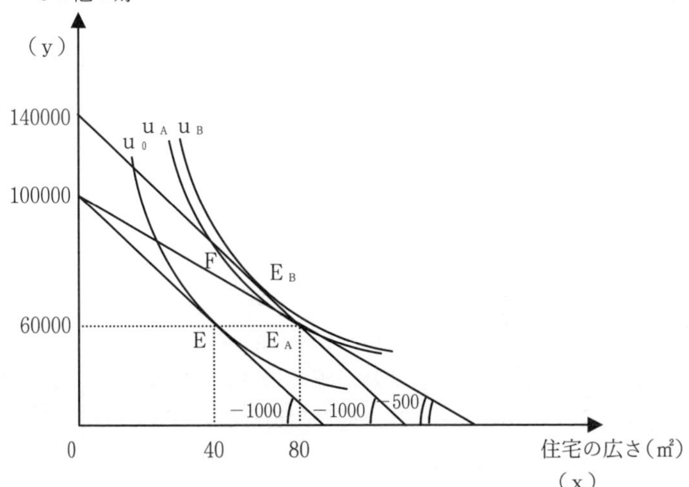

図示

住宅の広さ（㎡）をx，その他財の消費量をyとすると，補助規制策がないときの予算制約式は，

$$1000x + y = 100000 \qquad ①$$

と表される。家計の当初の効用最大化点をE点，このときの効用

水準をu_0とする。ここで，ケースAにおいては，住宅家賃の半額，すなわち500円／㎡の補助金が与えられることから，このときの予算制約式は，

$$(1000-500)\ x + y = 100000$$

$$\therefore\quad 500x + y = 100000 \qquad ②$$

となる。ケースAの補助により，予算線が縦軸切片を中心として反時計回りに回転し，予算集合が拡大した結果，効用最大化点（E_A点）における消費者の効用（u_A）はu_0よりも大きくなっていることがわかる。

ケースA について

ケースBにおいては，ケースAと同額の所得補助金（500×80＝40000）が与えられることから，予算制約式は，

$$\therefore\quad 1000x + y = 140000 \qquad ③$$

となるが，これはケースAの効用最大化点E_A（80，60000）を通る傾き－1000の直線（$y-60000=-1000(x-80)$）となる。

そのため，ケースBの効用最大化点（E_B点）は図のE_A点とF点の間に位置することになり，このとき実現する効用水準（u_B）はu_Aよりも大きいことがわかる。すなわち，

$$(u_0<)\ u_A<u_B \qquad ④$$

となり，住宅市場の効率性の観点から，ケースAよりもケースBの方が望ましいものと考えられる。

ケースB について

(3)　(1)の結果から，同一の住宅取引量の実現を前提とするならば，消費者に従量補助金を与える場合（ケース1）も，政府が直接賃貸住宅を供給する場合（ケース2）も，同一の厚生損失（死荷重）をもたらすことがわかる。したがって，市場の効率性の観点からは，補助政策を採らない場合（ケース0）が望ましいといえる。

一方，(2)の結果から，家計にとっては，補助政策が採られないケースよりも，特定の財（住宅）に対する補助を行う間接補助（ケースA）のほうが望ましく，さらに，ケースAよりも，ケースAと同額の所得補助（ケースB）の方が望ましいものと考えられる。

(1)(2)に関する結論

現状の日本の住宅補助制度は，政府が直接住宅を供給するような供給者補助政策と，消費者に対して家賃補助を行うような需要

者保護政策が挙げられるが，いずれも厚生損失が発生することに加え，住宅とその他財の価格比が歪められることにより，資源配分の効率性を阻害するという問題点があるといえる。

なお，主として低所得者層向けの家賃補助については，公平性の観点から，一定の再分配効果があるものと考えられる。ただし，合理的な消費者を想定するのであれば，低所得者層を保護するためには，家賃補助よりも所得の再分配（所得補助）を行ったほうがよいものと考えられる。

日本の住宅補助制度について

解答への道

(1)の計算について

賃貸住宅取引量をXとする。

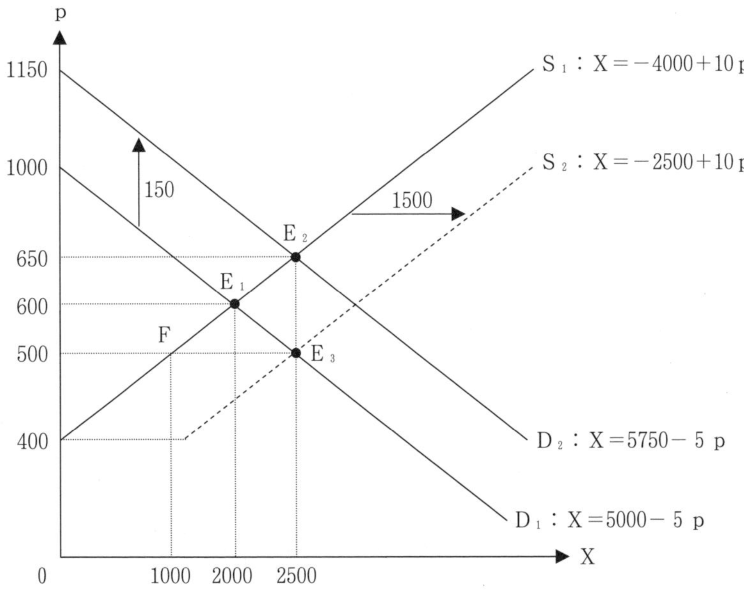

《ケース０について》

市場均衡は，図の市場供給曲線S_1と市場需要曲線D_1の交点，E_1となる。このとき，各項目の値はそれぞれ，

賃貸住宅家賃＝600

賃貸住宅取引量＝2000

消費者余剰（居住者の余剰）＝ $\frac{1}{2}\times400\times2000=400000$

生産者余剰（民間賃貸住宅供給者の余剰）＝ $\frac{1}{2}\times200\times2000=200000$

社会的総余剰＝消費者余剰＋生産者余剰＝400000＋200000＝600000

資源配分上の損失（死荷重）＝ 0

と求められる。

《ケース1について》

この政策により，消費者が追加的1単位の住宅の消費に際して最大限支払ってもよいと考える金額が150だけ増加するため，市場需要曲線は上方に150だけ平行シフトし，D_2となる。市場均衡は，図の市場供給曲線S_1と市場需要曲線D_2の交点，E_2となる。このとき，各項目の値はそれぞれ，

賃貸住宅家賃＝650

賃貸住宅取引量＝2500

消費者余剰（居住者の余剰）＝ $\frac{1}{2}\times500\times2500=625000$

生産者余剰（民間賃貸住宅供給者の余剰）＝ $\frac{1}{2}\times250\times2500=312500$

補助金総額＝150×2500＝375000

社会的総余剰＝消費者余剰＋生産者余剰－補助金総額

＝625000＋312500－375000＝562500

資源配分上の損失（死荷重）＝600000－562500＝37500

と求められる。

《ケース2について》

この政策により，所与の価格（賃貸住宅家賃）における賃貸住宅供給量が1500だけ増加するため，市場供給曲線は右方に1500（下方に150）だけ平行シフトし，S_2となる。市場均衡は，図の市場供給曲線S_2と市場需要曲線D_1の交点，E_3となる。このとき，各項目の値はそれぞれ，

賃貸住宅家賃＝500

賃貸住宅取引量＝2500

消費者余剰（居住者の余剰）$=\frac{1}{2}\times500\times2500=625000$

生産者余剰（民間賃貸住宅供給者の余剰）$=\frac{1}{2}\times100\times1000=50000$

公共住宅供給赤字$=\frac{1}{2}\times1500\times150=112500$

社会的総余剰＝消費者余剰＋生産者余剰－公共住宅供給赤字

$=625000+50000-112500=562500$

資源配分上の損失（死荷重）$=600000-562500=37500$

と求められる。

問題❷　次の問に答えなさい。

ファンダメンタルズに基づく初年度のレントの水準を年r，ファンダメンタルズに基づく割引率を年ρ，ファンダメンタルズ基づくレントの予想上昇率を年gとする。レントは毎年度末に徴収されるものとする。初年度の期首におけるファンダメンタルズに基づく地価水準をPとする。

(1)　Pをr，ρ及びgで表す式を導出しなさい。

(2)　バブル崩壊後，我が国の地価は全国的に見ておおむね下落か停滞している。それはなぜだろうか。考えられる要因を3つ挙げ，その要因とファンダメンタルズの各要因（r，ρ及びg）との関係を論じなさい（ファンダメンタルズに部分的に関係している，あるいはまったく関係していない場合にはその旨論ずること)。

解答例

チェック・ポイント

(1)　土地が，初年度以降の将来にわたって永久に生みだす予想レント（地代）の割引現在価値の合計は，

$$\frac{r}{1+\rho}+\frac{r(1+g)}{(1+\rho)^2}+\frac{r(1+g)^2}{(1+\rho)^3}+\cdots$$

と求めることができる。上記の式は，初項が$\frac{r}{1+\rho}$，公比が$\frac{1+g}{1+\rho}$の無限等比級数であることから，$\rho>g$とすると，公比の大きさは1よりも小さくなるため，

$$\frac{r}{1+\rho}+\frac{r(1+g)}{(1+\rho)^2}+\frac{r(1+g)^2}{(1+\rho)^3}+\cdots=\frac{\frac{r}{1+\rho}}{1-\frac{1+g}{1+\rho}}$$

$$=\frac{r}{\rho-g}$$

と表される。仮に，地価水準Pが，予想レントの割引現在価値の合計を上回る（$P>\frac{r}{\rho-g}$）と，土地の超過供給により地価水準Pが下落することになる。逆に，地価水準Pが，予想レントの割

予想レントの割引現在価値の合計

地価水準と予想レントの割引現在価値合計が等しくない場合の調整過程

引現在価値の合計を下回る（$P<\frac{r}{\rho-g}$）と，土地の超過需要により地価水準Pが上昇することになる。したがって，土地市場の均衡においては，裁定取引により初年度の期首におけるファンダメンタルズに基づく地価水準Pは，土地が初年度以降の将来にわたって永久に生みだす予想レントの割引現在価値の合計に等しくならなければならない。よって，ファンダメンタルズに基づく地価水準Pは，

$$P=\frac{r}{\rho-g}$$

と表現することができる。

地価水準（資産価格）の決定式

⑵　バブル崩壊後，我が国の地価が全国的に見ておおむね下落か停滞している要因は，

①　家計部門や企業部門の土地需要の減少に起因する土地のレント（地代）水準の減少または停滞

②　地価は下落しないという「土地神話」の崩壊に伴い，土地保有のリスクが上昇または高止まり

③　土地から得られるレント（地代）の予想上昇率の低下または停滞

が挙げられる。

地価の下落または停滞の要因

⑴の初年度の期首におけるファンダメンタルズに基づく地価水準Pの決定式に基づくと，①のレント（地代）水準の減少または停滞は，rの減少または停滞と関係している。また，②の土地保有のリスクの上昇または高止まりは，ρの上昇または高止まりと関係している。さらに，③のレント（地代）の予想上昇率の低下または停滞は，gの低下または停滞と関係している。

地価の下落または停滞の要因とファンダメンタルズの各要因との関係

解答への道

1．土地の理論価格（ファンダメンタルズに基づく地価）

土地を保有することから得られる毎期の予想収益（予想レント）をR，第2期以降の各期における収益の予想成長率をg，利子率をr，ならびに収益のリスクを表すリスク・プレミアムをπとする。このとき，当該土地を第1期から

永久に保有する場合の土地の理論価格（ファンダメンタルズ・バリュー）Pは，当該土地が将来にわたって永久に生みだす予想収益の割引現在価値の合計に等しく決定されることから，一般的に次のように導出できる。

$$P=\frac{R}{1+r+\pi}+\frac{R(1+g)}{(1+r+\pi)^2}+\frac{R(1+g)^2}{(1+r+\pi)^3}+\cdots=\frac{\dfrac{R}{1+r+\pi}}{1-\dfrac{1+g}{1+r+\pi}}$$

$$=\frac{R}{r+\pi-g} \qquad ①$$

本問においては，土地から毎年得られる予想収益がｒ，収益の予想成長率がｇ，利子率とリスク・プレミアムの合計が割引率ρとして表現されている。

2．土地におけるバブル現象

一般に，現実の資産価格（土地価格）が理論価格から乖離して上昇することを，バブルという。

3．土地の理論価格に基づいた，地価の下落要因

土地の理論価格である上記①式に基づくと，地価が下落する要因は，

① 土地の予想収益Rの減少

② 金融引締め政策等による利子率ｒの上昇

③ 土地保有のリスク・プレミアムπの上昇

④ 収益の予想成長率ｇの低下

が挙げられる。

MEMO

平成25年度

問題❶ （一部改題）

土地面積を一定として，宅地か農地にしか使えない短期（両用途間の転用は可能であるが，土地の総面積は変化しない。）の土地市場を想定する。解答用紙図１のように，土地総面積を2,000㎡，宅地需要関数を$D^H=2,000-2\times P^H$，農地需要関数を$D^A=1,200-4\times P^A$とする（D^H，D^Aの単位は㎡）。ここで，すべての土地は借地として，所有者と使用者は違うと仮定する。また，土地生産の限界費用や転用費用はかからず，競争的市場を仮定し，両用途の地代は等しくなるとする。

⑴　まず，課税前の状態について，宅地利用量，地代，社会的総余剰などを計算し，解答用紙表１①に記入しなさい。次に，両用地に土地保有税60／㎡を課税したときの，宅地利用量，地代，社会的総余剰などを計算し，解答用紙表１②に記入しなさい。さらに，宅地のみに土地保有税60／㎡を課税したときの，宅地利用量，地代，社会的総余剰などを計算し，解答用紙表１③に記入して表を完成させなさい。

⑵　資源配分の観点から上記⑴の２つの課税政策を検討し，現状の日本の土地保有税制を資源配分の観点から論じなさい。

⑶　土地面積を増加させることができる長期の土地市場において，土地保有の費用が低下し，宅地と農地に利用できる土地総面積が増加した市場を考える。宅地に対する需要の価格弾力性が農地に対する価格弾力性より大きい場合に，両用途の利用面積の増加量はどのようになるかを説明しなさい。

解答例

チェック・ポイント

(1)

	課税前 ①	両用地土地課税 ②	宅地のみ課税 ③
宅地利用量	1600	1600	1520
税抜地代	200	140	180
宅地利用者余剰	640000	640000	577600
宅地所有者余剰	320000	224000	273600
農地利用者余剰	20000	20000	28800
農地所有者余剰	80000	56000	86400
税収		120000	91200
社会的総余剰	1060000	1060000	1057600
資源配分上の損失		0	2400

各ケースの各数値の計算

(2) 両用地に同額の土地保有税を課税した場合，両用地の利用量は変化しない。このとき，両用地の利用者の余剰は変化せず，所有者の余剰合計は政府の税収合計と同額だけ減少する。そのため，社会的総余剰は課税前と等しく，資源配分上の損失は発生しない。一方，宅地のみに土地保有税を課税した場合，宅地利用量が減少し，農地利用量が同じだけ増加する。農地利用者・保有者の余剰合計は増加するものの，宅地利用者・保有者の余剰合計が大きく減少する。社会的総余剰は，課税前と比較して減少しており，宅地の過少利用・農地の過剰利用による，資源配分上の損失が発生していることがわかる。したがって，2つの課税政策を比較すると，資源配分の観点からは，両土地に土地保有税を課税する税制のほうが望ましいといえる。

資源配分の観点による2つの課税政策の検討

現状の日本の土地保有税制において，宅地と比較して農地の税制は優遇されているといえる。これは，(1)で分析した宅地のみに土地保有税を課税したケースと同様の効果をもたらすと考えられる。すなわち，農地の面積を過大にし，都市化にともなって減少しつつある農地面積を維持することには役立つものの，その一方

資源配分の観点による現状の日本の土地保有税制の検討

で，宅地の面積を過少にし，宅地開発を抑制することになる。結果として，経済全体においては，資源配分上の歪みによって社会的な損失が発生していると考えられる。

(3) 需要の価格弾力性とは，価格（本問では地代）が１％下落した場合，需要量が何％増加するかを表す値である。

土地面積を増加させることができる長期の土地市場において，土地保有の費用が低下し，宅地と農地に利用できる土地総面積が増加した市場を考える。この市場の均衡においては，当初の均衡と比較して，宅地地代P_Hと農地地代P_Aが同額，同率だけ下落することになる。したがって，宅地に対する需要の価格弾力性が農地に対する需要の価格弾力性が大きい場合には，宅地利用量の増加率は農地利用量の増加率よりも大きくなると考えられる。

ここで，両用途の利用面積の増加量はそれぞれ，

当初の宅地利用量×宅地利用量の増加率

当初の農地利用量×農地利用量の増加率

で表される。図１によると，当初の両用途の利用面積は，宅地利用量のほうが農地利用量よりも大きいため，上式より，長期における宅地利用量の増加量は，長期における農地利用量の増加量よりも大きくなると考えられる。

土地総面積の増加が宅地と農地の利用面積におよぼす影響

（注）なお，オリジナルの(3)の設問では，解答用紙の中に与えられたグラフを用いて説明することが求められていた。しかし，本問の当初の均衡においては，宅地に対する需要の価格弾力性ε_Hと農地に対する需要の価格弾力性ε_Aはそれぞれ，

$$\varepsilon_H = -\frac{dD^H}{dP^H} \times \frac{P^H}{D^H} = -(-2) \times \frac{200}{1600} = \frac{1}{4}$$

$$\varepsilon_A = -\frac{dD^A}{dP^A} \times \frac{P^A}{D^A} = -(-4) \times \frac{200}{400} = 2$$

と計算され，$\varepsilon_H < \varepsilon_A$となっている。そのため，与えられたグラフを用いて，題意のような両用途の利用面積の増加量を議論することはできず，(3)は疑義が残る問題である。

解答への道

(1)について

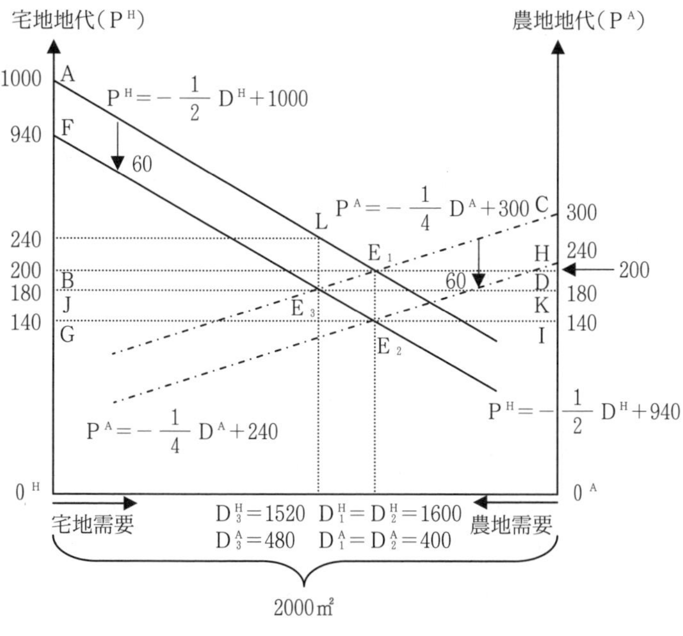

〔図1〕

《①について～課税前の余剰分析》

宅地の需要曲線と農地の需要曲線の式は，

宅地の逆需要関数：$P^H=-\frac{1}{2}D^H+1000$

（宅地の需要関数：$D^H=2000-2P^H$より）

農地の逆需要関数：$P^A=-\frac{1}{4}D^A+300$

（農地の需要関数：$D^A=1200-4P^A$より）

となる。

課税前の状態の均衡をE_1点と表す。均衡においては宅地地代（P^H）と農地地代（P^A）が等しくなるため，均衡における税抜地代Pを，$P=P^H=P^A$と表す。均衡においては，土地の総面積を完全利用することから，Pは，

$$D^H+D^A=2000$$
$$(2000-2P)+(1200-4P)=2000$$
$$\therefore\quad P=200$$

と計算される。このときの宅地利用量は$D_1^H=1600$，農地利用量は$D_1^A=400$と求められる。

以下，〔図1〕を用いて余剰分析を行う。

$$宅地利用者余剰=\triangle ABE_1=\frac{1}{2}\times800\times1600=640000$$
$$宅地所有者余剰=\square B0^HD_1^HE_1=200\times1600=320000$$
$$農地利用者余剰=\triangle CE_1D=\frac{1}{2}\times100\times400=20000$$
$$農地所有者余剰=\square E_1D_1^A0^AD=200\times400=80000$$
$$社会的総余剰=640000+320000+20000+80000=1060000$$

《②について～両用地に課税したときの余剰分析》

両用地に60／㎡の土地保有税を課税した場合，宅地の需要曲線と農地の需要曲線がともに，下方に60だけ平行シフトし，

$$宅地の逆需要関数：P^H=-\frac{1}{2}D^H+940$$
$$（宅地の需要関数：D^H=1880-2P^H）$$
$$農地の逆需要関数：P^A=-\frac{1}{4}D^A+240$$
$$（農地の需要関数：D^A=960-4P^A）$$

となる。課税後の均衡をE_2点と表す。課税前と同様にして，均衡における税抜地代Pは，

$$(1880-2P)+(960-4P)=2000$$
$$\therefore\quad P=140$$

と計算される。このときの宅地利用量は$D_2^H=1600$，農地利用量は$D_2^A=400$と求められ，これは課税前と同一の値である。

以下，〔図1〕を用いて余剰分析を行う。

$$宅地利用者余剰=\triangle FGE_2=\frac{1}{2}\times800\times1600=640000$$
$$宅地所有者余剰=\square G0^HD_2^HE_2=140\times1600=224000$$

農地利用者余剰＝△HE_2I＝$\frac{1}{2}\times100\times400=20000$

農地所有者余剰＝□$E_2D_2^A0^AI=140\times400=56000$

税収＝□AFE_2E_1＋□$E_2E_1HC=60\times1600+60\times400=120000$

社会的総余剰＝640000＋224000＋20000＋56000＋120000＝1060000

したがって，資源配分上の損失（厚生損失）は，ゼロである。

《③について～宅地のみに課税したときの余剰分析》

宅地のみに60／㎡の土地保有税を課税した場合，宅地の需要曲線のみが下方に60だけ平行シフトし，農地の需要曲線は課税前と同様である。すなわち，

宅地の逆需要関数：$P^H=-\frac{1}{2}D^H+940$

（宅地の需要関数：$D^H=1880-2P^H$）

農地の逆需要関数：$P^A=-\frac{1}{4}D^A+300$

（農地の需要関数：$D^A=1200-4P^A$）

となる。課税後の均衡をE_3点と表す。均衡における税抜地代Pは，

$(1880-2P)+(1200-4P)=2000$

$\therefore\quad P=180$

と計算される。このときの宅地利用量は$D_3^H=1520$，農地利用量は$D_3^A=480$と求められる。課税前と比較して，宅地利用量は減少しており，農地利用量は増加している。

以下，〔図１〕を用いて余剰分析を行う。

宅地利用者余剰＝△FJE_3＝$\frac{1}{2}\times760\times1520=577600$

宅地所有者余剰＝□$J0^HD_3^HE_3=180\times1520=273600$

農地利用者余剰＝△CE_3K＝$\frac{1}{2}\times120\times480=28800$

農地所有者余剰＝□$E_3D_3^A0^AK=180\times480=86400$

税収＝□$AFE_3L=60\times1520=91200$

社会的総余剰＝577600＋273600＋28800＋86400＋91200＝1057600

したがって，資源配分上の損失（厚生損失）は，1060000－1057600＝2400である。

問題❷

(1) 価格の変動がある経済において，中央銀行が強力な金融緩和を行い，名目の長期金利が一定に保たれる一方で，レントも含め一般物価水準の上昇期待が醸成されたとする。また，レントも含め一般物価水準が実際に上昇したとする。さらに，資産価格の上昇期待が生まれたとする。このとき，土地価格にはどのような影響があるか。考えられる経路を3つ示すとともに，それぞれ地価が変化するか，また，どちらの方向に変化するか述べなさい。その際，必要がある場合は，記号を適宜設定してファンダメンタルズに基づく地価（理論地価）の式を示すこと。

(2) 小国（世界経済に占める当該国の経済規模の割合が無視できるほど小さく，当該国のマクロ経済の変化が世界経済に何の影響も与えない国をいう。）が均衡状態において不完全雇用である状況を考える。この国は，変動相場制を採用しているとする（為替レートは自由に変動する。）ＧＤＰをＹ，民間消費をＣ，民間投資（国内利子率のみに依存するとする。）をI，国内利子率をｒ，政府支出をＧ，貿易・サービス収支黒字をＮＸ，租税（定額であり所得に一括して課税されるものとする。）をＴ，外国所得水準をY_w，為替レートをｅ，マネーサプライをＭ，物価水準をＰ，実質貨幣需要をＬ，世界利子率をr_wとする。少なくとも物価水準，租税，政府支出，外国所得水準は一定とする（他については各自考察すること。）

① 財市場の均衡（総供給＝総需要）を式で表わしなさい。総需要の項目中，説明変数があるものについては，項目を記した後に（　）を付し，（　）内に説明変数を記載すること。

② 貨幣市場の均衡（実質貨幣供給＝実質貨幣需要）を式で表わしなさい。実質貨幣需要については，説明変数があれば，実質貨幣需要の記号を記した後に（　）を付し，（　）内に説明変数を記載すること。

③ 国内利子率と世界利子率の関係を式で表わしなさい。

④ この国の中央銀行が金融緩和（ここではマネーサプライの増加とする。）を行った場合，均衡状態はどう変化するか。横軸を国民所得，縦軸を利子率とした図に，ＩＳ曲線，ＬＭ曲線，世界利子率を示し，そのメカニズムを説明しなさい。また，この政策は，国民経済上効果があったといえるか，評価を述べなさい。

解答例

チェック・ポイント

(1) 土地からの予想レント（予想収益）をR，予想レントの期待成長率をg，予想レントに関わるリスクを表すリスク・プレミアムをμ，および実質金利（利子率）をr（$=i-\pi^e$）で表すものとすれば，ファンダメンタルズに基づく地価（理論地価）Pは，以下のように求めることができる。ただし，i：名目金利（利子率），π^e：期待インフレ率とする。

ファンダメンタルズに基づく地価の定式化

$$P=\frac{R}{1+r+\mu}+\frac{R(1+g)}{(1+r+\mu)^2}+\frac{R(1+g)^2}{(1+r+\mu)^3}+\cdots$$

$$=\frac{\frac{R}{1+r+\mu}}{1-\frac{1+g}{1+r+\mu}}=\frac{R}{r+\mu-g} \quad ①$$

中央銀行による強力な金融緩和が土地価格に影響をおよぼす3つの経路は，次の通りである。予想レントの上昇期待の醸成および資産価格の上昇期待は，上記①式の予想レントRや予想レントの期待成長率gを上昇させることになる。また，名目金利iが一定に保たれる下で，一般物価水準の上昇期待の醸成は，①式における期待インフレ率π^eの上昇を通じて実質金利rを下落させる。以上の通り，題意の金融緩和政策は，予想レントRの上昇，予想レントの期待成長率gの上昇，および実質金利rの下落を通じて，いずれも地価を上昇させる効果を有するものといえる。

金融緩和政策が土地価格に影響をおよぼす3つの経路

(2)① 財市場の均衡条件式は，次のように与えられる。

$$Y=C(Y-T)+I(r)+G+NX(e, Y_W, Y)$$

なお，民間消費は可処分所得Y－Tの増加に伴い増加するため，可処分所得の増加関数である。また，貿易・サービス収支黒字は，（邦貨建て）為替レートの上昇および外国所得水準の増加により財とサービスの輸出が増加し，自国ＧＤＰの増加により財とサービスの輸入が増加するため，為替レートおよび外国所得水準の増加関数，自国ＧＤＰの減少関数となる。

財市場の均衡条件式

② 貨幣市場の均衡条件式は，次のように与えられる。

$$\frac{M}{P}=L(Y, r)$$

なお，貨幣需要は，貨幣を取引手段として保有する取引需要が国民所得の増加関数であり，貨幣を安全資産として保有する投機的需要が利子率の減少関数であることから，国民所得の増加関数，および利子率の減少関数となる。

貨幣市場の均衡条件式

③ 国際間の資本移動が完全であるものと仮定すると，国際収支（＝経常収支＋資本収支）が均衡するためには，小国の国内利子率と世界利子率は一致する必要がある。したがって，次の関係式が成り立つ。

$$r = r_W$$

国内利子率と世界利子率の関係式

④ 国際間の資本移動が完全な場合，国際収支を均衡させる国民所得と利子率の組合せの軌跡であるＢＰ曲線は，世界利子率の水準で水平な曲線で表される。〔**図１**〕において，金融緩和政策実施前の均衡を点E_1で示す。E_1では，財市場を均衡させる国民所得と利子率の組合せの軌跡であるＩＳ曲線，貨幣市場を均衡させる国民所得と利子率の組合せの軌跡であるＬＭ曲線，およびＢＰ曲線が交わっている。題意の金融緩和政策によりマネーサプライＭを増加させると，ＬＭ曲線が右方シフトするため経済は点E_2に移行するが，この点では国内利子率が世界利子率を下回る（$r_2 < r_W$）ため，大規模な資本流出が発生するため国際収支が赤字化し，外貨に超過需要が生じることになり，為替レートｅは上昇（外国通貨高・自国通貨安）することになる。為替レートの上昇により，貿易・サービス収支黒字ＮＸ（＝純輸出）が増加することから，ＩＳ曲線は右方シフトすることになる。ＩＳ曲線の右方シフトは，国内利子率が再び世界利子率と一致して国際収支が均衡するまで継続するため，経済の最終的な均衡はE_3となる。以上の通り，題意の金融緩和政策は，国民所得をY_1からY_3へ増加させることから，当該政策は国民経済上効果があったといえる。

題意の金融緩和政策の効果に関する論述

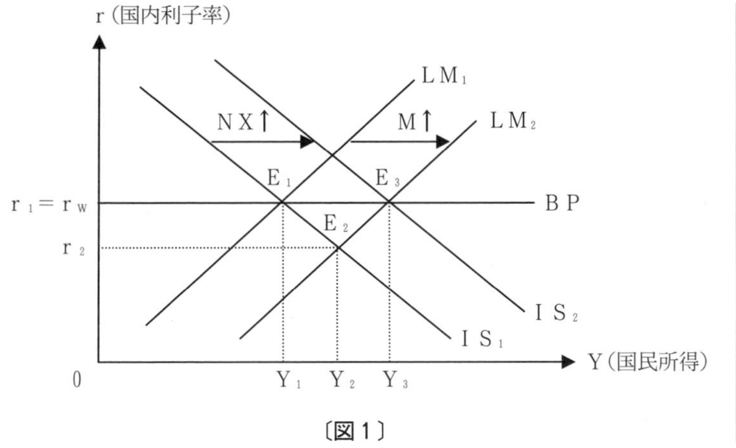

〔図１〕

解答への道

1．土地の理論価格（ファンダメンタルズに基づく地価）

土地を保有することから得られる毎期の予想収益（予想レント）をR，第２期以降の各期における収益の予想成長率をg，実質利子率をr，ならびに予想収益のリスクを表すリスク・プレミアムをμとする。このとき，当該土地を第１期から永久に保有する場合の土地の理論価格（ファンダメンタルズ・バリュー）Pは，当該土地が将来にわたって永久に生みだす予想収益の割引現在価値の合計に等しく決定されることから，一般的に次のように導出できる。

$$P = \frac{R}{1+r+\mu} + \frac{R(1+g)}{(1+r+\mu)^2} + \frac{R(1+g)^2}{(1+r+\mu)^3} + \cdots = \frac{\dfrac{R}{1+r+\mu}}{1-\dfrac{1+g}{1+r+\mu}}$$

$$= \frac{R}{r+\mu-g} \qquad ①$$

2．実質利子率（実質金利）と名目利子率（名目金利）の関係

実質利子率rは，名目利子率iと期待インフレ率π^e（期待物価上昇率）を用いて，次のように定式化できる。

$r = i - \pi^e$

上記式をフィッシャー方程式という。

3．土地の理論価格に基づいた，地価の上昇要因

土地の理論価格である上記①式に基づくと，地価が上昇する要因は，

（ i ）土地の予想収益Rの上昇期待

（ii）金融緩和政策等による実質利子率 r の下落

（iii）土地の予想収益の予想成長率 g の上昇

（iv）土地保有のリスク・プレミアム μ の低下

が挙げられる。

4．国内利子率と世界利子率の関係

本問においては，④で世界利子率の図示が問われているため，国際間の完全な資本移動を仮定することが適切である。このとき，国内利子率と世界利子率は完全に一致することになり，ＢＰ曲線は世界利子率の水準で水平な形状となる。なお，本問においてはＢＰ曲線は必ずしも必要ではないが，示したほうがより適切であると思われる。また，国際間の資本移動が不完全なものと仮定すると，直前答練第２回問題２のようにＢＰ曲線は右上がりの形状を有することになる。

MEMO

◇ 平成26年度

問題❶

賃貸住宅市場について，次の問に答えなさい。

⑴ 住宅サービスの市場需要曲線が $x_D=1000-r$，市場供給曲線が $x_S=-200+2r$ であるとする。ここで，x_Dは住宅サービスの市場需要量，rは住宅サービスの賃貸価格，x_Sは住宅サービスの市場供給量を表す。賃貸価格の上限を300とする価格規制が導入された場合の均衡賃貸価格，均衡取引量，消費者余剰，生産者余剰，総余剰を求め，規制のない場合の市場均衡と比較しなさい。また，規制による死重損失（deadweight loss）がどの程度発生するのか，計算して答えなさい。ただし，支払意思額が高い順に賃貸住宅を借りられると仮定する。解答に際しては，計算過程は記述しないこと。

⑵ 賃貸価格規制がもたらす弊害について説明しなさい。ただし，⑴で計算した死重損失については除く。

⑶ 住宅を所有している家計と所有していない家計の２種類がある経済を考える。住宅を所有している家計は，その住宅サービスの一部を自ら使用し（留保需要），残りを市場に供給する。ここでは，留保需要を考慮に入れた場合の需要曲線，供給曲線を「総需要曲線」，「総供給曲線」とそれぞれ呼び，留保需要を除いた部分を「市場需要曲線」，「市場供給曲線」とそれぞれ呼ぶ。市場需要（供給）曲線と総需要（供給）曲線との関係及び需給均衡について，縦軸を賃貸価格，横軸を住宅サービス量とする図を描き，それを用いながら説明しなさい。なお，ここでは市場需要（供給）曲線が右下がり（右上がり）の状況を考える。ただし，住宅のストック量が一定である短期を仮定し，企業や政府が保有，需要する住宅サービスは捨象する。また，課税や補助金，規制等はないものとする。

解答例

チェック・ポイント

(1) 賃貸価格の上限規制がない場合の均衡は〔**図1**〕のE点で示され，均衡賃貸価格 $r^*=400$，均衡取引量 $x^*=600$ となる。このときの各余剰の大きさは次のとおりである。

消費者余剰　$CS^*=\triangle Ar^*E=180000$

生産者余剰　$PS^*=\triangle r^*BE=90000$

総余剰　$TS^*=CS^*+PS^*=270000$

（価格規制がない場合の均衡賃貸価格，均衡取引量，消費者余剰，生産者余剰，総余剰の計算）

一方，賃貸価格の上限規制がある場合，均衡賃貸価格 $r'=300$，均衡取引量 $x_s'=400$ となる。したがって，この規制により均衡賃貸価格は下落し，均衡取引量は減少すると言える。

このときの各余剰の大きさは次のとおりである。

消費者余剰　$CS'=\square AGDC=200000$

生産者余剰　$PS'=\triangle GBD=40000$

総余剰　$TS'=CS'+PS'=240000$

（価格規制がある場合の均衡賃貸価格，均衡取引量，消費者余剰，生産者余剰，総余剰の計算）

死重損失（厚生損失，死荷重）$DWL=TS^*-TS'=30000$

賃貸価格の上限規制がある場合の総余剰は，賃貸価格の上限規制がない場合の総余剰よりも△CDE（＝30000）だけ小さい。したがって，賃貸価格の上限規制は資源配分の効率性を阻害する政策であるといえる。また，賃貸価格の上限規制により，消費者余剰は増加する一方で，生産者余剰は減少することになる。

（価格規制がある場合の死重損失（厚生損失，死荷重）の計算）

(2) 賃貸価格規制の弊害とは，(1)で死重損失を発生させて資源配分を非効率にするということ以外に，賃貸住宅市場において，線分DFだけ超過需要を発生させてしまうことである。政府は，限られた供給量を先着順や抽選などの数量割当により行うことになるが，賃貸住宅を借りることができない消費者の中には，貸主に対して上限価格より高い価格を提示することにより，違法に住宅を借りようとする闇市場が発生する可能性が考えられる。

（賃貸価格規制の弊害）

(3) 〔**図2**〕において，住宅サービスに対する留保需要を考慮すると，留保需要の分だけ住宅サービスに対する市場供給量が減少するため，留保需要を考慮に入れた場合の総供給曲線 $\widetilde{S}$ は，留保需要を除いた市場供給曲線Sと比較して，左方シフトすることにな

（市場需要（供給）曲線と総需要（供給）曲線との関係及び需給均衡の説明）

る。留保需要を考慮しない場合の需給均衡はEで示されており，留保需要を考慮に入れた場合の需給均衡は$\tilde{E}$で表現されることになるので，留保需要を考慮することにより，均衡賃貸価格は上昇し，均衡取引量は減少することになる。

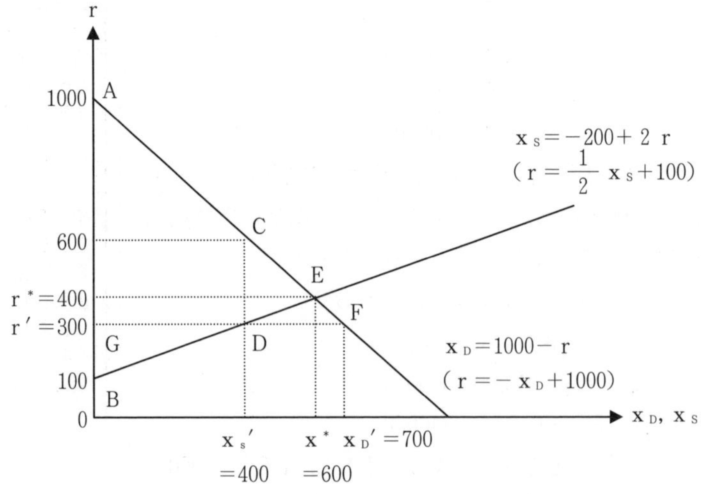

〔図1〕

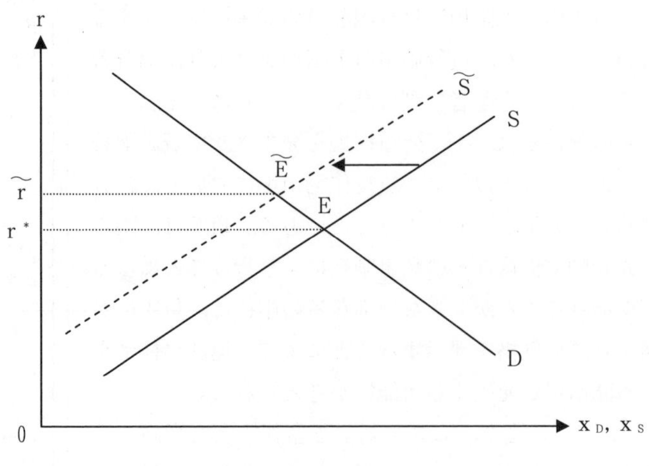

〔図2〕

解答への道

(1)の余剰分析の計算過程は，以下の通りである。賃貸価格の上限規制がない場合の余剰分析は次のとおりである。

消費者余剰　$CS^* = \triangle Ar^*E = 600 \times (1000-400) \times \frac{1}{2} = 180000$

生産者余剰　$PS^* = \triangle r^*BE = (400-100) \times 600 \times \frac{1}{2} = 90000$

総余剰　$TS^* = CS^* + PS^* = 180000 + 90000 = 270000$

一方，賃貸価格の上限規制がある場合の余剰分析は次のとおりである。

消費者余剰　$CS' = \square AGDC = \{(600-300) + (1000-300)\} \times 400 \times \frac{1}{2} = 200000$

生産者余剰　$PS' = \triangle GBD = (300-100) \times 400 \times \frac{1}{2} = 40000$

総余剰　$TS' = CS' + PS' = 200000 + 40000 = 240000$

死重損失（厚生損失，死荷重）　$DWL = TS^* - TS' = 270000 - 240000 = 30000$

賃貸価格の上限規制がある場合の総余剰は，賃貸価格の上限規制がない場合の総余剰よりも△ＣＤＥ（＝30000）だけ小さい。

問題❷

以下は，閉鎖経済におけるソロー＝スワンモデルに関する記述である。次の問に答えなさい。

ただし，生産についてコブ＝ダグラス型生産関数$Y_t = K_t^{0.5} L_t^{0.5}$を仮定し，$Y_t$，$K_t$，$L_t$はそれぞれｔ期のＧＤＰ，資本ストック及び労働人口を表す。

(1) ある生産関数$Y_t = F(K_t, L_t)$が規模に関して収穫一定であるとき，ある正の定数λについて$\lambda Y_t = F(\lambda K_t, \lambda L_t)$の関係が満たされる。また，コブ＝ダグラス型生産関数は規模に関して収穫一定である。このとき，１人当たりＧＤＰ（$y_t = Y_t / L_t$）と１人当たり資本ストック（$k_t = K_t / L_t$）について，$y_t = k_t^{0.5}$（$= \sqrt{k_t}$）の関係が満たされることを示しなさい。

(2) ｔ期における企業の投資をI_tで表し，資本減耗率は０と仮定する。よって，総資本ストックの変化は$K_{t+1} - K_t = I_t$と特徴付けることができる。また，家計は一定の貯蓄率ｓで貯蓄行動を行うものとする。このとき，家計部門の貯蓄は$S_t = sY_t$となる。閉鎖経済では，資本市場が均衡するためには貯蓄と投資が等しくなければならない。このもとで，正の粗人口成長率を１＋ｎと仮定すると，$1 + n = L_{t+1} / L_t$と表すことができる。これらの条件を用いて，１人当たり資本ストックの遷移式$k_{t+1} - k_t = \frac{1}{1+n}(s\sqrt{k_t} - nk_t)$を導出しなさい。

(3) 定常状態では，$k_t = k_{t+1} = k^*$が満たされる。この条件を用い，定常状態における１人当たり資本ストックk^*を導出しなさい。

(4) 今後日本では，人口減少が予測されている。①人口成長率が減少すると，定常状態における１人当たり資本ストックにどのような影響を与えるか，また，②人口成長率の減少は１人当たりＧＤＰにどのような影響を与えるか，ソロー＝スワンモデルに基づいて論述しなさい。

(5) 現在日本では，貯蓄率が減少傾向にあると言われる。その説明として，人口高齢化，社会保障制度の整備，景気要因を理由として挙げることができる。①なぜ，これらの要因が貯蓄率を下げるのか，また，②貯蓄率の減少は，不動産市場及び不動産価格にどのような影響を及ぼすかについて論述しなさい。

解答例

チェック・ポイント

(1) 与えられたコブ＝ダグラス型生産関数$Y_t=K_t^{0.5}L_t^{0.5}$の両辺を，t期の労働人口（L_t）で割ることにより，t期の1人当たりGDP$\left(y_t=\frac{Y_t}{L_t}\right)$と1人当たり資本ストック$\left(k_t=\frac{K_t}{L_t}\right)$について満たされる，題意の関係式（②式）が以下のように導出される。

$$y_t=\frac{Y_t}{L_t}=\frac{K_t^{0.5}L_t^{0.5}}{L_t}=\frac{K_t^{0.5}}{L_t^{0.5}}=\left(\frac{K_t}{L_t}\right)^{0.5}=k_t^{0.5} \quad ①$$

$$\therefore \quad y_t=k_t^{0.5}\ (=\sqrt{k_t}) \quad ②$$

②式は，ソロー＝スワンモデルで用いられる，1人当たりの生産関数を示している。

$y_t=k_t^{0.5}$の導出

(2) 総資本ストックの変化の式，資本市場の均衡条件式および家計部門の貯蓄の式により，

$$K_{t+1}-K_t=I_t=S_t=sY_t \quad ③$$

という式が得られる。また，与えられた正の粗人口成長率の式，$1+n=\frac{L_{t+1}}{L_t}$により，

$$L_{t+1}=(1+n)L_t \quad ④$$

となる。③式，④式および$k_{t+1}=\frac{K_{t+1}}{L_{t+1}}$，$k_t=\frac{K_t}{L_t}$，$y_t=\frac{Y_t}{L_t}$により，以下の等式が成立する。

$$\begin{aligned} k_{t+1}-k_t &= \frac{K_{t+1}}{L_{t+1}}-\frac{K_t}{L_t} \\ &= \frac{K_{t+1}}{(1+n)L_t}-\frac{K_t}{L_t} \\ &= \frac{K_{t+1}-(1+n)K_t}{(1+n)L_t} \\ &= \frac{(K_{t+1}-K_t)-nK_t}{(1+n)L_t} \\ &= \frac{sY_t-nK_t}{(1+n)L_t} \end{aligned}$$

1人当たりの資本ストックの遷移式の導出

$$= \frac{1}{1+n}(s y_t - n k_t) \quad ⑤$$

さらに，(1)で導出した②式を，⑤式に代入することにより，与えられた１人当たり資本ストックの遷移式（⑥式）が導出される。

$$\therefore \quad k_{t+1} - k_t = \frac{1}{1+n}\left(s\sqrt{k_t} - n k_t\right) \quad ⑥$$

(3)　(2)で導出した１人当たり資本ストックの遷移式（⑥式）に，定常状態の条件である，

$$k_t = k_{t+1} = k^* \quad ⑦$$

を代入して，k^*について解くことにより，定常状態における１人当たり資本ストックが，以下の⑪式のように求められる。

$$k^* - k^* = \frac{1}{1+n}\left(s\sqrt{k^*} - n k^*\right) \quad ⑧$$

$$n k^* = s\sqrt{k^*} \quad ⑨$$

$$\sqrt{k^*} = \frac{s}{n} \quad ⑩$$

$$\therefore \quad k^* = \left(\frac{s}{n}\right)^2 \text{……（答）} \quad ⑪$$

k^*の導出

(4)

①について

人口成長率が減少すると，nの値が小さくなる。ここで，⑪式をnで偏微分すると，

$$\frac{\partial k^*}{\partial n} = -2\frac{s^2}{n^3} < 0 \quad ⑫$$

となる。したがって，ソロー＝スワンモデルに基づき，人口成長率が減少すると，定常状態における１人当たり資本ストックは，大きくなるということがいえる。

①について

②について

②式をk_tで微分すると，

$$\frac{d y_t}{d k_t} = 0.5 \times k_t^{-0.5} > 0 \quad ⑬$$

となり，１人当たりＧＤＰは１人当たり資本ストックの増加関数であることがわかる。したがって，人口成長率の減少は，１人当

②について

たりＧＤＰを大きくするということがいえる。

(5)

①について

消費に関するライフ・サイクル仮説を前提にすると，若年世代は自分の老年期の消費に備えて貯蓄を行う正の貯蓄主体であり，老年世代は自分の若年期に行った貯蓄を取り崩す負の貯蓄主体であると想定される。

ここで，人口高齢化により正の貯蓄主体が減少し，負の貯蓄主体が増加すると，貯蓄率は低下すると考えられる。また，賦課方式の年金等の社会保障制度の整備により，若年世代が将来の消費に備えて貯蓄を行う必要性が低くなるならば，貯蓄率は低下すると考えられる。さらに，昨今の景気低迷により，若年世代の所得が低下し，所得に占める消費の割合（消費性向）が高まるならば，貯蓄率は低下すると考えられる。

①について

②について

貯蓄率が減少すると，ｓの値が小さくなる。ここで，⑪式をｓで偏微分すると，

$$\frac{\partial k^*}{\partial s} = 2\frac{s}{n^2} > 0 \qquad ⑭$$

となる。したがって，ソロー＝スワンモデルに基づき，貯蓄率が減少すると，定常状態における１人当たり資本ストックは，小さくなるということがいえる。さらに，⑬式により，貯蓄率が減少すると，１人当たりＧＤＰについても，減少すると考えられる。

１人当たり資本ストックおよび１人当たりＧＤＰの減少により，不動産に対する需要は減少すると考えられる。そのため，貯蓄率の減少は，不動産市場の縮小および不動産価格の低下をもたらすと考えられる。

②について

解答への道

⑴について

与えられたコブ＝ダグラス型生産関数の両辺を１人当たり資本ストック（資本労働比率）で割ることにより，１人当たりＧＤＰと１人当たり資本ストックの関係式（１人当たりの生産関数）が導出される。

⑵について

上級講義で扱った経済成長の基本方程式（ｄｋ＝ｓｆ（ｋ）－ｎｋ）の導出とはやや異なったアプローチの問題であるが，与えられた定義式・条件式（資本ストックの変化の式，貯蓄関数，資本市場の均衡条件式など）を正確に用いて丁寧に式変形を行うことにより，１人当たり資本ストックの遷移式を導出することができる。

⑶について

ソロー＝スワンモデルにおける定常状態とは，１人当たり資本ストックが変化せず，$k_t = k_{t+1} = k^*$となる長期均衡の状態である。⑵の導出ができていなくても，⑵の問題文で与えられた１人当たり資本ストックの遷移式を用いることにより，正答が可能である。

⑷，⑸について

人口成長率や貯蓄率の変化が日本経済にもたらす影響について問うた問題である。⑶のk^*の導出ができていれば，（ある程度）正答が可能であろう。

MEMO

◇ 平成27年度

問題❶

不動産の鑑定評価において，道路や公園の状態は重要な価格形成要因である。（混雑していない）一般道路や公園は，経済学では「公共財」と呼ばれる。このことに関連して，次の各問に答えなさい。

(1) 「公共財」とはどのような財か，「私的財」と対比しつつ説明しなさい。

(2) 個人1と個人2がいる経済を考える。両個人ともある公共財の消費から300の便益を得ることができる一方，ある公共財の購入には500の費用がかかるとする。

個人1と個人2それぞれがとり得る戦略は，公共財の購入に「賛成する」，「反対する」の2つであるとする。両者とも賛成した場合は，購入費用を250ずつ負担して公共財を購入する。片方だけが賛成した場合は，賛成した個人が購入費用500を全額負担して公共財を購入する。両方とも反対した場合は，公共財を購入しない（この場合は便益も費用もゼロである。）。

①この同時手番ゲームの（純粋戦略）ナッシュ均衡について，表を用いつつ説明しなさい。また，②①のナッシュ均衡がパレート効率的か否か説明しなさい。さらに，③公共財の費用負担が抱える問題について，①及び②を踏まえつつ説明しなさい。

解答例

チェック・ポイント

(1) 「(純粋) 公共財」とは，(a)消費の集団性（非競合性）と(b)消費の排除不可能性（非排除性）をともに備えた財のことをいう。ここで，消費の集団性とは，複数の経済主体が同時に等量を消費することができるという性質である。また，消費の排除不可能性とは，対価を支払わない経済主体を消費から排除することが困難であることをいう。なお，「公共財」に対して，「私的財」とは，消費の集団性と消費の排除不可能性をともに備えていない財のことである。

（純粋）公共財の定義

(2)① 本問の公共財購入をめぐる同時手番ゲームは，次の利得表で表現される。なお，利得＝便益－費用とし，左側の数字は個人1の利得，右側の数字は個人2の利得を表すものとする。

利得表の作成

		個人2	
		賛成する（β_1）	反対する（β_2）
個人1	賛成する（α_1）	(50, 50)	(−200, 300)
	反対する（α_2）	(300, −200)	(0, 0)

相手の戦略を所与としたときに，自らの利得を最大化する戦略を最適戦略という。個人1の戦略をα_i（i＝1，2），個人2の戦略をβ_i（i＝1，2）とおき，両者の最適戦略を，それぞれ，

個人1の最適戦略　$\alpha_i = f_1(\beta_i)$

個人2の最適戦略　$\beta_i = f_2(\alpha_i)$

と表すものとする。上記の利得表によると，個人1の最適戦略は，個人2が選ぶ戦略である「賛成する（β_1)」または「反対する（β_2)」にかかわらず，「反対する（α_2)」を選ぶことである（$\alpha_2 = f_1(\beta_1)$，$\alpha_2 = f_1(\beta_2)$)。同様に，個人2の最適戦略は，個人1が選ぶ戦略である「賛成する（α_1)」または「反対する（α_2)」にかかわらず，「反対する（β_2)」を選ぶことである（$\beta_2 = f_2(\alpha_1)$，$\beta_2 = f_2(\alpha_2)$)。したがって，本問のゲームでは，各々の個人について，「反対する」が

各個人の最適戦略

支配戦略になっている。

ナッシュ均衡とは，「互いに相手が戦略を変更しない限り，自らも戦略を変更するインセンティブ（誘因）をもたない状態」をいい，次の関係式をみたす戦略の組合せ（α^*，β^*）である。

$$\begin{cases}\alpha^* = f_1(\beta^*)\\ \beta^* = f_2(\alpha^*)\end{cases}$$

本問のゲームにおけるナッシュ均衡は，

$$\begin{cases}\alpha_2 = f_1(\beta_2)\\ \beta_2 = f_2(\alpha_2)\end{cases}$$

という関係式をみたす（α_2，β_2），すなわち（反対する，反対する）であり，両者とも「反対する」を選ぶ状況になる。なお，（反対する，反対する）は支配戦略均衡でもある。

ナッシュ均衡の定義

ナッシュ均衡の指摘

② パレート効率的（最適）とは，「もはや他のどの経済主体をも不利にすることなく，ある経済主体を有利にさせる余地のない資源配分の状態」をいうが，本問のゲームにおいては，ともに「反対する」を選ぶよりも，ともに「賛成する」を選ぶ方が両者の利得は同時に高くなる。これは「他のどの経済主体をも不利にすることなく，ある経済主体を有利にさせる余地」があるということだから，両者とも「反対する」を選ぶというナッシュ均衡は，パレート効率的（最適）ではない。なお，上記のゲームのように，ナッシュ均衡がパレート効率的（最適）ではないゲームは，一般的には「囚人のジレンマ」と呼ばれる。

パレート最適の定義

ナッシュ均衡がパレート最適にならないということ

③ 一般に，公共財に備わる消費の集団性という性質により，公共財の便益は社会を構成する個人全員に広く薄く行き渡るのに対して，公共財の供給費用は（各個人が単独で負担するには）大きすぎる金額となることが多い。本問でいえば，個人の自由な意思決定に委ねると，便益300にくらべて費用500の方が大であるため，私的には公共財を供給しないことが最適となり，二人とも「反対する」を選ぶ（反対する，反対する）がナッシュ均衡となってしまう。しかし，二人の個人の便益を合計した社会的便益600（＝300＋300）は費用500よりも大であるため，公共財が供給されることは社会的には望ましく，（賛成する，賛

ナッシュ均衡とパレート最適の不一致

成する）がパレート効率的（最適）な戦略の組合せである。

ところで，政府が公共財を供給する場合，公共財の費用負担の仕組みのひとつとして「リンダール・メカニズム」がある。リンダール・メカニズムとは，公共財の供給を行うに際して，各個人は，公共財の消費量１単位あたり，公共財の最適供給量における私的限界便益の金額に等しい金額を費用負担するというものである。ここで，公共財の最適供給量とは「社会的限界便益（＝私的限界便益の合計）＝限界費用」という条件（サムエルソン条件）を満たす公共財供給量のことである。このリンダール・メカニズムに基づく費用負担の特徴は，(a)政府が市場メカニズムをまねるという「擬似的な市場メカニズム」であり，(b)各個人が公共財から享受する便益に応じて費用負担するという「受益者負担の原則（応益原則）」に基づくものであり，さらに(c)パレート効率的（最適）な状態をもたらし得ることである。しかし，消費の排除不可能性という性質を備えた公共財については，いったん供給されると費用を負担せずに利用できるという「ただ乗り（フリー・ライド）」が可能である。したがって，自らは公共財の費用負担を免れつつ，その便益だけを享受しようとする「フリー・ライダー」となることが各個人の合理的な選択となるため，公共財の費用負担を各個人の自主的な申告に委ねるリンダール・メカニズムが現実に機能するのは極めて困難といわざるを得ない。

リンダール・メカニズムの定義

リンダール・メカニズムの特徴

リンダール・メカニズムの問題

解答への道

⑴「私的財と対比しつつ」とあるので，単に「(純粋）公共財」の定義を述べるだけではなく，「私的財」がその定義にあてはまらないことも記しておきたい。

⑵① 本問では「利得＝便益−費用」と考えるが，どちらか一方の個人だけが賛成した場合には注意を要する。この場合，「賛成した個人の利得＝300−500＝−200」であるが，公共財に備わる消費の排除不可能性という性質によれば，公共財はいったん供給されると費用負担をしなかった者も，その便益を享受することができるので，「反対した個人の利得＝300−0＝300」となる。

② まず，ナッシュ均衡，およびパレート効率的（最適）の定義を述べておきたい。上記の解答例中で示された利得表において，最適戦略を選んでいる場合の利得に下線を引いたとき，下線が2つそろった利得の組合せをもたらす戦略の組合せがナッシュ均衡だから，（反対する，反対する）がナッシュ均衡となる（以下の表を参照)。

		個人2	
		賛成する（β_1）	反対する（β_2）
個人1	賛成する（α_1）	（50, 50）	（−200, $\underline{300}$）
	反対する（α_2）	（$\underline{300}$, −200）	（$\underline{0}$, $\underline{0}$）

③ 公共財の費用負担の決定に際して，社会全体の利益を考えれば「賛成する」を選ぶべきであるが，私的な利害得失だけに基づいて選択すれば「反対する」を選ぶことが最適であることを述べたうえで，公共財の費用負担を個人の私的な意思決定（や申告）に委ねたとき，いわゆる「フリー・ライダー問題」が発生することを（最低限）記しておきたい。そのうえで解答の分量を増やしたければ，「リンダール・メカニズム」や「公共財の最適供給条件（サムエルソン条件)」について詳しく説明するのもよいであろう。

MEMO

問題❷

2期間生存する代表的家計の消費行動について，次の各問に答えなさい。ただし，すべての変数は実質変数であり，物価水準の変化については考慮しなくてよい。

(1) 代表的家計は第1期において，現在所得Y_1を現在消費C_1及び貯蓄Sに配分するものとする。また，第2期において，第1期の貯蓄とその利子（1＋r）S，及び第2期の所得Y_2をすべて消費C_2するものと仮定する。このとき，C_1，S，Y_1の関係を表す第1期の予算制約式とC_2，（1＋r）S，Y_2の関係を表す第2期の予算制約式を答えなさい。

(2) 代表的家計の生涯得られる効用の総合計がU（C_1，C_2）＝C_1・C_2（現在消費と将来消費の積）で表わされると仮定する。(1)で導出した第1期と第2期の予算制約式を変形し効用関数のC_1とC_2に代入することで，効用関数をS，Y_1，Y_2，（1＋r）で特徴付けたもとで，効用の最大化条 件を求める。そこで，Sで微分し1階条件を導出し，代表的家計の最適な貯蓄水準を答えなさい。

(3) (2)で求めた貯蓄水準Sを(1)で求めた各期の予算制約式に代入し，各期の最適な消費水準C_1及びC_2を答えなさい。また，消費成長率（C_2／C_1）が粗利子率（1＋r）に等しいことを示しなさい。

(4) ここまでの結果についての経済学的な解釈として，高い消費成長率が見込まれる経済状況においては，消費の平準化動機より貯蓄需要の減少を通じ利子率を高めると考えることができる。ところで，このような高い利子率が実現する経済において不動産などの資産価格は高まるか，あるいは，下がるか，理由とともに答えなさい。

解答例

チェック・ポイント

(1) 「代表的家計は第1期において，現在所得Y_1を現在消費C_1及び貯蓄Sに配分する」ので，第1期の予算制約式は，

$$C_1 + S = Y_1 \quad ①$$

である。(答)

くわえて，代表的家計は「第2期において，第1期の貯蓄とその利子 $(1+r)S$ 及び第2期の所得Y_2をすべて消費C_2する」ので，第2期の予算制約式は，

$$C_2 = (1+r)S + Y_2 \quad ②$$

である。(答)

第1期の予算制約式

第2期の予算制約式

(2) まず，①式を$C_1 = Y_1 - S$と変形する。これと②式を代表的家計の効用関数$U(C_1, C_2)$に代入すれば，

$$U(Y_1 - S, (1+r)S + Y_2) = (Y_1 - S)\cdot\{(1+r)S + Y_2\}\ (=V(S)\text{とおく。})$$

となる。これを展開して整理すれば，

$$V(S) = -(1+r)S^2 + \{(1+r)Y_1 - Y_2\}S + Y_1 \cdot Y_2$$

となる。これをSで微分して0と等しくおくことにより，

$$\frac{dV(S)}{dS} = -2(1+r)S + (1+r)Y_1 - Y_2 = 0$$

を得る。これが本問における効用最大化の1階条件である。さらに，この効用最大化の1階条件をSについて解けば，代表的家計の最適な貯蓄水準として，

$$S = \frac{(1+r)Y_1 - Y_2}{2(1+r)} \quad ③$$

を得る。なお，ここでは最適な貯蓄は負（マイナス）の値になり得るとし，借り入れ制約は存在しないとしている。(答)

効用関数のS等による特徴付け

効用最大化条件

最適貯蓄水準

(3) まず，③式を①式に代入すれば，

$$C_1 + \frac{(1+r)Y_1 - Y_2}{2(1+r)} = Y_1$$

となる。これを，C_1について解けば，第1期の最適な消費水準として，

第1期の最適消費水準

$$C_1=\frac{(1+r)\,Y_1+Y_2}{2\,(1+r)} \tag{4}$$

を得る。(答)

同様に，③式を②式に代入すれば，

$$C_2=(1+r)\times\frac{(1+r)\,Y_1-Y_2}{2\,(1+r)}+Y_2$$

となる。この式の右辺を展開して整理すれば，第2期の最適な消費水準として，

$$C_2=\frac{(1+r)\,Y_1+Y_2}{2} \tag{5}$$

を得る。(答)

第2期の最適消費水準

さて，⑤式を，あらためて，

$$C_2=(1+r)\times\frac{(1+r)\,Y_1+Y_2}{2\,(1+r)}$$

と書こう。すると，④式を使うことにより，

$$C_2=(1+r)\times C_1$$

が言える。この式の両辺をC_1で割れば，

$$\frac{C_2}{C_1}=1+r$$

を得る。すなわち，消費成長率（$C_2／C_1$）は粗利子率（$1+r$）に等しい。(答)

「消費成長率＝粗利子率」の提示

(4) さしあたり，不動産を含む資産の価格P_Aは，その資産のファンダメンタルズに等しく決まるものと考えることにすると，（ある時点における）資産価格P_Aは次式で与えられる：

$$P_A=\frac{R}{1+r}+\frac{R}{(1+r)^2}+\frac{R}{(1+r)^3}+\cdots=$$

$$\frac{\frac{R}{1+r}}{1-\frac{1}{1+r}}=\frac{R}{r} \tag{6}$$

ここで，Rは，無限先の将来まで（永久に）生じる各期の収益（地代など）を表す。ただし，簡単化のために，R（＞0）は毎期一定である（すなわち，地代の予想成長率はつねに0である）と仮定している。また，資産保有にともなうリスクを反映したリ

資産価格の決定式

スク・プレミアムも0としている。

⑥式に基づいて考えれば，他の条件（R）が不変である限り，利子率ｒが上昇すれば，資産価格P_Aは下落する。すなわち，他の条件（R）が不変である限り，「高い利子率が実現する経済」においては，資産価格は下がると言える。（答）

利子率上昇による資産価格の下落

解答への道

1．小問(1)(2)(3)について

本問の出題者は（過剰とも思えるほど）細かく解き方の手順を示しているので，受験者はそれに素直にしたがえばよい。もちろん，出題者の誘導にしたがわなくとも正解を導くことはできる。しかし，これだけ出題者が手順を細かく指示していることをかんがみれば，あえて出題者が指示したものと異なる考え方で解く理由は見出しがたい。出題者の誘導にしたがう方が無難であろう。

2．小問(4)について

小問(4)は他の小問とは少し趣が異なり，資産価格について問うている。最近の過去問を丹念に研究していれば，2012（平成24）年度本試験の問題2および2013年度（平成25）年度本試験の問題2で問われた資産価格の決定式に気づくことができるであろう。その資産価格の決定式に基づいて考えれば，さほど難なく結果を導くことができるはずである。なお，今回のこの小問における，高い消費成長（貯蓄需要の減少）が不動産を含む資産価格の下落を導くという結果は，昨年（2014年）度の本試験の問題2・小問(5)の結果と一脈通じるように思われる。

3．ファンダメンタルズに基づく資産価格の決定式

資産を保有することから得られる第1期（現時点）の予想収益（予想レント）をR，第2期以降の各期における収益の予想成長率をｇ，利子率をｒ，ならびに資産保有にともなうリスクを反映したリスク・プレミアムをπとする。伝統的な資産価格理論によれば，ある資産を第1期から無限先の将来まで（永久に）保有するとしたとき，その資産の理論価格は，当該資産が無限先の将来まで（永久に）生み出す予想収益の現在割引価値の合計（ファンダメンタルズ）に等しくなる。すなわち，当該資産の理論価格をP_Aとすると，

$$P_A = \frac{R}{1+r+\pi} + \frac{R(1+g)}{(1+r+\pi)^2} + \frac{R(1+g)^2}{(1+r+\pi)^2} + \cdots$$

である。ここで上式の右辺は，初項が $\frac{R}{1+r+\pi}$，公比が $\frac{1+g}{1+r+\pi}$ の無限等比級数であることに注意する。したがって，$r+\pi > g$ なる仮定のもと，よく知られた公式を用いれば，

$$P_A = \frac{\dfrac{R}{1+r+\pi}}{1-\dfrac{1+g}{1+r+\pi}} = \frac{R}{r+\pi-g}$$

と計算できる（上記の解答例では，簡単化のために $\pi = g = 0$ と仮定している）。

MEMO

◇ 平成28年度

問題❶

次の(1)から(5)の各設問に答えなさい。

(1) 「地代」と「地価」の違いについて，数式を用いずに説明しなさい。

(2) 消費者の効用水準が，その他消費財（合成財）の消費量zと，住宅敷地面積sによって決まるとする。消費者の所得をy，その他消費財の価格を1，住宅敷地の単位面積当たり地代をrとする。このとき，消費者の予算制約式はどのように表現できるか答えなさい。

(3) 標準的な無差別曲線の形状を仮定すると，消費者はどのようなzとsの組み合わせを選ぶと効用が最大になるか，縦軸をその他消費財の消費量，横軸を住宅敷地面積とする図を描いて説明しなさい。

(4) 何らかの理由で所得が低下したと仮定する。効用水準が(3)で求めた最大の効用水準に保たれるためには，地代がどの程度低下する必要があるか，(3)で回答した図を用いて説明しなさい。図を別途描いてもかまわない。

(5) (4)における「所得の低下」が，都心部からより遠い地点に居住することによる，都心部への通勤費用の増加によるものと考える。均衡において同質的な消費者が様々な地点に居住しているとすると，消費者の最大化された効用水準はどの居住地でも同じであると考えられる。都心部に通勤する消費者にとって，居住地の都心部からの距離と地代及び住宅敷地面積との間にどのような関係が生まれるか，(4)までの設問を踏まえつつ説明しなさい。

解答例

チェック・ポイント

(1) 地代とは，土地をある一定期間だけ利用するための対価として支払われる金額のことである。対して，地価とは（資産としての）土地を取得するための対価として支払われる金額のことである。

「地代」と「地価」の違い

(2) 敷地面積が s の住宅に住む消費者が支払う地代の総額は，“住宅敷地の単位面積当たり地代（単位地代） r ×住宅敷地面積 s”より， r s である。同様に，合成財を z だけ消費する消費者が合成財購入に対して支払う金額は，“合成財の価格 1 ×合成財消費量 z”より， z である。

　したがって，消費者の予算制約式（総支出額≦所得）は，次のように表現できる。

$$rs + z \leqq y$$ （答）

　なお，(3)以降では標準的な無差別曲線の形状を仮定するので，消費者の予算制約式を

$$rs + z = y$$ （答）

と表現しても何ら問題ない。

予算制約式

(3) 「標準的な形状の無差別曲線」として，右下がりかつ原点に対して凸状となる無差別曲線を仮定する。くわえて，消費者はプライス・テイカー（価格受容者）であるとしよう。このとき，消費者の効用が最大となる s と z の組み合わせ（最適消費計画）は，無差別曲線と予算制約線の接点Eで表される（〔図１〕）。

　なお，後続の設問に解答するために，この消費者の最適消費計画における効用水準を u^* とおく。

効果最大化点（最適消費点）

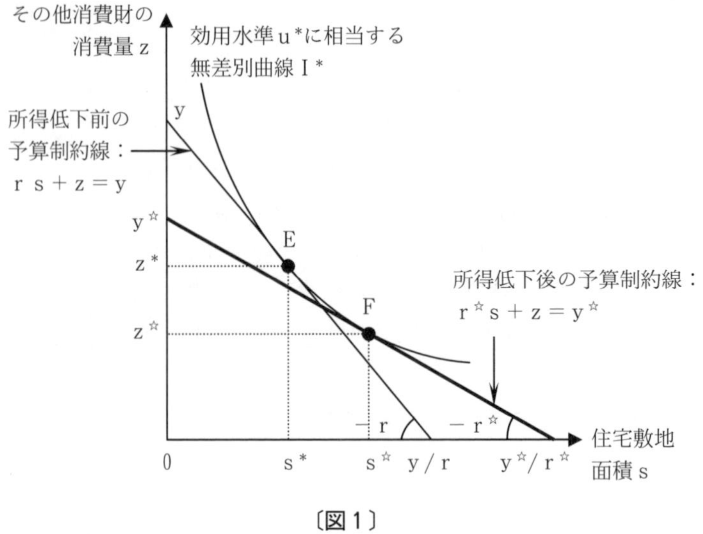

〔図 1〕

(4) 消費者の所得が $y^{☆}$まで低下したとき，効用水準が u^*で不変であるためには，単位地代が $r^{☆}$まで低下する必要があるとしよう。このとき，消費者の所得が低下した後の予算制約式は，

$$r^{☆}s + z = y^{☆}$$

となる。この予算制約式の下，消費者は自らの効用を最大にする s と z の組み合わせを選択するとしよう。このときに実現する効用水準が u^*と等しくなるのは，この消費者が〔**図 1**〕中の点 F で表される s と z の組み合わせを選択する場合である。

要するに，縦軸上の点（0，$y^{☆}$）を通り，無差別曲線 I^*に（点 F において）接する直線の傾きの絶対値を $r^{☆}$とおけば，消費者の所得が $y^{☆}$まで低下したとき，所得低下前の効用水準 u^*が維持されるためには，単位地代は少なくとも $r^{☆}$まで低下する必要がある。

所得が低下した場合の地代の低下

(5) 「均衡において同質的な消費者が様々な地点に居住している」ならば，都心部からの距離が長くなるほど（すなわち，都心部から遠く離れるほど），単位地代 r は下がり（〔**図 1**〕中で $r \to r^{☆}$），住宅敷地面積 s は増加する（〔**図 1**〕中で $s^* \to s^{☆}$）と考えられる。もし通勤費用の増加による可処分所得の低下（にともなう効

居住地の都市部からの距離と地代及び住宅敷地面積との間の関係

用の低下）を埋め合わせるような単位地代 r の低下がなければ，消費者はみな通勤費用を節約するために都心部に移り住むであろうから，「均衡において同質的な消費者が様々な地点に居住」することはあり得ない。また，合成財の価格を所与として単位地代 r が低下すれば，住宅消費が割安となるため，合成財の消費量は減るが，住宅敷地面積は増加する。

解答への道

小問(1)について

やや意表を突く設問であるが，不動産鑑定士試験の受験者にとっては，さほど難しい問いではないかもしれない。

小問(2)について

消費者の予算制約式が“総支出額≦所得”を表す式であることさえ理解できていれば，きわめて容易な設問である。逆に言えば，この設問での失点は「致命傷」になりかねない。

小問(3)について

(2)と同じく，この設問も「基本中の基本」と言いうる平易なものであるが，図を描いただけで安心してはならない。出題者は，「消費者はどのような z と s の組み合わせを選ぶと効用が最大になるか」と問うており，この問いに対する答えを言葉ではっきり説明しなければ，減点は免れないであろう。

小問(4)について

この設問については説明の仕方（答案の書き方）も難しく，全く着手できなかった受験者も多かったと思われる。

さて，この小問の**【解答例】**において，「消費者の所得が $y^{☆}$ に低下するとき，所得低下前の効用水準 u^{*} が維持されるためには，単位地代が $r^{☆}$ まで低下する必要があること」を説明した。これは，「消費者の所得が $y^{☆}$ まで低下したとき，所得低下前の効用水準 u^{*} を維持しようとすれば，この消費者が支払ってもよいと思う単位地代（の最大値）は高々 $r^{☆}$ である」とも解釈できる。なお，$r^{☆}$ は，可処分所得が $y^{☆}$ である消費者の（効用水準 u^{*} を所与としたときの）付け値地代と呼ばれる。

小問(5)について

一見すると手強そうだが，この設問の答えを推測すること自体は容易であろう。もっとも本問の場合，(4)において，出題者自ら部分的に正解（都心から離れるほど単位地代が低下すること）を言ってしまっているのだが。

問題の中で出題者が述べている通り，（職場のある）都心部から遠く離れるほど，通勤費用がより増加するため，消費者の可処分所得はより低下すると考えられる。したがって，「標準的な無差別曲線の形状」を仮定する限り，都心部からの距離が長くなるほど（都心部から遠くなるほど），付け値地代はより低下し，住宅敷地面積はより増加する。このことは，(4)と同様の考え方にしたがって確かめることができる。

MEMO

問題❷

下記の①式，②式，③式の３本の式で表されるマクロ経済モデルを考える。このマクロ経済モデルについて説明したモデルの説明文を読み，(1)から(4)の各設問に答えなさい。

〔マクロ経済モデル〕

①式：$\dfrac{M}{P} = L（Y,\ i）$

②式：$i = i^{*} + \dfrac{E^{e} - E}{E}$

③式：$Y = D\left(Y - T,\ i - \pi^{e},\ \dfrac{EP^{*}}{P}\right) + G$

〔モデルの説明文〕

このマクロ経済モデルは，変動相場制を採用するある１つの国の経済をモデル化したものである。以下では，このある国を自国と呼び，それ以外の国を外国と呼ぶ。

まず，①式は自国通貨の供給と需要の均衡式である。①式左辺の$\dfrac{M}{P}$は，自国の名目通貨供給量Ｍを自国の物価水準Ｐで割った自国の実質通貨供給量を表している。一方，(ア)<u>①式右辺のＬ（Ｙ，ｉ）は，自国の実質通貨需要量を表しており，それは自国の実質国民総生産Ｙの増加関数であり，自国の名目利子率ｉの減少関数である。</u>

次に，②式は金利支払いがある自国の資産と外国の資産の期待収益率が均等化することを示すカバーなし金利平価式である。②式左辺のｉは，自国の名目利子率であり，それは自国の資産の期待収益率を表している。一方，②式右辺のi^{*}と$\dfrac{E^{e} - E}{E}$は，それぞれ外国の名目利子率と自国通貨建て名目為替レートの期待変化率であり，それら２つの合計は外国の資産の期待収益率を表している。自国通貨建て名目為替レートの期待変化率は，将来時点の自国通貨建て名目為替レートの現在時点における予想値E^{e}から現在時点の自国通貨建て名目為替レートＥを引いた値を現在時点の自国通貨建て名目為替レートＥで割って求められている。

最後に，③式は自国の生産物の供給と需要の均衡式である。③式左辺のYは，自国の実質国民総生産であり，それは自国の生産物の総供給を表している。一方，③式右辺の$D\left(Y-T,\ i-\pi^{e},\ \frac{EP^*}{P}\right)$とGは，それぞれ自国の実質民間支出と実質政府支出であり，それら2つの合計は自国の生産物の総需要を表している。実質民間支出は，実質国民総生産Yから実質税額Tを引いた実質民間可処分所得Y－Tの増加関数である。ただし，民間可処分所得は民間貯蓄にも回るため，実質民間可処分所得の1単位の変化がもたらす実質民間支出の変化は1単位未満である。また，実質民間支出は，自国の名目利子率iから自国の期待物価上昇率π^{e}を引いた自国の実質利子率$i-\pi^{e}$の減少関数である。さらに，(イ)実質民間支出は，自国通貨建て名目為替レートEと外国の物価水準P^*を掛けた値を自国の物価水準Pで割って求められる実質為替レート$\frac{EP^*}{P}$の増加関数である。

このマクロ経済モデルでは，自国の物価水準Pの値は一定であるとし，自国の期待物価上昇率π^{e}の値はゼロであるとする。また，この固定価格の仮定により，生産物の総供給と総需要の間に不均衡があるときは，物価水準が変化するのではなく，一定の物価水準の下で総供給が総需要に等しくなるように生産物の生産量が調整され総供給と総需要の均衡が達成されるとする。なお，自国は小国であり，自国の政策や経済変数に変化があっても，外国の物価水準P^*や外国の名目利子率i^*は影響を受けず一定の値を保つとする。

(1) モデルの説明文の下線部（ア）では，自国の実質通貨需要量が自国の実質国民総生産の増加関数であり，自国の名目利子率の減少関数であるとされている。このように，マクロ経済モデルにおいて，実質通貨需要量が実質国民総生産の増加関数であり，名目利子率の減少関数であると想定されるのはなぜか，その理由を説明しなさい。

(2) 現在時点において，政府が，政府支出を増加させ，その政府支出の増加分を増税によってまかなったとする。ただし，人々は，この政策を臨時的かつ一時的なものと考えており，この政策の実行によって，たとえ現在時点の自国通貨建て名目為替レートが変動したとしても，将来時点の自国通貨建て名目為替レートは，この政策が実行されなかったときの値に戻ると予想しているとする。このとき，この政策の実行によって，Y（自国の実質国民総生産)，i（自国の名目利子率)，E（自国通貨建て名目為替レート）の値には，現在時点においていかなる変化が発生するか。上記のマクロ経済モデルに即して，3つの変数の値それぞれに発生する変化を答えなさい。なお，3つの変数の値それぞれに発生する変化については，たとえば「Yの値は増加する（減少する)」あるいは「Yの値は変化しない」という形で変数の記号を使って結果のみ答えること。

(3) 現在時点において，人々が将来時点の自国通貨建て名目為替レートの減価を予想するようになった（すなわち，E^eの値が増加した）とする。ただし，この予想の変化は，何らかの外生的な変数の変化に誘発されたものではなく完全に自律的なものであり，現在時点において，自国の政策，自国の物価水準，自国の期待物価上昇率，外国の物価水準及び外国の名目利子率には何らの変化もなかったとする。このとき，この予想の変化によって，Y（自国の実質国民総生産)，i（自国の名目利子率)，E（自国通貨建て名目為替レート）の値には，現在時点においていかなる変化が発生するか。上記のマクロ経済モデルに即して，3つの変数の値それぞれに発生する変化を答えた上で，それら変化が発生するメカニズムを説明しなさい。なお，3つの変数の値それぞれに発生する変化については，たとえば「Yの値は増加する（減少する)」あるいは「Yの値は変化しない」という形で変数の記号を使って答えること。

(4) モデルの説明文の下線部（イ）では，実質為替レートの減価（すなわち，$\frac{EP^*}{P}$の値の増加）によって，自国の実質民間支出が増加するとされている。これは，実質為替レートの減価が自国の生産物を単位として測った純輸出を増加させると想定されているためである。しかし，現実の経済では，実質為替レートの減価とともに，自国の生産物を単位として測った純輸出はいったん減少し，その後，徐々に増加するという時間的推移を示すことが多い。この純輸出の時間的推移にみられる効果のことを何と呼ぶかを答えた上で，その効果が現れるメカニズムを説明しなさい。

解答例

チェック・ポイント

(1) 自国の実質通貨（貨幣）需要量は，貨幣の取引需要量と貨幣の投機的需要量の合計からなる。貨幣の取引需要量は，貨幣を取引手段として保有しようとする需要量であるが，実質国民総生産（所得）が増加するほど，貨幣を取引手段として保有しようとする必要性が高まるため，貨幣の取引需要量は，実質国民総生産の増加関数である。貨幣の投機的需要量は，貨幣を安全資産として保有しようとする需要量である。貨幣の代替的金融資産である債券の市場価格は，名目利子率と負の関係にあり，また，債券の市場価格が予想（正常）価格と乖離する場合には，人々は債券の市場価格が予想価格に回帰するという予想をたてるものと仮定する。名目利子率が上昇すると債券の市場価格は下落し，債券の市場価格が予想価格と乖離する人々が増加することになる。上述の仮定によれば，この場合，将来時点において債券の市場価格が上昇してキャピタル・ゲインを獲得できると予想する人々が増加するため，債券需要量が増加する一方で，貨幣の投機的需要量は減少する。したがって，貨幣の投機的需要量は，名目利子率の減少関数になる（流動性選好理論）。以上のことから，自国の実質通貨需要量は，実質国民総生産の増加関数であり，名目利子率の減少関数になる。

（貨幣の取引需要が国民所得の増加関数になる理由）
（貨幣の投機的需要が利子率の減少関数になる理由）

(2) Yの値は増加，ｉの値は上昇，Eの値は下落する（自国通貨高）。

（拡張的財政政策の効果）

(3) Yの値は増加し，ｉの値およびEの値は上昇する（自国通貨安）。理由は次の通りである。E^eの値が上昇すると，②式のカバーなしの金利平価式において，右辺は左辺よりも大きくなることから，両辺が再び均等するために，（ｉを所与とすると）Eが上昇する必要がある。Eの上昇により，自国の実質民間支出である純輸出が増加するため，③式の生産物（財）市場の均衡条件式よりYは増加する。Yが増加すると，①式の右辺（実質貨幣需要量）が左辺（実質貨幣供給量）を上回るため，①式の両辺が再び均等するためには，利子率ｉが上昇せねばならない。

（為替レートの減価予想がY，ｉ，およびEに与える影響）

(4) 「Ｊカーブ効果」という。この効果が生じる理由のひとつとして，短期的には輸出数量や輸入数量が契約などにより固定されていることが挙げられる。自国の輸出関数をＥＸ（$\frac{EP^*}{P}$，Ｙ*），自国の生産物を単位として測った輸入関数を$\frac{EP^*}{P}$×ＩＭ（$\frac{EP^*}{P}$，Ｙ）とすると，自国の生産物を単位として測った純輸出関数はＮＸ＝ＥＸ（$\frac{EP^*}{P}$，Ｙ*）－$\frac{EP^*}{P}$×ＩＭ（$\frac{EP^*}{P}$，Ｙ）と表現できる。この式で，輸出数量と輸入数量が契約などにより短期的に固定されている場合，自国通貨の減価は，自国の生産物を単位として測った輸入量を増加させるため，（自国通貨が減価しているにもかかわらず）自国の純輸出量は短期的には減少することになる。なお長期的には，輸出数量と輸入数量は固定的ではなく調整可能であるため，自国通貨の減価は，自国の輸出量を増加させる一方で，自国の輸入量を減少させる。その結果，自国の純輸出量は長期には増加することになる。

「Ｊカーブ効果」の説明

解答への道

⑴　貨幣需要には，貨幣の取引需要と投機的需要があり，実質国民総生産（所得）が増加すれば貨幣の取引需要が増加すること，および流動性選好理論より貨幣の投機的需要が名目利子率の減少関数であることを説明すればよい。これらは貨幣需要理論の基本であり,基本講義のミニテストや直前答練第1回問題2でも出題済みであるので，少しのミスも許されず，完璧な解答が必要である。

⑵　本問の⑵と⑶は，ＩＳ－ＬＭ－ＢＰ分析の考え方を応用して答えることができる。カバーなしの金利平価式（②式）をＢＰ曲線の式に相当するものと考えれば，横軸に実質国民総生産（所得），縦軸に名目利子率をとる平面において，ＢＰ曲線は水平線となり，名目為替レートや期待名目為替レートの変化によりシフトすることになる。基本テキストで学習した完全資本移動のケースでは，人々の名目為替レートの予想に関しては，静学的期待形成（$E^e=E$）を仮定していたため，カバーなしの金利平価式において，期待（予想）名目為替レート変化率がゼロとなるため，ＢＰ曲線の式は「ｉ＝ｉ*」となり，水平なＢＰ

曲線は名目為替レートや期待名目為替レートが変化してもシフトすることはなかった。(2)と(3)では，静学的期待形成が必ずしも仮定されておらず，それゆえ分析が少し難しくなる。静学的期待形成の仮定の下では，ＢＰ曲線の式が「$i = i^*$」となる場合には，変動為替相場制度の下での拡張的な財政政策は，政府支出増大（Ｇ↑）の効果が名目為替レートの下落（自国通貨高）による純輸出の減少によって完全に相殺されるため無効となることはよく知られているが，本問においては，名目為替レートの下落により，水平なＢＰ曲線は上方にシフトするので，結果として拡張的な財政政策は無効とはならない。より詳しく述べれば次のようになる。〔**図１**〕において，増税を財源として政府支出を増加させる拡張的な財政政策を実施する前の均衡点をE_1とする。増税を財源とする政府支出の増加により，ＩＳ曲線はIS_1からIS_2に右方シフトするが，E_2点においては，国際収支の黒字化による外貨の超過供給（邦貨の超過需要）が生じるため，自国通貨建て名目為替レートが下落（増価）することになる。名目為替レートの下落（増価）は，純輸出の減少（ＮＸ↓）によるＩＳ曲線のIS_2からIS_3への左方シフト，およびＢＰ曲線のBP_1からBP_2への上方シフトをもたらす。したがって，最終的な均衡点はE_3点となり，変動為替相場制度の下での拡張的な財政政策は，実質国民総生産（所得）の増加と名目利子率の上昇，および名目為替レートの下落（増価）をもたらす。すなわち，この場合，変動為替相場制度の下であっても，拡張的な財政政策は無効にはならないのである。

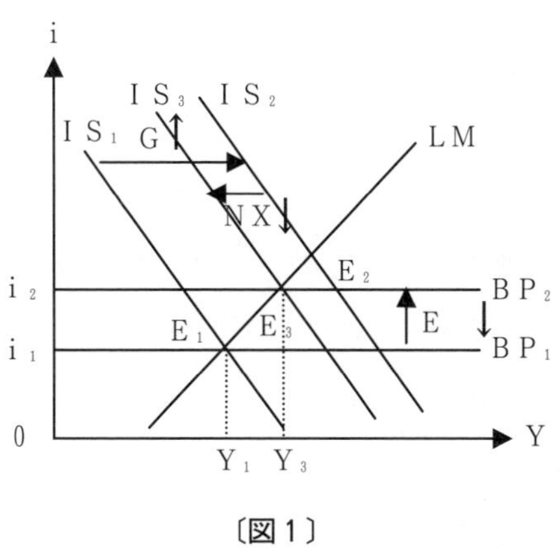

〔**図１**〕

(3) 〔**図２**〕において，期待（予想）名目為替レートが減価する前の均衡点をE_1

とする。期待（予想）名目為替レートの減価により，ＢＰ曲線はBP_1からBP_2へ上方シフトするが，E_1においては国際収支の赤字化による外貨の超過需要（邦貨の超過供給）により，自国通貨建て名目為替レートが上昇（減価）することになる。自国通貨建て名目為替レートの上昇（減価）は，純輸出の増加（ＮＸ↑）によるＩＳ曲線のIS_1からIS_2への右方シフトをもたらす。したがって，最終的な均衡点はE_2点となり，将来的に名目為替レートが減価するという予想は，実質国民総生産（所得）の増加と名目利子率の上昇，および名目為替レートの上昇（減価）をもたらす。

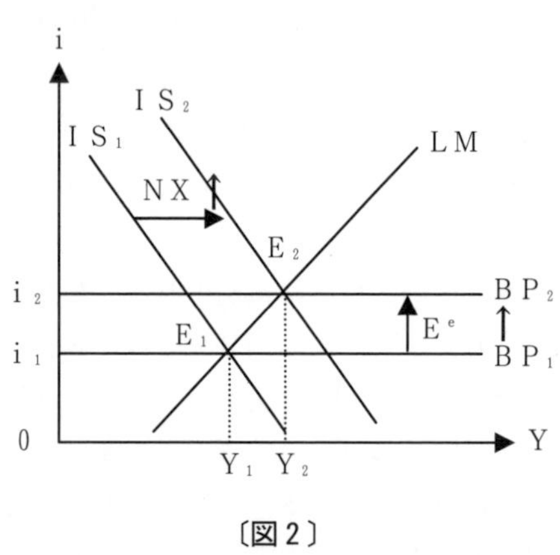

〔図２〕

(4) 解答例においては，実質為替レートを用いて，実質表示による純輸出を用いて「Ｊカーブ効果」を説明したが，本問では自国と外国の物価水準が固定されているため，名目為替レートと実質為替レートは１対１の対応関係となる。ここでは，次式のように，外貨ベースの名目表示により純輸出ＮＸを考えるものとする。

$$NX = \frac{P}{E} \times EX\ (E,\ Y^*) - P^* \times IM\ (E,\ Y)$$

上記の式において，本来であれば，自国通貨建て名目為替レートが減価すれば，外貨建ての輸出財価格$\frac{P}{E}$の下落による輸出量$EX\ (E,\ Y^*)$の増加と，自国通貨建ての輸入財価格の上昇による輸入量$IM\ (E,\ Y)$の減少により，純輸出は増加するはずであるが，「契約などにより，短期的には輸出数量と輸入数量は固定されている」と考えれば，自国通貨建て名目為替レートが減価しても，外貨建ての輸出額 $\frac{P}{E} \times EX(E, Y^*)$ が減少してしまうため，純輸出は短期的に減少することになる。これが，「Jカーブ効果」である。

◇ 平成29年度

問題❶

次の(1)及び(2)の各設問に答えなさい。

(1) 住宅地と工業地が隣接しており，当該工業地内の企業がある財を生産するのに伴い，外部不経済が発生する状況を想定する。この財の需要曲線は，価格をｐ，需要量をＤとすると，Ｄ＝－２ｐ＋300と表される。また，この財の生産量をｑとすると，供給曲線はｑ＝２ｐ－100と表され，社会的限界費用は $\frac{3}{4}$ ｑ＋50と表されるものとする。

① 市場均衡の場合において，死重損失（deadweight loss）がいくら発生するのか，図を用いて説明し，計算しなさい。

② 生産者に対する課税を考える。社会的に望ましい生産量を達成するのに必要な税の額は，生産量１単位当たりいくらになるか，説明しなさい。

③ 需要の価格弾力性とは何か，説明しなさい。

④ 市場均衡点における需要の価格弾力性の値を計算して求めなさい。

(2) 外部性への対処の方法について，上記の課税による方法以外にどのような方法があるか１つ取り上げて説明しなさい（複数取り上げた場合は減点する。）。

解答例

チェック・ポイント

(1)　①〔**図1**〕において，市場均衡の生産量q^*の下での社会的総余剰TS^*は，

TS^*＝消費者余剰$\triangle Ap^*E$＋生産者余剰$\triangle p^*BE$－外部不経済による損失$\triangle FBE$
＝$\triangle ABC-\triangle CEF$

となる。一方，社会的に望ましい生産量q^{**}の下での社会的総余剰TS^{**}は，

TS^{**}＝消費者余剰$\triangle Ap^{**}C$＋生産者余剰□$p^{**}BGC$－外部不経済による損失$\triangle CBG$
＝$\triangle ABC$

したがって，死重損失は，

死重損失＝$TS^{**}-TS^*$＝$\triangle CEF$

と求めることができる。

市場均衡の生産量の下での社会的総余剰の大きさ

社会的に望ましい生産量の下での社会的総余剰の大きさ

死重損失の図による説明

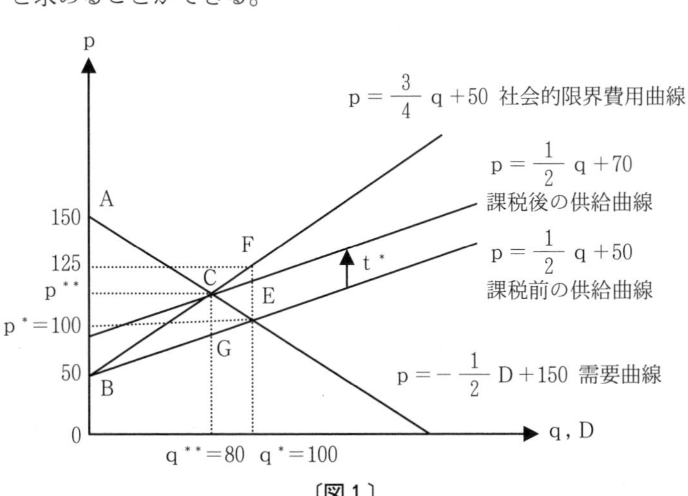

〔**図1**〕

与えられた需要曲線の式と供給曲線の式を，それぞれ$p=-\frac{1}{2}D+150$，$p=\frac{1}{2}q+50$と変形すると，市場均衡$q^*=D^*$における生産量q^*は，$p=-\frac{1}{2}D+150$と$p=\frac{1}{2}q+50$を等

しいとおいて，

$$-\frac{1}{2}q^{*}+150=\frac{1}{2}q^{*}+50 \quad \therefore \quad q^{*}=100$$

となる。また，市場均衡における均衡価格 p^{*} は，$q^{*}=100$ を供給曲線の式に代入して，

$$p^{*}=\frac{1}{2}q^{*}+50=100$$

となる。社会的限界費用の式を $p=\frac{3}{4}q+50$ とすれば，社会的に望ましい生産量 q^{**} は，$p=-\frac{1}{2}q^{**}+150$ と $p=\frac{3}{4}q^{**}+50$ を等しいとおいて，

$$-\frac{1}{2}q^{**}+150=\frac{3}{4}q^{**}+50 \quad \therefore \quad q^{**}=80$$

と求められる。$q^{*}=100$ における社会的限界費用は，

$$\frac{3}{4}q^{*}+50=125$$

となる。したがって，死重損失の値は，

$$\triangle CEF=(125-100)\times(100-80)\times\frac{1}{2}=250 \text{（答）}$$

となる。

死重損失の計算

②社会的に望ましい生産量 q^{**} を達成するために必要な生産量１単位当たりの税額 t^{*} は，q^{**} における外部不経済の限界損失MLに等しい金額となる（$t^{*}=ML(q^{**})$）。「社会的限界費用＝私的限界費用＋限界損失」ゆえ，限界損失MLは，社会的限界費用 $p=\frac{3}{4}q+50$ の式から私的限界費用（供給曲線）$p=\frac{1}{2}q+50$ の式を控除すれば求められるので，

$$ML=\frac{3}{4}q+50-\left(\frac{1}{2}q+50\right)=\frac{1}{4}q$$

となる。これを用いることにより，

$$t^{*}=ML(q^{**})=\frac{1}{4}q^{**}=20 \text{（答）}$$

が得られる。

社会的に望ましい生産量を達成するのに必要な生産量１単位当たりの税額の計算

③需要の価格弾力性εとは，他の条件を不変として，ある財の価格が追加的に１％上昇したときにその財の需要量が何％減少するのかを表す尺度であり，$\varepsilon = -\frac{dD}{dp} \times \frac{p}{D}$と定式化できる。

需要の価格弾力性の説明

④市場均衡点における需要の価格弾力性ε^*は，

$$\varepsilon^* = -\frac{dD}{dp} \times \frac{p^*}{D^*} = -(-2) \times \frac{100}{100} = 2 \text{（答）}$$

と求められる。

需要の価格弾力性の値の計算

(2)　外部性への対処の方法としては，(1)の課税による方法以外に，外部性の発生原因となる財の生産者に対して，市場均衡の生産量q^*から生産量を１単位減らすごとに，q^{**}における外部不経済の限界損失MLに等しい金額の「減産補助金」を給付することが考えられる。この方法によれば，生産量を減らさない場合には，（生産量を減らしていれば受け取れたはずの）減産補助金を断念することになるため，減産補助金は財生産の機会費用となり，この減産補助金政策下の供給曲線は，(1)②の課税政策下の供給曲線と同じになる。すなわち，外部不経済への対処の方法として，減産補助金は課税と同じ効果を有する。

課税による方法以外の外部性への対処方法の説明

解答への道

(1)①　社会的限界費用が問題文で与えられていること，供給曲線が私的限界費用曲線と同じものであること，そして「死重損失」が厚生損失または死荷重と同じものであることに気づけば，死重損失の大きさを図で説明することや，その値を計算することは，難しくないはずである。

②　ピグー的課税政策についての基本問題である。課税後の供給曲線を図示するだけではなく，社会的に望ましい生産量を達成するために必要となる生産量１単位当たりの税額の値を計算し，具体的な数字を答えることが必要である。

③　需要の価格弾力性の説明は，難なくできてほしい。

④　市場均衡点における需要の価格弾力性の計算は難問とは思えないが，需要の価格弾力性の定義式を忘れていたり，定義式に代入すべき数値を間違える

といったミスにより正解を逸した答案もあったはずである。

(2) 生産者に対する減産補助金のほかに，消費者に対する課税や法令等による生産量の規制なども，別解として考えられるであろう。

MEMO

問題❷

次の「マクロ経済モデル」は，外国との経済取引を行っていないある1つの国の経済をモデル化したものである。この「マクロ経済モデル」を構成する次の①から④までの4つの式について説明した後記の「モデルを構成する式の説明」を読み，(1)から(4)の各設問に答えなさい。

マクロ経済モデル

① $Y = F(N)$

② $N = H\left(\frac{W}{P}\right)$

③ $Y = C(Y - T) + I(i - \pi^{e}) + G$

④ $M/P = L(Y, i)$

ただし，Yは実質国民総生産，Nは労働雇用量，Wは名目賃金水準，Pは物価水準，Tは租税額の実質値（名目租税額を物価水準で割ったもの），iは名目利子率，π^{e}は予想物価上昇率，Gは実質政府支出（名目政府支出額を物価水準で割ったもの），Mは名目通貨供給量である。

また，$F(N)$は生産関数，$H\left(\frac{W}{P}\right)$は労働需要関数，$C(Y - T)$は実質民間消費支出関数，$I(i - \pi^{e})$は実質民間投資支出関数，$L(Y, i)$は実質通貨需要関数である。

モデルを構成する式の説明

①式は，財•サービスの総供給を表す式である。この式は，労働を生産要素として財•サービスが生産されていることを示しており，生産関数$F(N)$は，労働雇用量Nの増加関数である。

②式は，労働需要量を表す式である。(ア)企業は，自らの利潤を最大化するように労働者を雇うことから，労働需要関数$H\left(\frac{W}{P}\right)$は，実質賃金水準$\frac{W}{P}$の減少関数となる。なお，この経済では名目賃金あるいは実質賃金に硬直性が存在し，実現する実質賃金水準において常に労働需要量が労働供給量を下回っているとする。このため，この経済の労働雇用量は，労働需要量と労働供給量のうちより少ない方である労働需要量に等しく決定される。

③式は，財・サービスの総需要を表す式である。この式は，財・サービスの総需要が実質民間消費支出，実質民間投資支出及び実質政府支出から構成されていることを示している。(イ)実質民間消費支出関数C（Y－T）は，実質民間可処分所得Y－Tの増加関数である。ただし，可処分所得は，貯蓄にも振り向けられるため，実質民間可処分所得が１単位変化したとき，実質民間消費支出は１単位未満しか変化しない。また，実質民間投資支出関数I（i－π^{e}）は，実質利子率i－π^{e}の減少関数である。

④式は，通貨市場の均衡を表す式である。式の左辺は，実質通貨供給量を示しており，右辺の実質通貨需要関数L（Y，i）は，Yの増加関数でありiの減少関数である。

⑴「モデルを構成する式の説明」の下線部（ア）では，企業の利潤最大化行動から導かれる労働需要関数が実質賃金水準の減少関数となることが述べられている。なぜ，企業の利潤最大化行動から導かれる労働需要関数は実質賃金水準の減少関数となると考えられるのか，その理由を説明しなさい。ただし，説明に当たっては，企業が価格受容者の立場で（すなわち，自らの選択が名目賃金水準および物価水準に何らの影響を与えないものとして）利潤最大化を行うと想定すること。

⑵ 名目賃金に硬直性が存在し，名目賃金水準が常に一定に保たれている経済を考える。今，この経済で，政府が増税を行い，その増税分だけ実質政府支出を増加させたとする。なお，この政策実行の前後で予想物価上昇率に変化はなかったとする。このとき，物価水準，実質国民総生産，名目利子率にはいかなる変化が発生するか。上記のマクロ経済モデルに基づき，これら３つの変数それぞれに発生する変化を答えなさい。ただし，変化が発生しない変数がある場合には，その変数については「～は変化しない」と答えること。また，解答は，各変数に発生する変化のみを答えればよく，変化が発生するメカニズム等については言及しなくてよい。

⑶ 名目賃金水準が物価水準の変化にスライドして変化する「名目賃金の物価スライド制」によって実質賃金水準が常に一定に保たれている経済を考える。今，この経済で，人々が経済の先行きへの見方を変化させ，予想物価上昇率が下落したとする。このとき，物価水準，実質国民総生産，名目利子率，実質利子率にはいかなる変化が発生するか。上記のマクロ経済モ

デルに基づき，これら4つの変数それぞれに発生する変化を答えた上で，それら変化が発生するメカニズムについて説明しなさい。ただし，変化が発生しない変数がある場合には，その変数については「〜は変化しない」と答えた上で，変化が発生しないメカニズムについて説明すること。

(4) 「モデルを構成する式の説明」の下線部（イ）では，実質民間可処分所得の変化が実質民間消費支出にいかなる変化をもたらすかが述べられている。こうした可処分所得と消費支出の関係について現実の経済データを用いて推計するとき，長期間の時系列データを用いて推計した長期の消費支出関数と短期間の時系列データを用いて推計した短期の消費支出関数には形状の違いがあることが指摘されている。この消費支出関数の形状の違いが生じる理由をめぐっては消費関数論争と呼ばれる論争が行われたが，この論争の原因となった長期の消費支出関数と短期の消費支出関数の形状の違いとはいかなるものか，消費支出関数を可処分所得の一次関数として推計した場合を想定して両者の形状の違いについて説明しなさい。

解答例

チェック・ポイント

(1) 経済全体の総供給を一手に担う「マクロ的企業」が1社だけ存在するとしよう（つまり，当該国の全ての財の生産を1社が行なっているものと見なす）。その企業の利潤をΠとおくと，

$$\Pi = PF(N) - WN$$

と書き表される。

マクロ的企業の利潤の定式化

題意より，この「マクロ的企業」はプライス・テーカー（価格受容者）として利潤最大化行動を行なうので，プライス・テーカーの利潤最大化の1階条件は，ΠをNで微分して0と等しくおくことにより，

$$P \times \frac{dF(N)}{dN} - W = 0 \rightarrow \frac{dF(N)}{dN} = \frac{W}{P} \qquad (☆)$$

と得られる（利潤最大化の2階条件は満たされているとする）。ここで，$\frac{dF(N)}{dN}$ は，労働雇用量が追加的に1単位だけ増加したときの総供給の増加分であり，労働の限界生産力（MP_L

利潤最大化の1階条件

(N)) を表す。つまり，(☆) 式は，「労働需要量は，労働の限界生産力 MP_L (N) と実質賃金水準 $\frac{W}{P}$ が等しくなる水準に決まること（古典派の第１公準)」を意味している。

ところで，「労働雇用量が増加するにつれて労働の限界生産力は逓減する」と仮定すると，労働雇用量Nと労働の限界生産力 (MP_L (N)) との関係は，右下がりとなる（〔図１〕)。

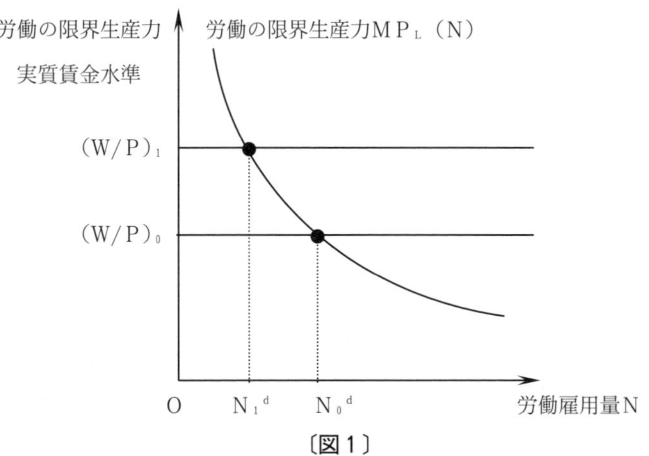

〔図１〕

上述の (☆) 式によれば，実質賃金水準が $(\frac{W}{P})_0$ の水準であるとき，労働需要量は $N_0{}^d$ となる。ここで，もし実質賃金水準が上昇し，$(\frac{W}{P})_1$ の水準になったとすると，労働需要量は $N_0{}^d$ から $N_1{}^d$ まで減少する。

このように，マクロ的企業の利潤最大化の１階条件（古典派の第１公準）によると，実質賃金水準が上昇すれば労働需要量は減少する。すなわち，労働需要関数は実質賃金水準の減少関数である。

労働需要関数が実質賃金水準の減少関数になる理由

(2) 物価水準は上昇する。実質国民総生産は増加する。名目利子率は上昇する。(答)

題意の財政政策が各変数に与える影響

(3) 物価水準は下落する。実質国民総生産は変化しない。名目利子率は下落するが，実質利子率は変化しない。(答) 以下，これらの結果が導かれるメカニズムについて説明する。

この小問にいう「名目賃金の物価スライド制」の下では，物価水準が変化しても，実質賃金水準は常に一定に保たれるので，②式より，労働需要量は常に一定であり，それゆえ労働雇用量も常に一定となる（なぜなら，「この経済の労働雇用量は…労働需要量に等しく決定される」から）。労働雇用量が常に一定なので，①式より，総供給（実質国民総生産）も常に一定となる。以上のことは，物価水準および予想物価上昇率がいかなる値であれ成立する。したがって，物価水準および予想物価上昇率が変化しても，総供給（実質国民総生産）は変化しない。いま，この常に一定である総供給（実質国民総生産）の値をY^*とおこう。

さて，③式に$Y=Y^*$を代入すると，

$$Y^*=C(Y^*-T)+I(i-\pi^e)+G$$

となる。上述の通り，この式の左辺は一定である。ゆえに，右辺にあるGやTが一定に保たれる限り，同じく右辺にある実質民間投資支出Iも一定でなければならない。予想物価上昇率π^eが下落しても，Iが一定であるためには，実質利子率$(i-\pi^e)$が一定値に留まる必要がある。したがって，予想物価上昇率π^eが下落したとき，実質利子率$(i-\pi^e)$が一定となるように，名目利子率iは下落する。

予想物価上昇率の下落が各変数に与える影響とそれらの変化が発生するメカニズムの説明

上述の通り，実質国民総生産YはY^*の水準で一定であり，名目利子率iは下落するので，④式の右辺は増加する（実質通貨需要関数は名目利子率の減少関数だから）。それゆえ，④式が引き続き成立するためには，④式の左辺にある実質通貨供給量$\frac{M}{P}$も増加している必要があり，名目通貨供給量Mを一定とする限り，物価水準Pが下落しなければならないが，事実，物価水準は下落すると考えられる。なぜなら，予想物価上昇率π^eが低下すると，実質利子率$(i-\pi^e)$が（一時的に）上昇し，実質利子率の減少関数である実質民間投資支出が（一時的に）減少するが，その結果，一定の総供給に対して総需要が（一時的に）減少し，当初において総需要と総供給が均衡していたとすると，総需要が総供

給を（一時的に）下回ることになるからである。このようにして発生した超過供給（総需要<総供給）により，物価水準の下落がもたらされる。

(4) 消費支出が可処分所得の一次関数であるとして，現実のデータを用いて消費支出関数を推計したとしよう。横軸に実質民間可処分所得，縦軸に実質民間消費支出をとる平面において，長期間の時系列データを用いて推計された（一次の）消費支出関数から描かれるグラフは，ほぼ，原点を通る（傾きが１未満の）右上がりの直線となる。これに対して，短期間の時系列データを用いて推計された（一次の）消費支出関数から描かれるグラフは，縦軸切片が正の値であり，（傾きが１未満の）右上がりの直線となることが知られている。なお，消費支出関数のグラフの傾きは，可処分所得が追加的に１単位変化したときの消費支出の変化の大きさを表すものであるが，前者のグラフの傾きは，後者のそれよりも大きい（急である）ことも指摘されている。

以上をふまえて，長期間の時系列データから推計された消費支出関数と短期間の時系列データから推計された消費支出関数について，それぞれのグラフの典型的な形状を例示すれば，〔図２〕のようになる。

長期の消費支出関数と短期の消費支出関数の形状の違いの説明

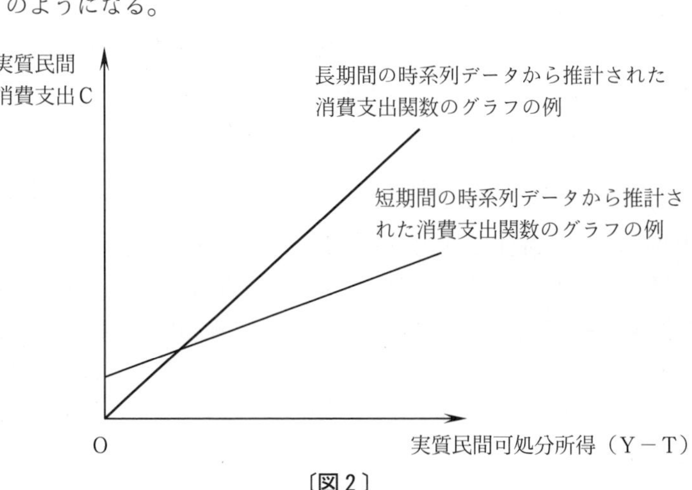

〔図２〕

解答への道

(1) 「労働需要関数が実質賃金水準の減少関数となること」の証明

「労働需要関数が実質賃金水準の減少関数となること」を示すには，実質賃金水準が上昇（下落）したとき，労働需要量が減少（増加）することを示せばよい。そのために，まず，労働需要量が「労働の限界生産力（労働の限界生産性）＝実質賃金水準」となる水準に決定されること（古典派の第１公準）を指摘する必要があるが，小問(1)の場合，「古典派の第１公準」がマクロ的企業の利潤最大化の１階条件として導出されることにも言及すべきである。そのうえで，実質賃金水準が上昇（下落）した場合にマクロ的企業の労働需要量が減少（増加）することを示されたい。ただし，その際，「労働雇用量が増加するにつれて労働の限界生産力が逓減する」という，マクロ生産関数（①式）についての仮定を明示する必要がある。本来，この仮定は出題者の側から提示すべきものであろうが，本問では提示されていないため，受験者が自ら示さなければならない。この仮定は，本小問の証明において欠かすことのできないものなので，この仮定を明示していない場合，相応の減点は免れないだろう。ちなみに，この「労働雇用量が増加するにつれて労働の限界生産力が逓減する」という条件こそ，マクロ的企業の利潤最大化の２階条件に他ならない。

(2) 財政収支を不変に保つように行なわれた拡張的財政政策の効果

小問(2)の正解は「常識的」であり，理屈を無視して正解することもできたであろうが，正解までの道のりを詳しく示せば，以下の通りである。

「名目賃金水準が常に一定に保たれている」場合，物価水準Ｐが上昇すれば実質賃金水準 $\frac{W}{P}$ は下落する。小問(1)で示されたように，労働需要量は実質賃金水準の減少関数ゆえ，実質賃金水準が下落すると，労働需要量は増加する。労働需要量が増加すれば労働雇用量も増加する（なぜなら，「この経済の労働雇用量は…労働需要量に等しく決定される」から）。労働雇用量が増加すると，①式により，総供給も増加する。このように，「名目賃金水準が常に一定に保たれている」場合，物価水準が上昇すると総供給は増加するため，総供給曲線は右上がりとなる（〔**図３**〕）。

一方，本問のモデルにおける総需要曲線は右下がりに描かれる（〔**図３**〕）。ここで，総需要曲線とは，③式と④式をともに満たすＹとＰの組合せの軌跡である。

さて，当初の均衡が〔**図３**〕中のＥ点で表されるとしよう。当該の財政政策が行なわれたとき，③式を満たすＹとｉの組合せの軌跡として定義されるＩＳ曲線が右方にシフトし，物価水準P_0の下での総需要がY_0からY_1まで増加することから，当該の財政政策により総需要曲線は右方にシフトすると言える（$AD_0 \rightarrow AD_1$）。上述の通り，この小問における総供給曲線は右上がりゆえ，当該の財政政策により総需要曲線が右シフトすると，実質国民総生産Ｙは増加するとともに，物価水準Ｐは上昇する。なお，総需要曲線が右シフトすることによって生じる物価上昇をディマンド・プル・インフレーションと言う。

名目通貨供給量Ｍが一定に保たれている限り，物価水準Ｐが上昇すると，実質通貨供給量 $\frac{M}{P}$ は減少する。それゆえ，通貨市場（貨幣市場）は超過需要の状態となるが，名目利子率ｉが上昇して通貨需要（貨幣需要）が抑えられることにより，通貨市場の超過需要は解消される。なお，物価水準の上昇にともない，④式を満たすＹとｉの組合せの軌跡であるＬＭ曲線がLM_0からLM_1まで左シフトする。

以上より，当該の財政政策が行われた後に実現する均衡は，〔**図３**〕で言えば，Ｆ点で表されることになる。当初の均衡がＥ点で表されていたことを思い出すと，当該の財政政策が行われた結果として，物価水準はP_0からP_1まで上昇し，実質国民総生産はY_0からY_2まで増加，名目利子率はi_0からi_1まで上昇することがわかる。なお，この小問では予想物価上昇率π^eは一定なので，名目利子率ｉが上昇すれば，実質利子率（$i-\pi^e$）も上昇する。

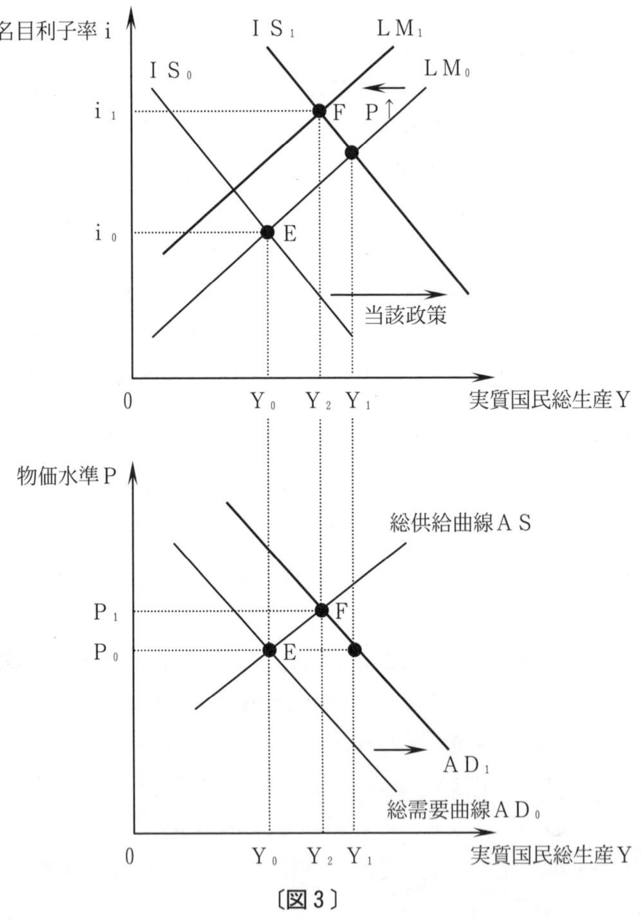

〔図3〕

ところで，小問(2)において「政府が増税を行い，その増税分だけ実質政府支出を増加させると，政府支出増加のプラス効果と増税のマイナス効果が打ち消しあって0となるので，当該の財政政策は無効である」と考え，「3つの変数(物価水準，実質国民総生産，名目利子率）は，いずれも変化しない」と答えた方もおられるかもしれない。しかし，それは正しくない。下線部（イ）は限界消費性向が1より小さい正の値であることを仮定するものである。この仮定の下では，当該の財政政策が行なわれたとき，政府支出増加のプラス効果が増税のマイナス効果を（絶対値で比較して）上回るので，総需要は増大する。すなわち，当該の財政政策は総需要を引き上げ，総需要曲線を右シフトさせる効果を有する。

⑶ 「名目賃金の物価スライド制」の下での予想物価上昇率下落の影響

小問⑶では，名目賃金水準ではなく，「実質賃金水準が常に一定に保たれている」とある。そこから，「物価水準が変化しても労働需要量は一定⇒労働雇用量も一定⇒総供給（実質国民総生産）も一定」と連想できたか否かが，この小問を解答するうえで最も大事なポイントである。あとは，「古典派経済学」の考え方にそって解答すればよい（が，さほど簡単ではないかもしれない）。詳しくは，**【解答例】**をご覧いただきたい。

⑷ 長期間の時系列データを用いて推計された消費支出関数の形状と短期間の時系列データを用いて推計された消費関数の形状の違い（消費関数論争）

小問⑷は，いわゆる「消費関数論争」に関する出題である。かつてクズネッツ（経済学者・統計学者）が行なった消費関数の推計結果に基づき，消費関数が可処分所得の一次関数であることを前提とすれば，長期の時系列データを用いて推計された消費関数の形状と短期の時系列データを用いて推計された消費関数の形状が異なることが見出された。小問⑷は，その違いについて説明することを求めているが，その説明には，以下の 2 点が含まれるべきである：第一に，長期間の時系列データを用いて推計された消費関数のグラフの形状は，原点を通り，急な傾きをもつ右上がりの直線となること。第二に，短期間の時系列データを用いて推計された消費関数のグラフの形状は，切片が正で，緩やかな傾きをもつ右上がりの直線となること。

長期と短期で（推計された）消費関数の形状に違いが生じる理由を説明する経済理論はいくつかあるが，代表的なものとしては，相対所得仮説（デューゼンベリー），ライフ・サイクル仮説（モジリアーニら），恒常所得仮説（フリードマン）が挙げられる。なお，小問⑷では，両者に違いが生じる理由についてはたずねられていないので，これらの理論について詳しく説明する必要はない。

◇ 平成30年度

問題❶

次の(1)及び(2)の各設問に答えなさい。

(1) ある財の需要曲線は，価格をp，需要量をDとすると，D＝－2p＋100と表される。また，この財の生産の限界費用は10で一定であるとする。

この場合において，次の各問に答えなさい。

① この財が独占企業によって供給されると仮定する。このとき，死重損失（deadweight loss）がいくら発生するのか，図を用いて説明するとともに，具体的に計算して求めなさい。

② 限界費用が10から20に上昇したとする。このとき，(a)この財が独占企業によって供給される場合と，(b)この財の市場が完全競争市場である場合（ただし，全ての企業の限界費用が10から20に上昇したとする）とで，(a)独占価格と(b)市場均衡価格はそれぞれどのように変化し，限界費用の上昇がどの程度価格に転嫁されるか，比較しつつ説明しなさい。

(2) 巨大な固定費用が原因で企業の新規参入が困難となり，独占状態となることがある。こういった自然独占の産業では，独占を許容する代わりに価格を規制するといった政策が採用されることが多い。この場合において，次の各問に答えなさい。

① 価格を限界費用に等しくなるように規制することについて，その特長及び問題点を説明しなさい。

② 価格を平均費用に等しくなるように規制することについて，その特長及び問題点を説明しなさい。

解答例

チェック・ポイント

(1)　①本問における「ある財」をＹ財と呼び，当該独占企業のＹ財生産量をｙとおく。

Ｙ財の需要関数Ｄ＝－２ｐ＋100とＤ＝ｙより，Ｙ財の価格ｐは，ｙを用いて，

$$y = -2p + 100 \rightarrow p = 50 - \frac{1}{2}y \qquad ①$$

と表される。当該独占企業の収入をＲ（ｙ）とおくと，収入＝価格ｐ×生産量ｙゆえ，

$$R(y) = 50y - \frac{1}{2}y^2$$

となる。これを生産量ｙで微分すれば，当該独占企業の限界収入ＭＲ（ｙ）が，

$$MR(y) = 50 - y \qquad ②$$

と得られる。なお，限界収入とは，生産量を追加的に１単位増やしたときの，収入の増加分のことである。

独占企業の限界収入ＭＲの計算

一方，題意によれば，Ｙ財生産の限界費用（生産量を追加的に１単位増やしたときの，総費用の増加分）は，生産量にかかわらず，10である。

独占企業の限界費用ＭＣの提示

当該独占企業は，自らの利潤を最大にする生産量を選ぶものとする。独占企業の利潤最大化条件（一階条件）は，

$$限界収入MR(y) = 限界費用MC(y) \qquad ③$$

利潤最大化条件ＭＲ＝ＭＣの提示

なので，②式およびＭＣ（ｙ）＝10を代入すれば，

$$50 - y = 10$$

を得る。これを解けば，（限界費用が10の場合の）当該独占企業の利潤最大化生産量が，

$$y^* = 40$$

と求まる。

独占企業の利潤最大化生産量の計算

さらに，$y^*=40$を①式に代入すれば，独占価格として，

$$p^* = 50 - 20 = 30$$

を得る。

独占価格の計算

〔**図1**〕によると，当該独占企業の生産量が$y^*=40$，独占価格が$p^*=30$であった場合，消費者余剰は△Ap^*Nの面積，生産者余剰は□p^*BMNの面積で表されるため，総余剰（消費者余剰と生産者余剰の合計）は，□ABMNの面積で表される。

独占均衡における余剰分析

ところで，もしY財市場が完全競争市場であり，生産量が80，価格が10であったとすると，消費者余剰は△ABEの面積に等しく，生産者余剰は0ゆえ，総余剰は△ABEの面積に等しい。このとき，Y財市場における総余剰は最大となる。

完全競争市場における均衡生産量，均衡価格，および余剰分析

したがって，当該独占企業が利潤最大化を行った場合に発生する死重損失の大きさは，

死重損失＝総余剰の最大値（△ABE）－生産量y^*における総余剰（□ABMN）＝△NMEの面積

である。△NMEの面積を計算すれば，

$$死重損失＝(80-40)\times(30-10)\times\frac{1}{2}=400（答）$$

を得る。

死重損失の計算

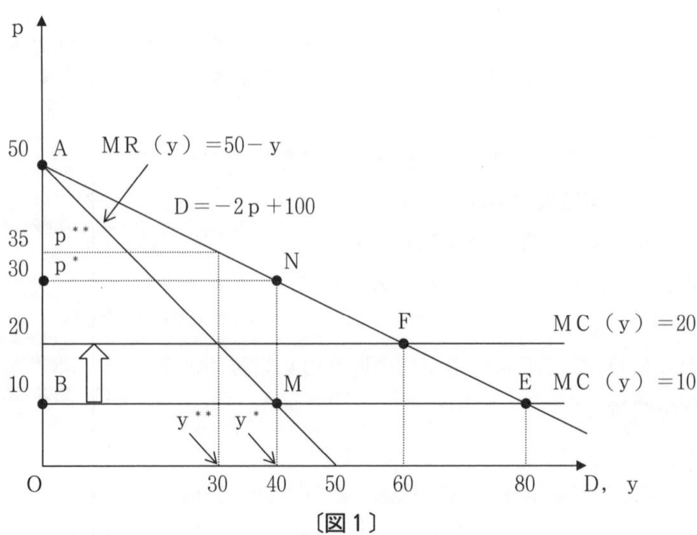

〔**図1**〕

②(a)題意にしたがい，当該独占企業の限界費用が10から20に上昇したとする。限界収入MR（y）は変化しないので，②式と独占

企業の利潤最大化条件（一階条件）③より，

$$50 - y = 20$$

を得る。これを解けば，（限界費用が20の場合の）当該独占企業の利潤最大化生産量が，

$$y^{**} = 30$$

と求まる。さらに，$y^{**} = 30$を①式に代入することにより，この場合の独占価格が，

$$p^{**} = 50 - 15 = 35$$

と得られる。

限界費用上昇後の独占企業の利潤最大化生産量の計算

限界費用上昇後の独占価格の計算

ところで，当該独占企業の限界費用が10のとき，独占価格は$p^{*} = 30$であった。したがって，Y財が独占企業によって供給される場合，限界費用が10（＝20－10）だけ上昇したとすると，独占価格は$p^{*} = 30$から$p^{**} = 35$まで，5だけ上昇する。（答）つまり，Y財が独占企業により供給される場合，限界費用が上昇しても，その上昇分の一部しか価格に転嫁されない。（答）

独占市場において限界費用の上昇分が価格に転嫁される大きさ

(b)完全競争の仮定の下では，供給曲線は限界費用曲線により表される。また，Y財を生産する全企業の限界費用が一定ならば，Y財の供給曲線は横軸に水平な直線として描かれる。

Y財を生産する全企業の限界費用が10のとき，完全競争市場均衡は，〔**図1**〕中のE点として表される。したがって，市場均衡価格は10である。

Y財を生産する全企業の限界費用が20に上昇したとすると，完全競争市場均衡は，〔**図1**〕中のF点として表される。したがって，市場均衡価格は20になる。

以上より，Y財市場が完全競争市場であった場合，限界費用が10（＝20－10）だけ上昇したとすると，市場均衡価格は10から20まで，10だけ上昇する。（答）つまり，(a)の場合とは異なり，本問におけるY財市場が完全競争市場ならば，限界費用の上昇分は，すべて（100%）価格に転嫁される。（答）

完全競争市場において限界費用の上昇分が価格に転嫁される大きさ

(2)　①「自然独占の産業」において「価格を限界費用に等しくなるように規制すること」を，限界費用価格規制と呼ぶ。なお，生産量については，被規制企業の限界費用曲線と需要曲線の交点にお

ける水準に設定されるものとする。

限界費用価格規制の特長としては，総余剰の最大化が実現できるという意味で，最善（ファースト・ベスト）の価格規制であることが挙げられる。一方，限界費用価格規制の問題点としては，被規制主体である独占企業に損失（赤字）が生じることが指摘できる。自然独占が生じ得る（平均）費用逓減産業では，生産量の増加に伴い平均費用（＝総費用÷生産量）が低下する限り，「限界費用＜平均費用」が成り立つので，「価格＝限界費用」とする規制の下では「価格＜平均費用」となるからである。もし，当該規制により生じた損失（赤字）が補填されないとすると，早晩，独占企業は操業できなくなり，市場から退出するであろう。独占企業が市場から退出し，その企業が供給していた財が全く供給されなくなるとすれば，消費者余剰が大きく失われることになる。くわえて，一般的に限界費用の測定は困難であるため，（理論通りに）限界費用価格規制を実行することは容易ではない。これも限界費用価格規制の問題点と言える。（答）

限界費用価格規制の特長と問題点

②「自然独占の産業」において「価格を平均費用に等しくなるように規制すること」を，平均費用価格規制と呼ぶ。なお，生産量については，被規制企業の（右下がりの）平均費用曲線と需要曲線の交点における水準に設定されるものとする。

平均費用価格規制の特長としては，平均費用は（限界費用に比べて）捕捉しやすいために（限界費用価格規制に比べれば）実行が難しくないこと，そして，「価格＝平均費用」ゆえ，被規制主体である独占企業の収支均衡（独立採算）を実現できることが挙げられる。一方，平均費用価格規制の問題点としては，「価格＝平均費用＞限界費用」となるため，総余剰の最大化を実現できず，次善（セカンド・ベスト）の価格規制でしかないことが指摘できる。くわえて，平均費用価格規制の下では，独占企業の収支均衡（独立採算）が保証されるため，独占企業が自発的に費用削減を行おうとする誘因（インセンティブ）が失われてしまい，非効率的な経営が行われるおそれがある（X－非効率性）。これも平均費用価格規制の問題点と言える。（答）

平均費用価格規制の特長と問題点

解答への道

⑴の①について

この問題では，独占企業の利潤最大化行動がもたらす死重損失の値を求める。ごく基本的な問題であり，手堅く得点すべきところであるが，死重損失の値を求める際の手続きには若干の注意を要する。

独占企業がもたらす死重損失（死荷重，厚生損失）は，

死重損失＝総余剰の最大値－利潤最大化生産量における総余剰

により与えられる。したがって，総余剰の最大値を示さずに，利潤最大化生産量における総余剰だけ求めても，死重損失の大きさを知ることはできない。それゆえ，答案の中で総余剰の最大値を指摘していなければ，それを理由に減点されても，反論は難しいであろう。

⑴の②について

財が独占企業により供給される場合⒜については，⑴の①と同様に考えればよい。完全競争市場の場合⒝についても，限界費用曲線が供給曲線を表すことに注意すれば，解き方に迷うことはないと思われる。詳しくは，**【解答例】**をご覧いただきたい。

⑵の①について

【解答例】では，限界費用価格規制の問題点として，「独占企業に損失（赤字）が生じること」が指摘されている。これを確認しておこう。

独占企業の利潤を，

利潤＝（価格－平均費用）×生産量　④

と書けば，「価格＝限界費用」とする限界費用価格規制が行われた場合，

利潤＝（限界費用－平均費用）×生産量　⑤

となる。ただし，自然独占が生じ得る（平均）費用逓減産業では，平均費用曲線が右下がりである限り「限界費用＜平均費用」が成り立つので，⑤式より，生産量が正ならば，利潤＜0となる。すなわち，限界費用価格規制の下では，被規制主体である独占企業に損失（赤字）が生じる。

いま，政府が（中立的な）課税を行い，その税収を用いて独占企業の損失（赤字）を補填するものとしよう。その際，独占企業が供給する財を全く消費しない者（すなわち，当該財から何の便益も得ていない者）にも課税されるとすれば，その課税は応益原則に反することになる。くわえて，独占企業の損失

（赤字）が必ず補填されるならば，独占企業が自発的に費用削減を行おうとする誘因（インセンティブ）が失われてしまい，非効率的な経営が行われるおそれがある（X-非効率性）。

⑵の②について

「価格＝平均費用」とする平均費用価格規制が行われた場合，④式より，利潤＝０となる。すなわち，限界費用価格規制の場合とは異なり，平均費用価格規制の下では，被規制主体である独占企業の収支は均衡し，独占企業に損失（赤字）は生じない。ただし，前述の通り，（平均）費用逓減産業では，平均費用曲線が右下がりである限り「限界費用＜平均費用」が成り立つので，平均費用価格規制が行われた場合，「価格＝平均費用＞限界費用」となり，価格が限界費用を上回る。それゆえ，平均費用価格規制の下では，総余剰は最大化されず，死重損失が発生する。くわえて，平均費用価格規制の下では，独占企業の収支均衡（独立採算）が保証されるため，企業内における費用削減のための取り組みが後退し，非効率的な経営が行われやすくなると考えられる（X－非効率性）。

⑵の①と同様，（自然）独占企業に対する価格規制についての典型的な論点であり，手堅く得点すべきところである。

MEMO

問題❷

以下の「経済成長モデル」は，閉鎖経済の経済成長をモデル化したものである。この「経済成長モデル」について説明した後記の「モデルの説明」を読み，(1)から(3)の各設問に答えなさい。

経済成長モデル

① $Y_t = \sqrt{K_t H_t}$

② $K_{t+1} = s\ (1-\tau)\ Y_t$

ただし，Yは経済全体の財・サービスの生産量，Kは経済全体の物的資本量，Hは経済全体の人的資本量であり，それら変数に付けられた添え字は時点を表す（たとえば，Y_tはt時点における経済全体の財・サービスの生産量である）。また，sは貯蓄率（$0 < s < 1$），τは所得税率（$0 < \tau < 1$）である。

モデルの説明

①式は，この経済で物的資本と人的資本を生産要素として財・サービスが生産されることを示すコブ・ダグラス型の生産関数である。

②式は，この経済の物的資本の蓄積式である。この経済では，貯蓄の手段は物的資本への投資のみであり，また，物的資本は各時点での生産に伴い次の時点までに100%減耗するとする。このため，t時点から見て次の時点にあたる$t+1$時点の物的資本量K_{t+1}は，t時点の税引き後所得（$1-\tau$）Y_tに貯蓄率sをかけたt時点の貯蓄量$s\ (1-\tau)\ Y_t$に等しくなる。

なお，この経済では，財・サービス及び各生産要素の価格は完全に伸縮的であり，財・サービス及び各生産要素それぞれの需要と供給は常に均衡しているとする。

(1) 生産関数が「規模に関して収穫一定」であるとはどういうことかを説明しなさい。また，①式のコブ・ダグラス型の生産関数が「規模に関して収穫一定」であることを示しなさい。

(2) ①式及び②式からなる上記の「経済成長モデル」に従い成長する「内生成長共和国」と呼ばれる国の経済を考える。この「内生成長共和国」では，税収τY_tは，公衆衛生の改善による国民の健康増進や職業訓練による国民の技能向上など国民の人的資本形成のために使われるとする。具体的には，$H_{t+1}=\alpha\tau Y_t$という式に従い経済全体の人的資本量が決まるとする（ただし，αは$\alpha>0$の定数）。この場合において，次の（i）から（iii）の各問に答えなさい。

（i）「内生成長共和国」の経済成長率$\dfrac{Y_{t+1}-Y_t}{Y_t}$が

$\sqrt{\alpha s\tau(1-\tau)}-1$となることを示しなさい。

（ii）「内生成長共和国」の経済成長率を最も大きくする所得税率を求めなさい。

（iii）「内生成長共和国」において，それまで一定であった貯蓄率がT時点で上昇し，T時点以降，その上昇した貯蓄率が維持されたとする。このとき，次の（ア）から（エ）の4つの図の中から，この国の経済成長率の時間的推移を表す最も適切な図（経済成長率の時間的推移は各図とも点線で示されている）を1つ選び記号で答えなさい。答えは選んだ記号のみを記せばよい。

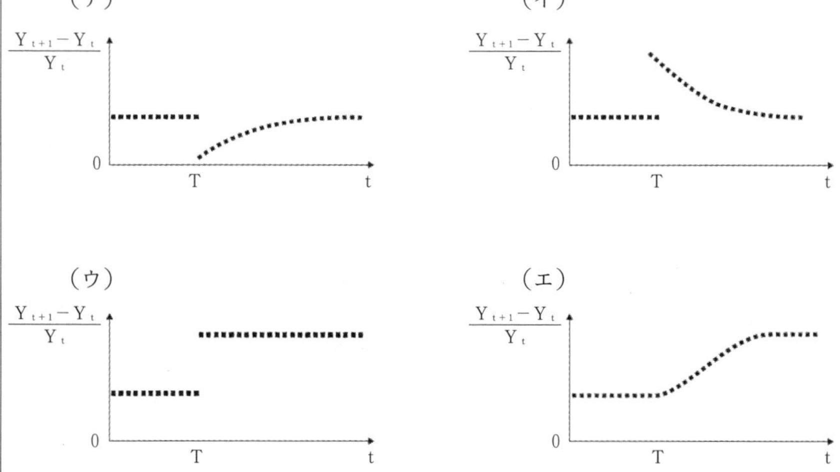

(3) ①式及び②式からなる上記の「経済成長モデル」に従い成長する「外生成長王国」と呼ばれる国の経済を考える。この「外生成長王国」では，経

済全体の人的資本量は時間を通じて一定であるとする（$H_t = H_{t+1} = \cdots = h$，ただし，hはh＞0の定数)。また，税収$\tau Y_t$は，すべて王族の消費支出に振り向けられ生産活動に貢献する形では使われないとする。いま，この国において，それまで一定であった貯蓄率がT 時点で上昇し，T時点以降，その上昇した貯蓄率が維持されたとする。このとき，この国の経済成長率$\dfrac{Y_{t+1} - Y_t}{Y_t}$の時間的推移は，図1の点線で示されるようになる。なぜ,「外生成長王国」では，このように経済成長率が「貯蓄率の上昇時点で0からプラスの値へと上昇し，その後，徐々にその値を低下させながら長期的に0へと近づいていく」のか，そのメカニズムを説明しなさい。

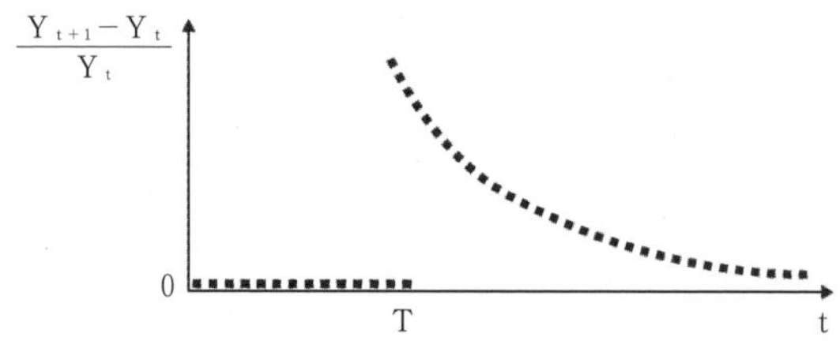

図1．「外生成長王国」の経済成長率の時間的推移

解答例

チェック・ポイント

(1)　生産関数が「規模に関して収穫一定である」とは，すべての生産要素の投入量を同時にλ（ラムダ）倍すると，必ず，生産量もλ倍になることを意味する（λは任意の正数)。

「規模に関して収穫一定」の意味

与えられた生産関数において，すべての生産要素の投入量を同時にλ倍すると，

$$\sqrt{(\lambda K_t)(\lambda H_t)} = \sqrt{\lambda^2 K_t H_t} = \lambda\sqrt{K_t H_t} = \lambda Y_t$$

より，生産量もλ倍になる。よって，①式の生産関数は，規模に関して収穫一定である。

与えられた生産関数が「規模に関して収穫一定」であることの確認

(2)　(i)「内生成長共和国」の経済成長率は，

$Y_{t+1} = \sqrt{K_{t+1} H_{t+1}} = \sqrt{s(1-\tau) Y_t \times a \tau Y_t}$ を用いて，

$$\frac{Y_{t+1}-Y_t}{Y_t}=\frac{\sqrt{s(1-\tau)Y_t\times a\tau Y_t}-Y_t}{Y_t}$$

$$=\frac{\sqrt{as\tau(1-\tau)Y_t^2}-Y_t}{Y_t}=\frac{Y_t\sqrt{as\tau(1-\tau)}-Y_t}{Y_t}$$

$$=\sqrt{as\tau(1-\tau)}-1$$

と得られる。

「内生成長共和国」の経済成長率の導出

（ii）「内生成長共和国」の経済成長率を最も大きくする所得税率τ（タウ）は，（i）で示された経済成長率の式の最右辺第1項のルート（$\sqrt{\ }$）内にある$as\tau(1-\tau)$を最大化するτに他ならないので，

$$f(\tau)=as\tau(1-\tau)=as\tau-as\tau^2$$

とおくと，$f(\tau)$をτで微分してゼロとおけば求められる。すなわち，

$$\frac{d}{d\tau}f(\tau)=\frac{d}{d\tau}(as\tau-as\tau^2)=as-2as\tau=0$$

$$\therefore\quad \tau=\frac{1}{2}\ (答)$$

「内生成長共和国」の経済成長率を最も大きくする所得税率の導出

（iii）（ウ）（答）

題意に該当する図の選択

(3)　「外生成長王国」の経済成長率が「貯蓄率の上昇時点で0からプラスの値へと上昇し，その後，徐々にその値を低下させながら長期的に0へと近づいていく」のは，経済全体の人的資本量が常に一定であり，持続的に増加しないためである。より詳しく言えば，「外生成長王国」では，経済全体の生産量のうち所得税として徴収された部分は，すべて王族の消費支出に振り向けられ，経済全体の人的資本量の増加には寄与しないためである。

当初，「外生成長王国」の経済は，物的資本量が不変に留まる定常状態にあり，経済成長率は0であるものとしよう。他を一定として，ある時点において貯蓄率が上昇したとすると，経済全体の物的資本量が増加するために，一時的に生産量は増加するが（すなわち，経済成長率は一時的にプラスの値になるが），増加した生産量の一部は，経済全体の物的資本量の増加にしか振り向けられず，経済全体の人的資本量の増加にはつながらない。物的資

貯蓄が上昇しても，経済全体の人的資本量が持続的に増加しない「外生成長王国」の経済成長率が長期的に0に近づくメカニズム

本量だけが増加しても，物的資本の限界生産性が逓減して，物的資本量の増加が生産量を増加させる効果は徐々に弱くなり，生産量の増加分は次第に小さくなる。それゆえ，「外生成長王国」の経済成長率は，貯蓄率の上昇により（瞬時的に）上昇するが，徐々にその値を低下させながら長期的に 0 へと近づくことになる。

解答への道

(1) 生産関数が「規模に関して収穫一定である」または「1次同次である」とは，すべての生産要素の投入量を同時にλ倍すると，必ず，生産量もλ倍になることを意味する。ここで，λ（ラムダ）は任意の正数である。くわえて，与えられた生産関数は，規模に関して収穫一定である。なぜなら，すべての生産要素の投入量を同時にλ倍すると，

$$\sqrt{(\lambda K_t)\times(\lambda H_t)}=\sqrt{\lambda^2 K_t H_t}=\lambda\sqrt{K_t H_t}=\lambda Y_t$$

より，生産量もλ倍になることが確認できるからである。

(2) （i）「内生成長共和国」の経済成長率の計算結果は，あらかじめ示されているので，その形になるように式の変形を試みればよい。Y_tはそのまま用い，Y_{t+1}のみを$Y_{t+1}=\sqrt{K_{t+1}H_{t+1}}=\sqrt{s(1-\tau)Y_t\times a\tau Y_t}$と書き表したうえで，経済成長率の定義式に代入すると，楽に計算できる。

（ii）この問題に関しては，（i）で示された経済成長率の計算結果である

$$\frac{Y_{t+1}-Y_t}{Y_t}=\sqrt{as\tau(1-\tau)}-1$$

を最大化するτ（タウ）の値を求めるという数学の問題にすぎないので，本問の経済成長モデルの内容が全く理解できなくても，正解を得ることはできたかもしれない。

（iii）（i）で示された経済成長率の計算結果である

$$\frac{Y_{t+1}-Y_t}{Y_t}=\sqrt{as\tau(1-\tau)}-1$$

によると，T時点において貯蓄率sだけが上昇した場合，経済成長率は直ちに上昇する。したがって，（ア）は正解ではない。また，上式によると，T時点において上昇した貯蓄率がT時点以降も（上昇後の値に）維持されるならば，T時点以降の経済成長率は常に一定となり，（イ）や（エ）のように変化する

ことはない（もちろん，aとτは変化しないと仮定している）。よって，（ウ）が正解となる。

(3) かなりの難問である。「内生成長共和国」では経済全体の人的資本量が持続的に増加し得るのに対して，「外生成長王国」における経済全体の人的資本量は一定の値に留まり続ける。それゆえ，「外生成長王国」では，経済全体の物的資本量が増加しても，物的資本の限界生産性（物的資本量が追加的に1単位増加したときの，生産量の増加分）が逓減して，物的資本量の増加が生産量の増加につながりにくくなり，生産量の増加分は徐々に小さくなって，経済成長率は次第に0に近づいていく。経済成長モデルに詳しくなければ，このメカニズムに気づくことは，至難の業と思われる。

◇ 令和元年度

問題❶

次の(1)及び(2)の各設問に答えなさい。

(1) 個人Aと個人Bからなる純粋交換経済を考える。この経済には二つの私的財xとyが存在する。個人Aの効用関数u_Aと初期保有量e_Aは

$u_A = \min\{2x_A, y_A\}$, $e_A = (e_{A,x}, e_{A,y}) = (2, 4)$

であり，個人Bの効用関数u_Bと初期保有量e_Bは

$u_B = x_B y_B$, $e_B = (e_{B,x}, e_{B,y}) = (8, 6)$

である。

ただし，x_Aとy_Aはそれぞれ個人Aのx財とy財の消費量，$e_{A,x}$と$e_{A,y}$はそれぞれ個人Aのx財とy財の初期保有量である。同様に，x_Bとy_Bはそれぞれ個人Bのx財とy財の消費量，$e_{B,x}$と$e_{B,y}$はそれぞれ個人Bのx財とy財の初期保有量である。

財xの価格をp_x，財yの価格をp_yと表す。

注意：min{a，b}の意味は，aとbの小さい方の値である。例えば，min{2，1}＝1，min{2，2}＝2，min{3，2}＝2となる。

以上を前提として，次の各問に答えなさい。

① 私的財を定義しなさい。

② 個人Aの無差別曲線の例を1つだけ図示しなさい。

③ 個人Bの無差別曲線の例を1つだけ図示しなさい。

④ 個人Aの予算制約式を書きなさい。

⑤ 個人Bの予算制約式を書きなさい。

⑥ 価格と初期保有量を所与として，個人Aの二財x，yに対する需要量を求めなさい。

⑦ 価格と初期保有量を所与として，個人Bの二財x，yに対する需要量を求めなさい。

⑧ 価格比率$\dfrac{p_y}{p_x} = \dfrac{4}{3}$が競争均衡における価格比率であることを示しなさい。また，競争均衡における資源配分も求めなさい。

(2) 私たちの社会は，多くの経済主体からなり，価格を通じた自由な財の取引である市場経済に依拠している。設問(1)で検討した純粋交換経済における競争均衡は，その市場経済の数学的モデル化である。取引の結果である資源配分を決める制度は多くあり，その経済的帰結が異なる。

このことに関連して，次の各問に答えなさい。

① 市場経済がもたらす資源配分の長所と短所について，効率性と公平性の観点から簡潔に論じなさい。

② 政府が全ての経済主体から初期保有を取上げて，消費者に均等に配分するような配給制度を考える。この配給制度がもたらす資源配分の長所と短所について，効率性と公平性の観点から簡潔に論じなさい。

③ 貨幣が存在せず，全ての経済主体は取引相手を見つけて交渉しなければならないような制度を考える。この交渉制度がもたらす資源配分の長所と短所について，効率性と公平性の観点から簡潔に論じなさい。

解答例

チェック・ポイント

(1)① 私的財とは，（i）競合性と（ii）排除可能性を備える財をいう。（i）競合性とは，ある個人が消費した財を別の個人が消費することができないこと，（ii）排除可能性とは，対価を支払わずに消費しようとする者を排除できることを意味する。

私的財の定義

②

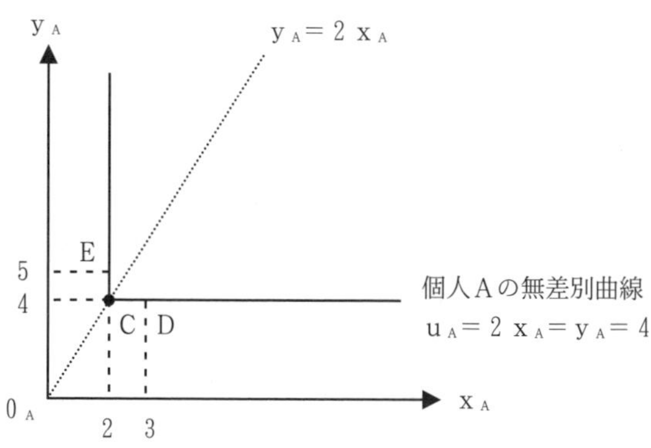

個人Aの無差別曲線の例示

③

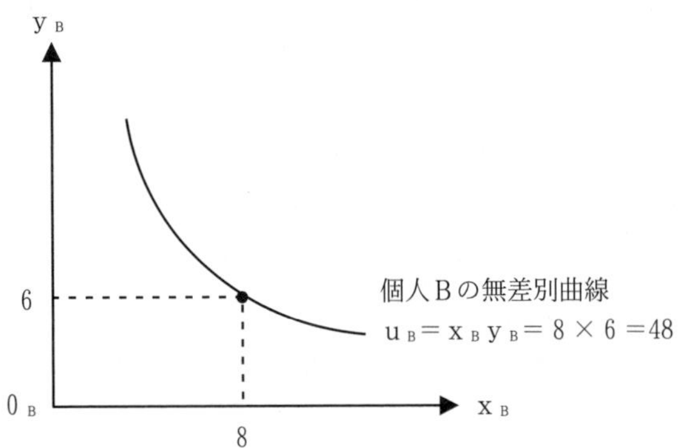

個人Bの無差別曲線の例示

④　個人Aの予算制約式：$p_x x_A + p_y y_A \leq 2p_x + 4p_y$

個人Aの予算制約式

⑤　個人Bの予算制約式：$p_x x_B + p_y y_B \leq 8p_x + 6p_y$

個人Bの予算制約式

⑥　個人Aのx財とy財需要量は，次の(1)式と(2)式の連立方程式の解として求めることができる。

$2x_A = y_A$　(1)

$p_x x_A + p_y y_A = 2p_x + 4p_y$　(2)

$\therefore x_A = 2,\ y_A = 4$（答）

個人Aのx財とy財需要量

⑦　個人Bのx財とy財需要量は，次の(3)式と(4)式の連立方程式の解として求めることができる。

$$\frac{y_B}{x_B} = \frac{p_x}{p_y} \quad (3)$$

$p_x x_B + p_y y_B = 8p_x + 6p_y$　(4)

$\therefore x_B = 4 + \dfrac{3p_y}{p_x},\ y_B = \dfrac{4p_x}{p_y} + 3$（答）

個人Bのx財とy財需要量

⑧　競争均衡における価格比率は，x財市場の均衡条件式$x_A + x_B = e_{A,x} + e_{B,x}$の解である。したがって，$x_A = 2$，$x_B = 4 + \dfrac{3p_y}{p_x}$，$e_{A,x} = 2$，$e_{B,x} = 8$を上記のx財市場の均衡条件式に代入して$\dfrac{p_y}{p_x}$について解くと，

競争均衡における価格比率の導出

$$2+4+\frac{3p_y}{p_x}=2+8 \quad \therefore \frac{p_y}{p_x}=\frac{4}{3}$$

が得られる。また，競争均衡における価格比率の下での各個人の各財の需要量は，$x_A=2$，$y_A=4$，$x_B=4+\frac{3p_y}{p_x}=4+3\times\frac{4}{3}=8$，$y_A=\frac{4p_x}{p_y}+3=4\times\frac{4}{3}+3=6$となる。したがって，競争均衡における資源配分は，

$((x_A, y_A), (x_B, y_B))=((2, 4), (8, 6))$となる。（答）これは，初期の資源配分と同一である。

競争均衡における資源配分

(2)① 市場経済がもたらす資源配分の長所は，効率的な資源配分が達成されることである。競争均衡における資源配分がパレート最適であるということを，「厚生経済学の第１命題」という。パレート最適とは，「もはや他のどの経済主体をも不利にすることなく，ある経済主体を有利にする余地のない資源配分の状態」をいう。ある資源配分がパレート最適であるとは，その資源配分が効率的であることを意味している。一方，市場経済がもたらす資源配分の短所は，必ずしも公平性が確保されるとは限らないことである。効率性とは，単に「無駄がない」ということであり，公平であることを意味しない。市場経済では，初期保有の状態に格差が存在すれば，実現する競争均衡においても，消費できる財の数量には個人間で大きな差が生じる可能性が高くなる。それゆえ，市場経済の下では，公平性の確保は難しくなる。

市場経済がもたらす資源配分の長所

市場経済がもたらす資源配分の短所

② 当該配給制度がもたらす資源配分の長所は，公平性が確保されやすいということである。「何をもって公平とするか」という問いに唯一の正解はないが，少なくとも，「財が均等に配分される」ことを，ただちに「不公平である」と言い切ることはできないだろう。一方，当該配給制度がもたらす資源配分の短所は，効率性が阻害されるということである。すなわち，x財とy財に対する個人の嗜好を一切考慮せず，一律に均等配分するということは，x財をy財より好む個人の嗜好もy財をx財

財の均等配給制度がもたらす資源配分の長所

より好む個人の嗜好も無視するということである。x財とy財が均等に配分された状態から，財に対する各個人の好みを反映して，個人間でx財とy財を交換しあえば，各個人の効用水準はより高まる。それゆえ，財が均等配分された状態はパレート最適ではなく，その意味で，x財とy財の均等配分は効率性を阻害すると言える。

財の均等配給制度がもたらす資源配分の短所

③ 当該交渉制度の長所は，貨幣を保有する者の問の有利不利や，蓄積した貨幣の多寡が経済取引の成否とは無関係になるという意味で，公平性の確保が図られるという点にあると考えられる。

貨幣の存在しない制度の長所

一方，当該交渉制度の短所は，経済活動の効率性が阻害されることである。この制度の下では貨幣が存在しないので，取引が成立するためには，自らが欲しいものを保有する取引相手を探す必要があるのみならず，その取引相手が自己の保有する財を欲しているという「欲望の二重の一致」が必要となる。それゆえ，取引が成立し難くなるばかりか，取引が大いに煩雑になり，その結果として膨大な取引費用が不可避的に発生する。したがって，当該交渉制度は効率的であるとは言えない。また，貨幣を介さずに交換を行う場合には，財の交換比率を求める必要があるが，一般に交換対象の財の価値を自己が保有する財の数量で測定することは簡単ではない。さらに，貨幣が存在しなければ，自身が保有する財を資産として将来に持ち越そうとすると，財の滅失や腐敗などにより，財の価値が大きく失われる場合があるため，財の価値を損なわずに将来に持ち越し難くなることによる非効率性も生じることが予想される。

貨幣の存在しない制度の短所

解答への道

(1)① 私的財の定義は，純粋公共財の定義を参考にして行えばよい。

② 個人Aの効用関数$u_A = \min\{2x_A, y_A\}$は，レオンチェフ型効用関数と呼ばれ，その無差別曲線はL字型になるという特徴を持っている。当該無差別曲線がL字型になる理由は，次のとおりである。$u_A = \min\{2x_A, y_A\}$は，$2x_A = y_A$のときは，$u_A = 2x_A = y_A$という意味であるから，

$x_A=2$, $y_A=4$のときの個人Aの効用水準は4となる。$x_A=2$, $y_A=4$は，②の解答例の図の点Cで示されている。点Cから，x_Aを$x_A=2$から$x_A=3$に増加させた点Dに移動しても，個人Aの効用水準は，$u_A=\min\{2x_A, y_A\}=\min\{2\times3, 4\}=4$となり，点Dと点Cは同じ効用水準を与える。同様に，点Cから，y_Aを$y_A=4$から$y_A=5$に増加させた点Eに移動しても，個人Aの効用水準は，$u_A=\min\{2x_A, y_A\}=\min\{2\times2, 5\}=4$となり，点Eと点Cは同じ効用水準を与える。したがって，$u_A=\min\{2x_A, y_A\}$という効用関数を持つ個人Aの無差別曲線は，点Cを角（コーナー）とするL字型の曲線となる。

③　個人Bの効用関数は，コブ＝ダグラス型効用関数と呼ばれ，その無差別曲線は，③の解答例の図のように，原点に向かって凸型の形状をした右下がりの曲線になる。

④　個人Aの所得が，個人Aの初期保有量の売却価値$2p_x+4p_y$となることに留意していただきたい。

⑤　個人Bの所得は，④と同様に考え，$8p_x+6p_y$となる。

⑥　個人Aの無差別曲線はL字型になるため，効用最大化点は，L字型の無差別曲線の角の点となる。したがって，(1)式より，$y_A=2x_A$を(2)式に代入すると，

$$p_x x_A+p_y y_A=2p_x+4p_y \rightarrow p_x x_A+p_y\times2x_A=2p_x+4p_y \rightarrow$$
$$(p_x+2p_y)x_A=2(p_x+2p_y)$$
$$\therefore x_A=2$$

となり，$x_A=2$を(1)式に代入すると，$y_A=2x_A=2\times2=4$が求まる。なお，(2)式は，個人Aの予算制約式が等号で成立することを示している。

⑦　(3)式は，個人Bの限界代替率MRS^B_{xy}＝相対価格を表している。ただし，$MRS^B_{xy}=\dfrac{\dfrac{\partial u_B}{\partial x_B}}{\dfrac{\partial u_B}{\partial y_B}}=\dfrac{y_B}{x_B}$である。(4)式は，個人Bの予算制約式が等号で成立することを示している。つまり，(3)式と(4)式は，個人Bの効用最大化条件を表現している。(3)式を$y_B=\dfrac{p_x}{p_y}x_B$と変形し，この式を(4)式に代入すると，

$$p_x x_B + p_y y_B = 8p_x + 6p_y \rightarrow p_x x_B + p_y \times \frac{p_x}{p_y} x_B = 8p_x + 6p_y$$

$$\rightarrow 2p_x x_B = 8p_x + 6p_y$$

$$\therefore x_B = 4 + \frac{3p_y}{p_x}$$

となる。さらに，この式を，$y_B = \frac{p_x}{p_y} x_B$に代入して整理すると，

$$y_B = \frac{4p_x}{p_y} + 3$$

が得られる。

⑧ 「x財市場が均衡していれば，y財市場も必ず均衡している」というワルラス法則より，x財市場の均衡条件式のみから競争均衡の価格比率を求めることができる。競争均衡における資源配分の求め方については，⑧の解答例を参照のこと。

(2) ①から③は，解答例を参照のこと。

MEMO

問題❷

下記の式①と式②から構成される「ＩＳ－ＬＭモデル」は，外国との経済取引を行っていない１つの国のマクロ経済をモデル化したものである。この「ＩＳ－ＬＭモデル」について説明した後記の「モデルの図解」を読み，(1)から(4)の各設問に答えなさい。

ＩＳ－ＬＭモデル

① $Y = C(Y - T) + I(i) + G$

② $\frac{M}{P} = L(Y, i)$

ただし，Ｙは国民総生産，Ｔは税収，ｉは利子率，Ｇは政府支出，Ｍは通貨供給，Ｐは物価水準（常にＰ＝１で一定とする），Ｃ（Ｙ－Ｔ）は民間可処分所得Ｙ－Ｔの関数として与えられる民間消費支出，Ｉ（ｉ）は利子率ｉの関数として与えられる民間投資支出，Ｌ（Ｙ，ｉ）は国民総生産Ｙと利子率ｉの関数として与えられる通貨需要である。

なお，Ｔ，Ｇ及びＭは政策変数であり，ＴとＧは政府によって，Ｍは中央銀行によって完全にコントロールされるとする。また，Ｐが一定であることを反映して，予想物価上昇率は常にゼロであり名目利子率と実質利子率は区別なく共にｉで表されるとする。

モデルの図解

この経済の財・サービス市場の均衡式である式①を満たすＹとｉの組合せは，政策変数であるＴとＧを一定としたとき，図１に示すように「横軸にＹ，縦軸にｉをとったＹ－ｉ平面」において右下がりのＩＳ曲線として描かれる。また，この経済の通貨市場の均衡式である式②を満たすＹとｉの組合せは，政策変数であるＭを一定としたとき，図１に示すように「Ｙ－ｉ平面」において右上がりのＬＭ曲線として描かれる。そして，この経済の国民総生産の均衡値及び利子率の均衡値は，ＩＳ曲線とＬＭ曲線の交点のＹの値及びｉの値で与えられる。

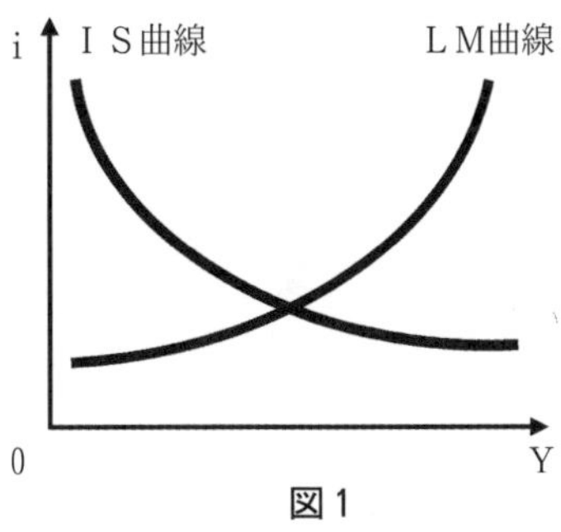

図1

⑴　ＩＳ曲線が「Ｙ－ｉ平面」において右下がりの曲線として描けるのはなぜか。民間可処分所得の変化と利子率の変化がそれぞれ民間消費支出と民間投資支出にどのようなメカニズムでどのような変化をもたらすと考えられるかについて言及した上で説明しなさい。

⑵　中央銀行が公開市場操作により通貨供給を増加させる金融政策を行ったとする。この金融政策によって国民総生産の均衡値と利子率の均衡値にそれぞれどのような変化が生じるかを，それらの変化が生じるメカニズムと合わせて説明しなさい。ただし，説明は上記の「ＩＳ－ＬＭモデル」を用いて行うこと。

⑶　均衡財政（Ｇ＝Ｔ）を常に維持するように政府支出と税収をコントロールしている政府が政府支出を増加させる財政政策を行ったとする。この財政政策によって民間可処分所得の均衡値（国民総生産の均衡値から税収を引いたもの）にどのような変化が生じるかを，その変化が生じるメカニズムと合わせて説明しなさい。ただし，説明は上記の「ＩＳ－ＬＭモデル」を用いて行うこと。

⑷　上記の「ＩＳ－ＬＭモデル」では，ＬＭ曲線が「Ｙ－ｉ平面」において右上がりの曲線として描かれている。しかし，ある特定の経済環境の下では，ＬＭ曲線を「Ｙ－ｉ平面」において水平な線として描くべき状況が発生しうる。こうした状況は一般に何と呼ばれているかを答えた上で，そうした状況が発生しているとき，中央銀行が通貨供給を変化させても国民総生産の均衡値に影響を与えることが困難になる理由を説明しなさい。

解答例

チェック・ポイント

(1) 〔**図1**〕を用いて説明する。まず，式①の左辺は45度線により表される。一方，各家計の効用が消費支出の増加関数ならば，民間可処分所得が増加したとき，各家計は消費支出を増やすものと考えられ，民間消費支出Cは民間可処分所得（Y－T）の増加関数となる。また，民間可処分所得の増加の一部は貯蓄に充てられるものとすれば，式①の右辺は，右上がりで45度線よりも小さな傾きを持つ曲線として描かれる。

民間消費支出が民間可処分所得の増加関数となることの指摘

したがって，利子率がi_0の水準にあるとき，財市場を均衡させる（式①を成立させる）国民総生産の値はY_0で与えられる。

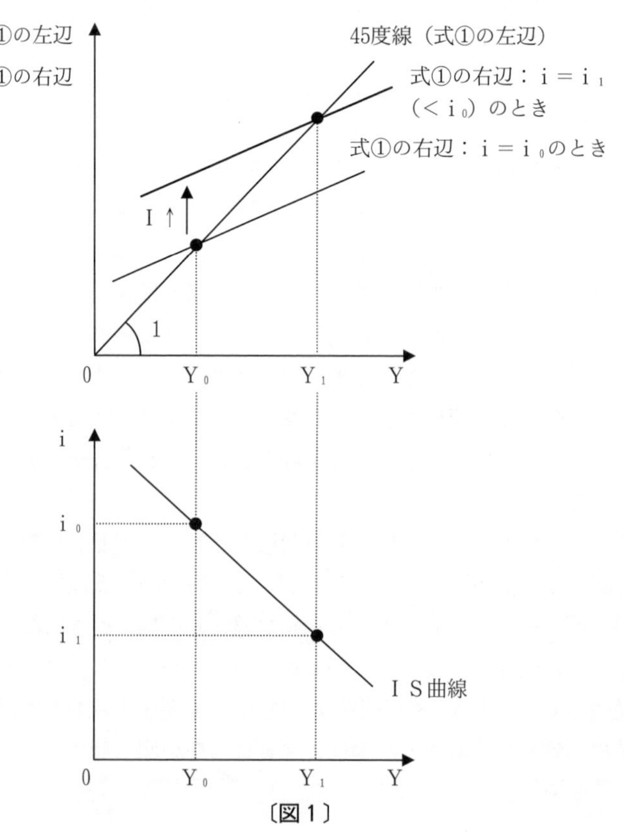

〔**図1**〕

財市場を均衡させる国民総生産の図示

次に，利子率 i が i_0 から i_1 まで低下したとしよう。民間投資支出 I が利子率 i の減少関数ならば（詳細は後述する），民間投資支出が I（i_0）から I（i_1）に増加する。民間投資支出 I が増加すると，財市場を均衡させる国民総生産の値は，Y_0 から Y_1 に増加する。

このように，利子率が低下したとき，財市場の均衡条件①を満たす国民総生産は増加することが示された。したがって，「Y－i 平面」において，ＩＳ曲線は右下がりに描かれる。

ＩＳ曲線が右下がりの曲線として描ける理由

なお，民間投資支出が利子率の減少関数と考えられる理由は，次の通りである：ここでは，企業が行う設備投資を想定して説明しよう。通常，設備投資を行う主体としての企業にとって，利子率は投資の機会費用を成す。したがって，「追加的投資の予想収益率（投資の限界効率）≧利子率」が成り立つ限り，企業は追加的に投資を行うはずである。予想収益率がより高い優良な投資計画から順に実行されるものとすれば，各企業が投資支出を増やすほど，優良な投資計画は残り少なくなるので，追加的投資の予想収益率は次第に低下すると考えられる。しかし，利子率が低下すれば，さほど予想収益率が高くない投資計画であっても，「追加的投資の予想収益率（投資の限界効率）≧利子率」が成立する場合があるので，実行される投資計画は増えるはずである。この議論が，全ての企業について成り立つものとすれば，利子率が低下したとき，経済全体の設備投資も増加する（たとえば，〔**図 2**〕では，利子率が i_0 から i_1 に低下した場合，民間投資支出は I_0 から I_1 に増加する）。したがって，民間投資支出は，利子率の減少関数になると考えられる。

民間投資支出が利子率の減少関数と考えられる理由

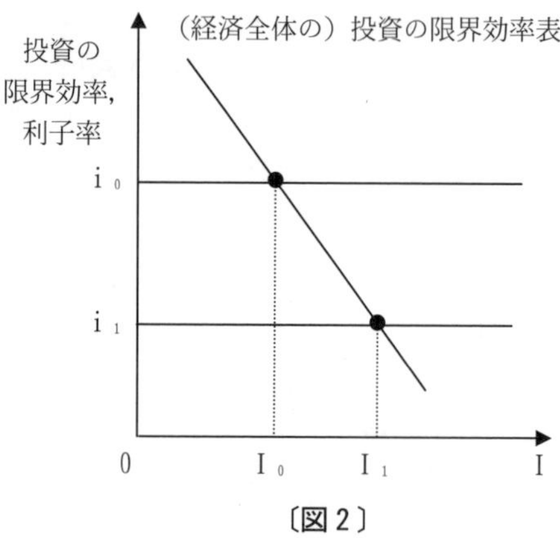

〔図 2〕

⑵　国民総生産の均衡値は増加し，利子率の均衡値は低下する。（答）

ＩＳ曲線は右下がりに，ＬＭ曲線は右上がりに描かれるものとする。名目通貨供給量Ｍが増加すると，ＬＭ曲線は右方向にシフトし，国民総生産の均衡値は増加し，利子率の均衡値は低下する。これは，〔図 3〕中のＥ点からＦ点への変化として表される。

題意の金融政策が国民総生産と利子率の均衡値におよぼす影響

当該金融政策による変化が生じるメカニズムは，次の通りである：名目通貨供給量Ｍが増加すると，通貨市場において超過供給が生じる。通貨需要Ｌは利子率ｉの減少関数であるものとし，国民総生産Ｙの水準を所与とすれば，利子率ｉが低下して通貨需要Ｌが増加することにより，通貨市場の超過供給は解消に向かう。利子率ｉが低下すると，利子率ｉの減少関数である民間投資支出Ｉが増加する。民間投資支出Ｉが増加すると，当該経済全体の有効需要が増加するため，有効需要の原理（と乗数効果）により，国民総生産Ｙも増加する。通貨需要Ｌが国民総生産Ｙの増加関数ならば，国民総生産の増加に伴い通貨需要が増加するので，利子率は上昇するが，新たな利子率の均衡値は，当初のそれを下回る。

当該金融政策により国民総生産と利子率に変化が生じるメカニズム

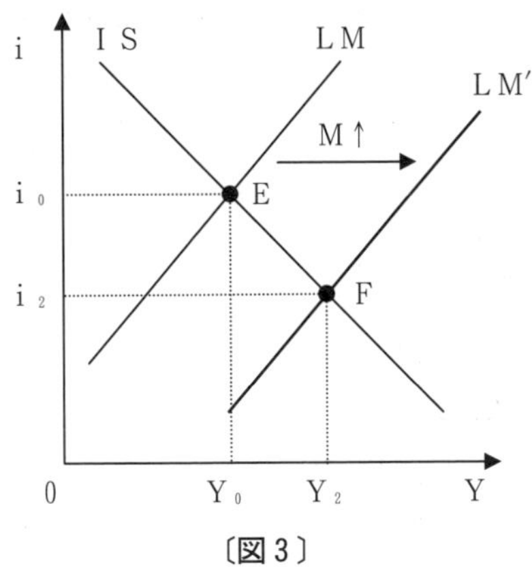

〔図3〕

(3) 題意の財政政策に伴い，均衡における民間可処分所得（Y－T）は減少する。（答） 以下，その理由を説明する。なお，IS曲線は右下がりに，LM曲線は右上がりに描かれるものとする。

題意の財政政策が民間可処分所得の均衡値に与える影響

題意にしたがい，政府支出をΔGだけ増やすと同時に，政府が均衡財政を維持するべく，ΔGだけの増税を行うものとする（ΔG＞0）。このとき，IS曲線は，右方向にΔGだけシフトする。なぜなら，利子率を所与とすると，当該財政政策は，財市場を均衡させる国民総生産の水準をΔGだけ押し上げるからである。

しかし，LM曲線が右上がりに描かれる限り，当該財政政策による国民総生産（の均衡値）の増加分ΔY（＝Y^*-Y_0）は，ΔGよりも小さくなる。〔**図4**〕を見よ。その理由は，次の通りである：当該財政政策により，国民総生産Yが増加するので，通貨需要が増加する（通貨の取引需要）。それに伴い通貨市場で超過需要が生じることから，利子率 i が上昇し，利子率 i の減少関数である民間投資支出 I が減少する（クラウディング・アウト効果）。このクラウディング・アウト効果が，当該財政政策により生じる有効需要の増加（＝ΔG）の一部を打ち消してしまうからである。

題意の財政政策が民間可処分所得の均衡値に与える影のメカニズム

このように，均衡財政を保ちながら行われた拡張的財政政策により，税収TはΔGだけ増加するが，国民総生産Y（の均衡値）の増加分ΔYはΔGよりも小さくなる。すなわち，税収Tの増加分が国民総生産Y（の均衡値）の増加分を上回ることになる。したがって，当該財政政策により，均衡における民間可処分所得（Y－T）は減少する。

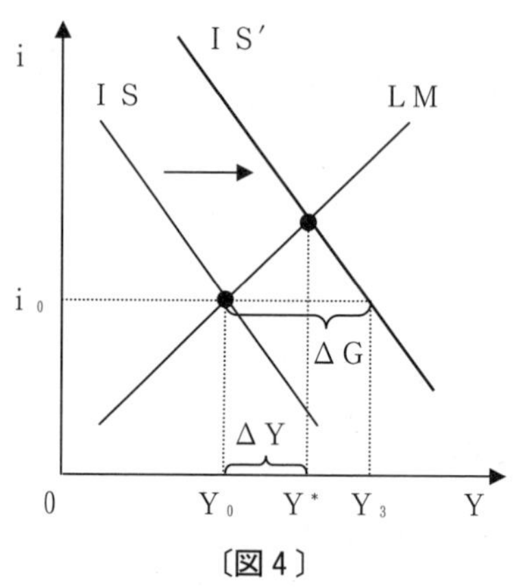

〔図4〕

(4) 題意の状況は，「流動性のわな」と呼ばれる。（答）なお，「流動性のわな」とは，当該経済に存在する全ての経済主体が「利子率は下限に達しており，今後下がることはない（債券価格は上限に達しており，今後上がることはない）」と予想しており，危険資産である債券を保有することに伴うキャピタル・ロス（資本損失）を回避しようと，皆が安全資産である通貨（貨幣）のみを需要することから，通貨需要の利子弾力性が際限なく大きくなる現象を言う。ここで，通貨需要の利子弾力性とは，利子率が1％変化したときに，通貨需要が何％変化するかを測る尺度のことである。

題意の経済現象（「流動性のわな」）の指摘

「流動性のわな」が生じている状況では，名目通貨供給量を増加させても，旺盛な通貨需要が存在するために，利子率が低下しない。利子率が低下しなければ，民間投資支出は増加しない。また本問のモデルにおいては，民間消費支出は利子率とは無関係であると仮定されており，政府支出Gも税収Tも不変に保たれているならば，「流動性のわな」が生じている状況では，名目通貨供給量を増やす金融政策が行われても，当該経済における有効需要は全く変化せず，したがって国民総生産の均衡値も変化しない。

「流動性のわな」が生じている状況において，題意の金融政策が国民総生産の均衡値に影響を与えることが困難な理由

一般に，通貨需要の利子弾力性が大きくなるほど（右上がりの

ＬＭ曲線が水平に近づくほど)，中央銀行が名目通貨供給量を変化させても，利子率はあまり変化しなくなる。それゆえ金融政策を用いて国民総生産（の均衡値）を変化させることは難しくなる。

解答への道

1．小問(1)：ＩＳ曲線が右下がりに描かれる理由

基本問題であり，つまらない失点は避けたいところである。たとえば，本問では，利子率を表す記号はｒではなく，ｉである。利子率をｒと書いていないだろうか。

答案をＩＳ曲線の定義から書き始めた方も多いと思われるが，ＩＳ曲線の定義については，すでに出題者が示しているので，ＩＳ曲線の定義を改めて答案に書いても加点されないであろう（ＬＭ曲線についても同様)。なお，非常に細かいことだが，出題者は，Ｙを「国民所得」ではなく「国民総生産」としているので，答案においても，それに合わせた方がよいと思われる。

本問の問題文では，「民間消費支出Ｃが民間可処分所得（Ｙ－Ｔ）の増加関数であること」および「民間投資支出Ｉが利子率ｉの減少関数であること」は，ともに明記されていない。したがって，これらは，解答者の側から明らかにすべきものと考えなければならない。

なお，【解答例】では最小限の言及にとどめたが，民間消費支出Ｃが民間可処分所得（Ｙ－Ｔ）の増加関数であることは，たとえば，異時点間の消費配分の二期間モデルを解くことにより説明できよう。一方，民間投資支出が利子率の減少関数になるのは，直感的に言えば，利子率の低下は投資に伴う機会費用の低下を意味するので，利子率が低下するほど投資を行うことが有利になりやすいからである。民間投資支出が利子率の減少関数になることは，本来ならば，「投資の限界効率理論」にしたがって説明すべきであろう。しかし，投資の限界効率理論を詳しく説明できる時間的余裕はないと思われる。それゆえ，【解答例】では要点だけを（大まかに）指摘するにとどめた。

2．小問(2)：金融緩和政策の効果

小問(2)も基本問題であり，ミスなく得点したいところである。

小問(2)については，「名目通貨供給量が増加すると，ＬＭ曲線が右シフトするので，国民総生産の均衡値は増加し，利子率の均衡値は低下する」などとし

か記されていない答案も多いと思われる。もちろん，その答案は間違いではないが，あまり高く評価されないだろう。ＬＭ曲線が右シフトする理由も含め，題意の金融政策に伴う変化が生じる「メカニズム（機序)」が十分説明されているとは言い難いからである。

3．小問(3)：問われているのは国民総生産の変化ではなく，民間可処分所得の変化

小問(3)で注意すべきは，「国民総生産Ｙの均衡値がどのように変化するか」ではなく，「民間可処分所得（Ｙ－Ｔ）の均衡値がどのように変化するか」が尋ねられていることである。

政府が政府支出をΔＧだけ増やすと同時に，均衡財政を維持すべく，ΔＧだけの増税を行ったとしよう（ΔＧ＞０)。このとき，ＩＳ曲線は，右方向にΔＧだけシフトする（詳しくは，後述５．を参照されたい)。その結果，たしかに国民総生産Ｙ（の均衡値）は増加するものの，ＬＭ曲線が右上がりならば，その増加分はΔＧよりも小さくなる。再度，〔**図４**〕を見られたい。**【解答例】**にある通り，これはクラウディング・アウト効果によるものである。ところで，ΔＧは税収の増加分（増税分）でもあることに注意すると，〔**図４**〕より，税収Ｔの増加分ΔＧの方が国民総生産Ｙ（の均衡値）の増加分ΔＹを上回ることがわかる。したがって，当該財政政策の前後で比較したとき，民間可処分所得（Ｙ－Ｔ）の均衡値は減少すると言える。

4．小問(4)：「流動性のわな」の下で金融政策が無効となる理由

基本問題であり，確実に点数を稼ぐべきところであるが，〔**図５**〕のような図を描き，「金融政策が行われても，ＩＳ曲線とＬＭ曲線の交点Ｅは変わらないので，国民総生産Ｙの均衡値は変化しない。ゆえに，金融政策は無効である」のように記されただけの答案が少なくないはずである。もちろん，その答案は誤りではないが，物足りない。この小問では，少なくとも「『流動性のわな』の下では，名目通貨供給量が増加しても利子率が下がらず，それゆえ民間投資支出が増加しない」ことを，明確に述べることが必要であろう。

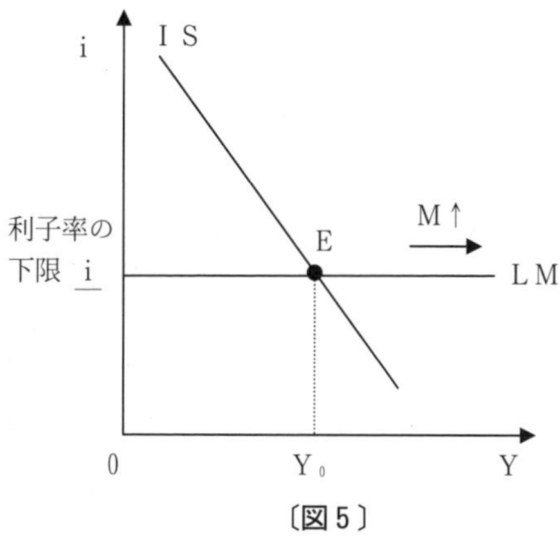

〔図5〕

5．小問(3)：題意の財政政策に伴うＩＳ曲線のシフトについて

小問(3)に対する【解答例】の中に，「政府が政府支出をΔＧだけ増やすと同時に，均衡財政を維持すべく，ΔＧだけの増税を行うものとする（ΔＧ＞０）。このとき，ＩＳ曲線は，右方向にΔＧだけシフトする」とある。以下，この証明を行う。

証明を簡単化するために，消費関数が，たとえば，

$$C = \underline{C} + c\,(Y - T) \qquad ③$$

で与えられるものとしよう。ここで，Ｃは独立消費（基礎消費）を表し，$\underline{C} > 0$とする。ｃは限界消費性向を表し，$0 < c < 1$とする。もちろん，限界消費性向とは，民間可処分所得が追加的に１単位変化したときの，民間消費支出の変化分のことである。

ここで，利子率がi_0の水準で所与であるとする（i_0は任意である）。題意の財政政策が行われる前の時点の，財市場を均衡させる国民総生産の値をY_0とする。すなわち，均衡財政（Ｇ＝Ｔ）および式③に注意しつつ，式①より，

$$Y_0 = \underline{C} + c\,(Y_0 - G) + I\,(i_0) + G \qquad ④$$

が成り立つとする。

次に，政府支出および税収を，それぞれＧからＧ＋ΔＧに増やす拡張的財政政策が行われたとする（ΔＧ＞０）。この財政政策が行われたことにより，利子率i_0の水準で所与ならば，財市場を均衡させる国民総生産の値はY_3になるものとする。すなわち，

$$Y_3 = \underline{C} + c\,(Y_3 - (G + \Delta G)) + I\,(i_0) + (G + \Delta G) \qquad ⑤$$

が成り立つとする。

式⑤の辺々から式④の辺々を引き算すれば，

$$Y_3 - Y_0 = c\ (Y_3 - Y_0) + (1 - c)\ \Delta G$$

$$\therefore Y_3 - Y_0 = \Delta G$$

を得る。これは，「利子率を所与とすれば，当該財政政策により，財市場を均衡させる国民総生産はΔGだけ増加する」ことを意味している。すなわち，利子率の水準i_0は任意なので，当該財政政策により，ＩＳ曲線が右方向にΔGだけシフトすることが示された。

当該財政政策によりＩＳ曲線が右方向にΔG（＝政府支出の増加分＝税収の増加分）だけシフトすることは，小問(3)の正解を導くうえで非常に重要なポイントである。したがって，本来ならば，「ＩＳ曲線が右方向にΔGだけシフトする」ことの証明を答案に含めるべきであろう。しかし，その証明を厳密に行うことは，ごく限られた時間の中では難しいと思われる。

MEMO

◇令和２年度

問題❶

戸建て住宅市場について，次の設問(1)及び(2)のそれぞれについて答えなさい。

(1) ある町の戸建て住宅価格の動向について調べるために，戸建て住宅が同質財であり，完全競争市場と仮定し，過去のデータから市場需要関数を $D=10-2p$ と市場供給関数を $S=1+p$ と推計した。ただし，D は需要量（単位：千戸），S は供給量（単位：千戸），p は価格（単位：千万円）である。均衡における戸建て住宅の価格と取引量を求めなさい。

(2) 実際には戸建て住宅は異質財であるので，個別の戸建て住宅の価格形成に関しては設問(1)のような分析は十分でなく，交渉や入札等により価格が決まることが多い。戸建て住宅１棟を売りたい売り手が，購入者を募集し，リスク中立的な２名の買い手（買い手１と買い手２）が応募してきたとする。買い手１の評価値は２千万円，買い手２の評価値は４千万円である。どの買い手も自分の評価値だけでなく他の買い手の評価値を知っている完備情報を考える。売り手は二位価格封印入札を実施して価格を決めることにしたが，手続きの簡略化のため，買い手が入札できる入札額を２千万円，４千万円と２つの額だけにした。売り手は落札額を予想するために，この状況を２人の買い手による同時手番ゲームとしてモデル化し，ナッシュ均衡における落札額を計算したいとする。この入札による同時手番ゲームに関して，以下の設問に答えなさい。

ただし，二位価格封印入札とは，セカンドプライスオークションとも呼ばれ，すべての買い手が同時に入札額を封印して売り手に提出し，入札額の１番目に高い買い手が落札し，２番目に高い入札額を支払うようなオークションである。また，２名の買い手が提出する入札額が同じ場合は，１番目に高い入札額と２番目に高い入札額は同じであり，各買い手は $\frac{1}{2}$ の確率で住宅を落札する。そして，落札した場合の買い手の利得は自分の評価値から落札額を引いた値であり，落札できなかった場合の買い手の利得はゼロとなる。

① 買い手1の入札額が4千万円，買い手2の入札額も4千万円のとき，落札者，落札額，そして買い手1と買い手2の利得を求めなさい。
② 問①を他の入札額の組合せに対しても行うことで，利得表を書きなさい。ただし，すべての組合せについて，落札者，落札額，買い手の利得を明示しなさい。また，利得表は利得行列とも呼ばれる。
③ 入札による同時手番ゲームにおいて，ナッシュ均衡を言葉で定義しなさい。
④ それぞれの買い手が正直に入札すること，つまり買い手1は2千万円，買い手2は4千万円で入札することはナッシュ均衡になるかどうかについて簡潔に論じなさい。
⑤ 一般的に，買い手が多くなると，入札は交渉と比べてどのような点が長所になるかについて簡潔に論じなさい。

解答例

チェック・ポイント

(1) 与えられた戸建て住宅に対する市場需要関数の式 $D=10-2p$ と市場供給関数の式 $S=1+p$ を等しいとおくと，均衡住宅価格が次のように求められる。

（均衡における住宅の価格の計算）

$$10-2p=1+p \quad \rightarrow \quad 3p=9 \quad \rightarrow \quad \therefore p=3$$

$p=3$ を市場供給関数の式 $S=1+p$，または市場需要関数の式 $D=10-2p$ に代入すると，

（均衡における住宅の取引量の計算）

$$S=1+p=1+3=4，\text{または} D=10-2p=10-2\times3=4$$

を得る。したがって，均衡における戸建て住宅の価格は $p=3$（単位：千万円）（答），取引量は $S=D=4$（単位：千戸）（答）となる。

（まとめ）

(2)① 買い手1の入札額が4千万円，買い手2の入札額も4千万円のとき，落札者は，$\frac{1}{2}$ の確率で買い手1，$\frac{1}{2}$ の確率で買い手2になる(答)。落札額は，4千万円(答)である。

（買い手1と買い手2の入札額が，ともに4千万円のときの落札者と落札額）

買い手1と買い手2の利得は，

買い手1の利得＝落札できる確率×落札したときの利得(＝評価額－落札額)＋落札できない確率×落札できないときの利得((＝0))

$$=\frac{1}{2}\times(2\text{千万円}-4\text{千万円})+\frac{1}{2}\times 0$$

千万円＝－1千万円（答）

買い手2の利得＝落札できる確率×落札したときの利得(＝評価額－落札額)＋落札できない確率×落札できないときの利得((＝0))

$$=\frac{1}{2}\times(4\text{千万円}-4\text{千万円})+\frac{1}{2}\times 0$$

千万円＝0千万円（答）

と求めることができる。

買い手1と買い手2の入札額が，ともに4千万円のときの各買い手の利得

② 本問の入札による同時手番ゲームにおいて，プレイヤーは，買い手1と買い手2，各プレイヤーの戦略は，入札額2千万円と入札額4千万円であり，利得表は，次のように表現される。ただし，利得表における利得の組み合わせは（買い手1の利得，買い手2の利得）を意味するものとする。

本問の入札の下での利得表の提示

		買い手2	
		2千万円	4千万円
買い手1	2千万円	($\underline{0}$, 1)	($\underline{0}$, $\underline{2}$)
	4千万円	($\underline{0}$, $\underline{0}$)	(-1, $\underline{0}$)

[利得表]（単位：千万円）

問①以外の各組合せについての，落札者，落札額，買い手の利得は，以下のとおりである。

(a) 買い手1の入札額が2千万円，買い手2の入札額も2千万円のとき

落札者は，$\frac{1}{2}$の確率で買い手1，$\frac{1}{2}$の確率で買い手2になる(答)。落札額は，2千万円（答)である。

買い手1と買い手2の入札額が，ともに2千万円のときの落札者と落札額

買い手１と買い手２の利得は，

買い手１の利得＝ $\frac{1}{2}$ ×（２千万円－２千万円）＋ $\frac{1}{2}$ ×０千万円＝０千万円　（答）

買い手２の利得＝ $\frac{1}{2}$ ×（４千万円－２千万円）＋ $\frac{1}{2}$ ×０千万円＝１千万円（答）

買い手１と買い手２の入札額が，ともに２千万円のときの各買い手の利得

(b)　買い手１の入札額が２千万円，買い手２の入札額が４千万円のとき

落札者は，買い手１の入札額２千万円 <買い手２の入札額４千万円より，買い手２となる(答)。

落札額は，２番目に高い価格である２千万円（答)である。

買い手１の利得＝０千万円（∵落札できないため）(答)

買い手２の利得＝４千万円－２千万円＝２千万円（答）

買い手１の入札額が２千万円，買い手２の入札額が４千万円のときの落札者，落札額，および各買い手の利得

(c)　買い手１の入札額が４千万円，買い手２の入札額が２千万円のとき

落札者は，買い手１の入札額４千万円 >買い手２の入札額２千万円より，買い手１となる(答)。

落札額は，２番目に高い価格である２千万円（答)である。

買い手１の利得＝２千万円－２千万円＝０千万円（答）

買い手２の利得＝０千万円（∵落札できないため）(答)

買い手１の入札額が４千万円，買い手２の入札額が２千万円のときの落札者，落札額，および各買い手の利得

③　同時手番ゲームにおけるナッシュ均衡とは，お互いに相手が戦略を変更しない限り自らも戦略を変更するインセンティブをもたない(お互いに相手に対して最適に反応し合っている)状態をいう。

ナッシュ均衡の定義

④　買い手１は２千万円，買い手２は４千万円で入札することは，ナッシュ均衡になる。なぜなら，③で述べたとおり，同時手番ゲームにおけるナッシュ均衡とは，お互いに他のプレイヤーが

戦略を変更しない限り自らも戦略を変更するインセンティブをもたない状態をいうが，左記の状態は，先に②で示した利得表において，各プレイヤーの最適戦略に対応する利得の数字に下線を引くものとした場合，利得表の同じ欄に，当該下線が二つ揃う欄に対応する戦略の組合せが，ナッシュ均衡になる。②で示した利得表において，買い手1は2千万円，買い手2は4千万円で入札することは，下線が二つ揃う欄に対応する戦略の組合せになっていることから，ナッシュ均衡である。

買い手1は2千万円，買い手2は4千万円で入札することが，ナッシュ均衡になることの説明

⑤ 一般的に，買い手が多くなると，売り手の観点からすれば，入札は交渉に比べて，期待利得の増加が見込まれることが長所になる。なぜなら，交渉の場合には，取引相手が交渉当事者に限定されるのみならず，交渉の決裂により，収益の機会を逸失する可能性もあるのに対して，入札の場合には，交渉の場合よりも多くの入札参加者が取引相手となるのみならず，買い手が多くなれば，提示金額にも多様性が期待でき，より高額な落札金額を期待できるためである。また，買い手が多くなると，買い手の観点からすれば，入札は交渉に比べて，より公平性を確保できることが長所になる。なぜなら，買い手が多くなると，買い手同士の競争の程度は高くなるが，入札は交渉に比べて，売り手と取引できる機会を広げる役割を果たすといえるからである。加えて，本問の「二位価格封印入札」の下では，2番目に高い金額に多様性が生じ，買い手は自己の評価額よりも，より低い金額で落札できる可能性がある。

売り手の観点からみた入札の長所

買い手の観点からみた入札の長所

解答への道

(1) 与えられた戸建て住宅に対する市場需要関数の式 $D=10-2p$ と市場供給関数の式 $S=1+p$ を等しいとおくことにより均衡住宅価格を求め，その均衡住宅価格を市場供給関数の式，または市場需要関数の式に代入することにより，均衡取引量を求めることができる。

(2) 本問は，「オークション理論」のうち，「二位価格封印入札（セカンドプライスオークション）」に関する出題である。初見の論点であるが，問題文の

指示に従うことで，正答を達成することは難しくはないと思われる。「二位価格封印入札（セカンドプライスオークション）」は，一番高い価格を提示した者が一番高い価格で落札するというオークションである「一位価格封印入札(ファーストプライスオークション)」ではなく，一番高い価格を提示した者が二番目に高い価格で落札するというオークションである。本問におけるゲームは，プレイヤーが，買い手１と買い手２，各プレイヤーの戦略は，入札額２千万円と入札額４千万円であり，利得表は，【解答例】のように表現される。問題文において，「落札した場合の利得＝評価額－落札額」，「落札できない場合の利得＝０」という定義，および落札の条件が示されていたことから，各プレイヤーの入札額が異なる場合については，各プレイヤーの利得の計算は，容易であると思われる。しかし，各プレイヤーの入札額が同じ場合には，期待利得の計算が必要となるため，やや難しいものとなったのではないであろうか。各ケースの，落札者，落札額，および各プレイヤーの利得の計算については，【解答例】を参照いただきたい。なお，④においては解答を要求されていないが，本問の入札による同時手番ゲームにおけるナッシュ均衡は，(買い手１入札額２千万円，買い手２入札額４千万円)が唯一ではなく，(買い手１入札額４千万円，買い手２入札額２千万円)も，ナッシュ均衡になる。⑤の設問は，かなり難しい問題であり，合否には影響はないと思われる。

問題❷

図1は，地価（商業地市街地価格指数），賃料（オフィス賃料指数），名目利子率（国債10年物利回り）の推移を示している。当該図を参考に(1)から(4)の各設問に答えなさい。

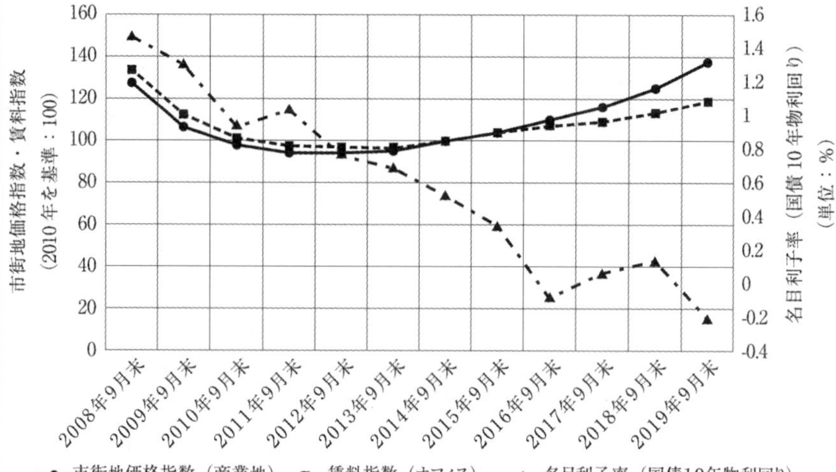

図1　6大都市における地価、賃料、名目利子率の推移

注）6大都市とは，東京都区部，横浜市，名古屋市，京都市，大阪市，神戸市を指す。

出典）一般財団法人日本不動産研究所「市街地価格指数」「全国賃料統計」，財務省「国債金利情報」

(1) 地価とファンダメンタルズ（根元的要因）となる地代，割引率，地代の期待上昇率の3つの要因との関係は，式1のとおり定式化される。また，割引率については，式2のとおり表される。

$P = R / (\rho - g)$　・・・　式1

$\rho = i + \pi$　・・・　式2

P：物価水準，R：地代，ρ：割引率，g：地代の期待上昇率，i：実質利子率，π：リスク・プレミアム

当該式を前提に，名目利子率が低下すると，地価は上昇するのか，下落するのか，理由を示したうえで答えなさい。

なお，回答に際しては，下記3点に留意すること。

① 図１に示す「市街地価格指数（商業地）」の推移に着目し，地価の下落期（2012年９月末以前）と上昇期（2013年９月末以降）に分けて，それぞれの当該変動を説明すること。

② 物価水準は一定と仮定すること。

③ 図１の賃料指数（オフィス）は，地代の変動を同様に示すものと仮定すること。

⑵ 名目利子率の低下は，貨幣の需要に対してどのような変化をもたらすと考えられるのか，貨幣需要を決定する要因について説明したうえで，述べなさい。なお，貨幣市場の均衡式は，式３のとおりである。

M/P＝L（Y, r）・・・　式３

L（Y, r）は貨幣需要関数，rは名目利子率，Yは国民所得，Mは貨幣供給量，Pは物価水準を示す。

⑶ 下記は，貨幣量，利子率，物価水準に関する文章である。式４を参考に空欄（①から⑤）に適切な用語を答えなさい。

なお，空欄①・②は，式４の４つの変数の内から適切な用語を回答すること。また，空欄③・④には，名目，実質のいずれかを，空欄⑤は，短期，長期のいずれかをそれぞれ回答すること。

> 貨幣数量方程式：MV＝PY　・・・式４
> M：貨幣量，V：貨幣の流通速度，P：物価水準（財の価格），Y：生産量
>
> 上記貨幣数量方程式に基づくと，［　①　］は，時間を通じて，比較的安定しているので，中央銀行が貨幣量を増加させると，その結果として［　②　］が比例して上昇することになる。一方，IS－LMモデルにおけるISモデルでは［　③　］利子率が，LMモデルでは［　④　］利子率がそれぞれ用いられるが，当該モデルでは，物価水準は固定されている。そのため，モデルの運用に際しては，名目利子率と実質利子率を区別する必要がない。
>
> つまり，貨幣数量方程式とIS－LMモデルでは，各理論モデルの想定する対象期間が異なる。具体的には，貨幣数量方程式では，期間は［　⑤　］を対象としている。

(4)　2013年4月に，中央銀行である日本銀行は，金融政策として「量的・質的金融緩和」を導入した。下記は，日本銀行の政策委員会・金融政策決定会合における「量的・質的金融緩和」の導入に関する文書である。

> 日本銀行は，消費者物価の前年比上昇率2％の「物価安定の目標」を，2年程度の期間を念頭に置いて，できるだけ早期に実現する。このため，マネタリーベースおよび長期国債・ＥＴＦの保有額を2年間で2倍に拡大し，長期国債買入れの平均残存期間を2倍以上に延長するなど，量・質ともに次元の違う金融緩和を行う。

出典）日本銀行「『量的・質的金融緩和』の導入について」2013年4月4日

日本銀行の「量的・質的金融緩和」は，ファンダメンタルズの割引率（ρ）（式2参照）に対して，具体的にどのように作用していると考えられるのか，当該政策効果の波及経路を3つ示し，それぞれについて説明しなさい。

解答例

チェック・ポイント

(1)について

名目利子率をｒ，実質利子率をｉ，予想物価上昇率をπ'とすると，利子率に関するフィッシャー方程式より，(a)式が成立する。

$$r = i + \pi' \cdots\cdots (a)$$

（フィッシャー方程式）

問題の条件②より物価水準は一定であるので，予想物価上昇率$\pi' = 0$となり，(b)式が成立する。

$$r = i \qquad \cdots\cdots (b)$$

（名目利子率と実質利子率の一致）

また，式1よりＰを地価の水準とみなすとともに，式2よりリスク・プレミアムπは一定とする。

（リスク・プレミアムπ一定の仮定）

以上をふまえ，地価の下落期と上昇期とを比較する。地価の下落期（2012年9月末以前）においては，(a)式及び(b)式より，名目利子率ｒの低下が実質利子率ｉの低下をもたらす。その結果，式2よ

（名目利子率の低下と地価の下落）

り割引率ρが当初の水準より低下する。また，図１より，賃料指数（オフィス）が低下傾向で推移していることから，地代の期待上昇率ｇと地代Ｒも低下傾向で推移しているといえる。したがって，式１より，地価Ｐの値が低下しうると考えられる。

地価の上昇期（2013年９月末以降）においては，図１より，名目利子率ｒが大幅に低下しているので，(a)式及び(b)式より，実質利子率ｉも大幅に低下する。その結果，式２より割引率ρが当初の水準よりも大幅に低下すると考えられる。また，図１より，賃料指数（オフィス）が上昇傾向で推移していることから，地代の期待上昇率ｇと地代Ｒも上昇傾向で推移しうる。したがって，式１より，地価Ｐの値が上昇すると考えられる。

名目利子率の低下と地価の上昇

⑵について

貨幣需要に関する流動性選好説より，貨幣需要は取引的動機に基づく貨幣需要，予備的動機に基づく貨幣需要，投機的動機に基づく貨幣需要から成る。これらのうち，取引的動機に基づく貨幣需要と予備的動機に基づく貨幣需要は国民所得Ｙの増加関数となる。一方，投機的動機に基づく貨幣需要は名目利子率ｒの減少関数である。

今，名目利子率ｒが低下すると，投機的動機に基づく貨幣需要が増加する。このとき，貨幣供給量Ｍと物価水準Ｐが一定であるとすると，式３より，国民所得Ｙが仮に当初の水準から変化しなければ，実質貨幣供給量よりも実質貨幣需要量が多くなり，貨幣市場において超過需要が発生する。そのため，国民所得Ｙが減少して，取引的動機に基づく貨幣需要や予備的動機に基づく貨幣需要が減少する。

名目利子率の低下が貨幣需要に与える変化

⑶について

①　Ｖ：貨幣の流通速度	②　Ｐ：物価水準（財の価格）
③　実質	④　名目
⑤　長期	

空欄補充

⑷について

日本銀行の「量的・質的金融緩和」は，ファンダメンタルズの割引率ρを低下させるように作用すると考えられる。その実現経路と

「量的・質的金融緩和」が割引率ρを低下させたという結論

して，第一に，予想物価上昇率の上昇が挙げられる。日本銀行が物価安定の実現に対して「量的・質的金融緩和」を実施し，継続することにより，経済全体に対してデフレーションへの懸念を払拭し，将来にかけての物価上昇への期待形成に寄与することが考えられる。第二に，利子率の低下が挙げられる。「量的・質的金融緩和」を通じて名目利子率が低下し，さらに予想物価上昇率の上昇により，実質利子率が低下すると考えられる。第三に，ポート・フォリオ・リバランス効果が挙げられる。日本銀行が国債等の買い入れを通じた「量的・質的金融緩和」により，金融機関や民間企業等は，国債等の安全資産への投資を減少させる一方，株式や社債，土地等の価格変動のリスクがある資産への投資を増加させることが考えられる。これにより，土地の需要が増加して地価や地代が上昇することが考えられる。さらに長期的に地価や地代が安定的に推移すれば，リスク・プレミアムが低下することが考えられる。

予想物価上昇率の上昇を通じた経路

名目利子率の低下を通じた経路

ポート・フォリオ・リバランス効果を通じた経路

以上の３つの経路を通じて，式２より，実質利子率ｉの低下とリスク・プレミアムπの低下により，ファンダメンタルズの割引率ρが低下することが考えられる。

３つの経路と割引率ρの低下の関係

解答への道

小問(1)

割引率ρの変化を的確に捉えられるかどうかがやや難しかった。設問を検討する際，フィッシャー方程式より実質利子率ｉの変化を的確に捉えられる必要がある。また，図１より，賃料指数（オフィス）の推移から，地代Ｒや地代の期待上昇率ｇの変化を的確に捉えて地価の水準を捉えられるようにしたい。

小問(2)

貨幣市場の均衡の性質を問う基本的問題である。貨幣需要に関する流動性選好説に基づき，取引的動機に基づく貨幣需要，予備的動機に基づく貨幣需要，投機的動機に基づく貨幣需要の性質をふまえて検討する必要がある。

小問(3)

貨幣数量方程式において，経済活動における取引高に相当する生産量Ｙ，貨幣の流通速度Ｖが一定であることをふまえてＭとＰの関係を捉えられると良い。また，ＩＳモデルとＬＭモデルで用いる利子率の違いも基本的なテーマであり，解答できるようにしたい。

小問(4)

日本銀行の「量的・質的金融緩和」が割引率ρへ与える影響が問われた設問であった。「量的・質的金融緩和」の理解も問われており，難易度は高めであった。「量的・質的金融緩和」により期待される主な効果として，①名目利子率（国債10年物利回り）の低下，②物価の期待上昇率の上昇，③価格変動の小さい安全資産から価格変動のリスクのある資産への投資の促進（ポートフォリオ・リバランス効果）などが挙げられる。これらの効果より，実質利子率ｉの低下やリスク・プレミアムπの低下が割引率ρの低下に寄与することを検討されると良いだろう。

◇ 令和3年度

問題❶

次の(1)及び(2)の各設問に答えなさい。

(1) ある町にはパン屋Aとパン屋Bの2つのパン屋がある（複占市場）。各パン屋がつけることができる価格はパン1個あたり30か40のどちらかであり，価格が30のときには町全体で1,000個のパンが需要され，価格が40のときには町全体で800個のパンが需要される。また，パンを生産・販売するために必要な費用は各パン屋ともにパン1個あたり10である。

① 2つのパン屋が同時に30か40の価格を設定するような同時手番ゲームを考える。もし価格が同じならば，2つのパン屋は町の需要を折半する。したがって，例えば両店ともに価格が40ならば，町全体の800個の需要を折半し，各パン屋では400個が需要される。また，どちらか一方のパン屋の価格が低い場合はそちらのパン屋だけで需要される。したがって，例えばパン屋Aの価格が30，パン屋Bの価格が40ならば，パン屋Aの需要量は1,000個で，パン屋Bの需要量はゼロとなる。さて，価格の組み合わせのそれぞれについて各パン屋の利潤を計算し，ナッシュ均衡で各パン屋が設定する価格を求めなさい。得られた解がナッシュ均衡である理由についても説明すること。

② パン屋Aはパン屋Bの店舗・生産施設を買収することにした。買収に成功すればパン屋Aはこの町の独占的なパン屋となり，パン屋Bの価格付けを考慮することなく30か40のどちらかの価格を設定できる。買収が成功したとき，パン屋Aの利潤は，どれだけ，どのように変化するかを説明しなさい。ただし，買収の費用は考慮せず，パンの生産・販売から得られる利潤のみを考える。

(2) ある個人Cが土地を所有している。土地の価値は周辺開発が実現するかどうかによって変わる。$\frac{2}{3}$の確率で開発は実現し，土地価格は3,600（万円）となるが，$\frac{1}{3}$の確率で開発は実現せず土地価格は900（万円）となる。

① 土地価格（貨幣で評価した土地の価値）をwとしたとき，個人Cの効用は$U=\sqrt{w}$で与えられ，個人Cは期待効用（効用の期待値）をでき

るだけ大きくしたいと考えている。さて，開発が実現するかどうかが分かる前に個人Ｃは金額ｍの貨幣で土地を売却できるとしよう。個人Ｃが売却してもよいと考えるｍについての条件を求めなさい。

② 土地価格の期待値を計算し，個人Ｃは土地価格の期待値よりも小さい金額ｍで売却できることを示しなさい。また，個人Ｃが土地価格の期待値よりも小さい金額で売却できる理由を言葉で説明しなさい。

解答例

チェック・ポイント

⑴について

①パン屋Ａのパンの価格をP_A，パン屋Ｂのパンの価格をP_Bとする。また，パン屋Ａの利潤をπ_A，パン屋Ｂの利潤をπ_Bとする。

（各記号の定義）

(a) $(P_A, P_B)=(30, 30)$の場合

パン屋Ａとパン屋Ｂは共にパンの需要量が500となる。したがって，それぞれのパン屋の利潤は次のとおりとなる。

$\pi_A=30\times500-10\times500=10,000$

$\pi_B=30\times500-10\times500=10,000$

（$(P_A, P_B)=(30, 30)$の場合の各パン屋の利潤の計算）

(b) $(P_A, P_B)=(30, 40)$の場合

パンの需要量はパン屋Ａが1,000，パン屋Ｂが０となる。したがって，それぞれのパン屋の利潤は次のとおりとなる。

$\pi_A=30\times1,000-10\times1,000=20,000$

$\pi_B=0$

（$(P_A, P_B)=(30, 40)$の場合の各パン屋の利潤の計算）

(c) $(P_A, P_B)=(40, 30)$の場合

パンの需要量はパン屋Ａが０，パン屋Ｂが1,000となる。したがって，それぞれのパン屋の利潤は次のとおりとなる。

$\pi_A=0$

$\pi_B=30\times1,000-10\times1,000=20,000$

（$(P_A, P_B)=(40, 30)$の場合の各パン屋の利潤の計算）

(d) $(P_A, P_B)=(40, 40)$の場合

パン屋Ａとパン屋Ｂは共にパンの需要量が400となる。したがって，それぞれのパン屋の利潤は次のとおりとなる。

$\pi_A=40\times400-10\times400=12,000$

（$(P_A, P_B)=(40, 40)$の場合の各パン屋の利潤の計算）

$\pi_B=40\times400-10\times400=12,000$

以上より，パン屋Aとパン屋Bの設定する価格と利潤との対応関係を表にまとめると次のとおりとなる。ただし，利潤の組み合わせのうち，左側はパン屋Aの利潤，右側はパン屋Bの利潤を表す。

本ゲームの利得表の作成

		パン屋B	
		30	40
パン屋A	30	(10,000, 10,000)	(20,000, 0)
	40	(0, 20,000)	(12,000, 12,000)

パン屋Bがパンの価格を30に設定する場合，パン屋Aがパンの価格を30に設定すると利潤は10,000，価格を40に設定すると利潤は0となる。したがって，パン屋Aの最適戦略は$P_A=30$である。また，パン屋Bがパンの価格を40に設定する場合，パン屋Aがパンの価格を30に設定すると利潤は20,000，価格を40に設定すると利潤は12,000となる。したがって，パン屋Aの最適戦略は$P_A=30$である。以上より，パン屋Bの設定する価格にかかわらず，パン屋Aの最適戦略は，$P_A=30$であり，$P_A=30$は，パン屋Aの支配戦略と呼ばれる。

パン屋Aの最適戦略

パン屋Aがパンの価格を30に設定する場合，パン屋Bがパンの価格を30に設定すると利潤は10,000，価格を40に設定すると利潤は0となる。したがって，パン屋Bの最適戦略は$P_B=30$である。また，パン屋Aがパンの価格を40に設定する場合，パン屋Bがパンの価格を30に設定すると利潤は20,000，価格を40に設定すると利潤は12,000となる。したがって，パン屋Bの最適戦略は$P_B=30$である。以上より，パン屋Aの設定する価格にかかわらず，パン屋Bの最適戦略は，$P_B=30$であり，$P_B=30$は，パン屋Bの支配戦略と呼ばれる。

パン屋Bの最適戦略

ナッシュ均衡とは，互いに相手が戦略を変更しない限り，自らも戦略を変更するインセンティブがない戦略の組合せをいう。したがって本問におけるナッシュ均衡は，$(P_A, P_B)=(30, 30)$となる。なぜなら，パン屋Aは，パン屋Bの戦略を$P_B=30$と予想したときの最適戦略が$P_A=30$であり，かつ，パン屋Bは，パン屋Aの戦略を$P_A=30$と予想したときの最適戦略が$P_B=30$であり，$(P_A, P_B)=(30, 30)$が実現した場合，互いに相手に対する予想が正しいものとなり，

ナッシュ均衡の定義・提示

$(P_A, P_B)=(30, 30)$がナッシュ均衡になる理由

互いに満足している状態であるといえ，互いに相手が戦略を変更しない限り，自らも戦略を変更するインセンティブがない戦略の組合せになっているためである。

なお，各パン屋が共にパンの価格を40に設定する場合，各パン屋の利潤は共に12,000となることから，本問題のナッシュ均衡（P_A, P_B)＝(30，30）は，パレート最適ではなく，囚人のジレンマが発生しているといえる。パレート最適とは，他のプレイヤーの利得を低下させることなく自らの利得を高めることができない状態をいう。

ナッシュ均衡(P_A, P_B)＝(30, 30)がパレート最適でないことの指摘

②パン屋Aがパン屋Bの店舗・生産施設を買収することに成功した場合，パンを30または40のいずれかの価格の下で独占的に販売することができる。その際，パンの価格を30に設定した場合はパンの需要量が1,000，パンの価格を40に設定した場合はパンの需要量が800となる。その上でパン屋Aの利潤π_Aを求めると次のとおりとなる。

パン屋Aが独占的なパン屋になる場合のパンの需要量

(a) パンの価格を30に設定した場合

$\pi_A = 30 \times 1,000 - 10 \times 1,000 = 20,000$

この場合，設問①の場合よりも20,000－10,000＝10,000利潤が増加する。

P_A＝30のときのパン屋Aの利潤の計算

(b) パンの価格を40に設定した場合

$\pi_A = 40 \times 800 - 10 \times 800 = 24,000$

この場合，設問①の場合よりも24,000－12,000＝12,000利潤が増加する。

P_A＝40のときのパン屋Aの利潤の計算

以上より，パン屋Aはパンの価格を40に設定する。

パン屋Aがパンの価格を40に設定することの指摘

(2)について

①個人Cが売却しても良いと考える金額mの条件は，土地の売却金額mの下で確実に実現される効用が，土地価格が不確実な下での期待効用を上回ることである。問題の条件より，土地価格wは$\frac{2}{3}$の確率で3,600万円，$\frac{1}{3}$の確率で900万円となる。したがって，

$$\frac{1}{3} \times \sqrt{900} + \frac{2}{3} \times \sqrt{3600} < \sqrt{m}$$

リスクのある期待効用（左辺）よりリスクのない効用（右辺）が大きくなるときのmのみたすべき範囲の計算

となる。この不等式を解くと，2,500＜mとなる。したがって，mが2,500万円を上回るならば，個人Cは土地を売却する。

②土地価格の期待値をP_Eとすると，次のとおりとなる。

$$P_E = \frac{1}{3}\times 900 + \frac{2}{3}\times 3,600 = 2,700$$

土地価格の期待値の計算

このとき，設問①で求めたm＞2,500であることをふまえると，個人Cは土地価格の期待値よりも小さい金額で土地を売却できると言える。その理由として，個人Cが土地価格の変動リスクに対してリスク（危険）回避的であることが挙げられる。

より詳細には，土地価格の期待値は2,700万円となり，このときの個人Cの期待効用は50となる。一方，土地価格が確実に2,700万円となる場合の個人Cの効用は $30\sqrt{3}$ となる。このことから，同じ土地価格の水準であっても確実である場合の効用の方が期待効用よりも高くなることから，個人Cはリスク（危険）回避的であるといえる。

また，土地価格の期待値2,700万円の下での確実性等価（確実同値額）は，

$$\frac{1}{3}\times\sqrt{900}+\frac{2}{3}\times\sqrt{3,600}=\sqrt{m}$$

より，m＝2,500（万円）となる。このときリスク・プレミアム＝土地価格の期待値－確実性等価（確実同値額）を求めると，2,700－2,500＝200（万円）となる。よって，リスク・プレミアムが正の値をとることからも個人Cはリスク（危険）回避的であるといえる。リスク（危険）回避的である個人Cは，土地価格が2,700万円から2,500万円まで変化しても，リスクのある状態の期待効用（図の点cで表現される）よりは，リスクのない確実な効用水準の方が大きいか同じ水準になる（図の点dから点eの変化で表現される）ため，個人Cは，土地価格の期待値2,700万円よりも小さい金額2,500万円で売却することができる。

個人Cが土地価格の期待値よりも小さい金額で売却できる理由

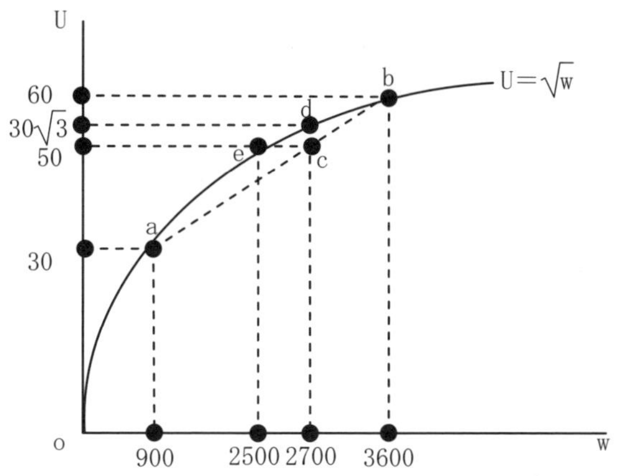

解答への道

小問⑴について

設問①は，設定するパンの価格に応じて各パン屋のパンの需要量を求める必要がある。その上で，各パン屋の利潤を求めて利得表を作成し，ナッシュ均衡を導出するようにしたい。

設問②は，それぞれのパンの価格の下でパンの需要量を独占する場合の利潤を求めた上で，それらの利潤を比較検討するようにしたい。

小問⑵について

設問①は，個人Cが土地を売却してもよいと考える状況として，土地価格が不確実な場合の期待効用よりも，確実に金額mで売却できる場合の効用が高くなることを捉えるようにしたい。その上でそれらの効用を定式化して検討するようにしたい。

設問②は，個人Cがリスク（危険）回避的な経済主体であることをふまえて検討するようにしたい。個人Cがリスク（危険）回避的な経済主体であることについては，個人Cの効用関数の式の形が$U=\sqrt{w}$であり，この効用関数の形状が上に凸型であること，または，リスク・プレミアムが正の値となることを指摘すればよい。その上で，土地価格2,500万円は，確実性等価（確実同値額）であり，リスク（危険）回避的な経済主体の個人Cは，リスクを回避できるのであれば，確実性等価（確実同値額）である土地価格2,500万円までは引下げに応じる余地があることを指摘すればよい。

MEMO

問題❷

(1)① 下記は，消費税率の引上げに伴う経済政策パッケージに関する文章である。

> 消費税率の引上げの前後における駆け込み需要及びその反動等による影響が大きいことを踏まえ，一時の税負担の増加による影響を平準化する観点等から，平成25年度税制改正において住宅ローン減税の拡充措置等を講じた(A)ところであり，これを着実に実施するとともに，当該措置を講じてもなお効果が限定的な所得層に対して，住宅取得に係る消費税負担増をかなりの程度緩和するため，給付措置を行う(B)。

出典）財務省「消費税率及び地方消費税率の引上げとそれに伴う対応について」（平成25年10月１日閣議決定）より一部抜粋

下記式１の財市場における均衡条件を仮定したうえで，上記の住宅ローン減税の拡充措置等（上記下線部(A)）と住宅取得に係る給付措置（上記下線部(B)）が，それぞれ国民所得に対してどのような影響を与えるのかを乗数モデルを用いて考える。

下記文章の空欄（アからオ）に入る最も適切な用語を答えなさい。解答に際しては，消費税率は一定と仮定しなさい。

なお，空欄ア・イはc_1（限界消費性向）を用いて，空欄アには税収Ｔを，空欄イには政府支出Ｇをそれぞれ１単位増減させた場合の乗数の大きさを示すこと，空欄ウは「大きい」，「等しい」，「小さい」のいずれかを記入すること，空欄エ・オについては，具体的な数値を解答すること。

> 財市場の均衡条件式：$Y = c_0 + c_1(Y - T) + I(i) + G$　・・・式１
> Ｙ：国民所得，c_0：基礎消費，c_1：限界消費性向，Ｔ：税収，
> Ｉ(ｉ)：投資関数，ｉ：実質利子率，Ｇ：政府支出
>
> 実質利子率は一定と仮定したうえで，上記式１に基づき，住宅ローン減税によって税収Ｔが変化する場合，当該減税の乗数は［ア］と表される。この乗数の大きさは，住宅取得に係る給付措置による政府支出乗数［イ］に比べて［ウ］。政府支出乗数については，限界消費性向

が０と１の間の値を示すことから，必ず［エ］よりも大きな値をとる。
　税収（Ｔ）と政府支出（Ｇ）を同額だけ増加させる均衡予算の制約のもとでは，増税乗数と政府支出乗数の和は，常に［オ］となる。この結果は，均衡予算乗数の定理とよばれる。

②　住宅取得に係る消費税負担増の緩和のための給付措置（①の文章下線部（Ｂ））が，均衡実質利子率と均衡国民所得に与える影響について，ＩＳ－ＬＭモデルを用いて，図示したうえで，そのメカニズムを説明しなさい。なお，図には，乗数モデル（政府支出乗数）に基づく経路を明示し，当該効果との比較を行い，相違点を述べなさい。
　解答に際しては，下記４点に留意すること。

【留意点】
- 給付措置によって，式２の政府支出（Ｇ）が変化するものと仮定すること。
- 物価水準（Ｐ）は一定，すなわち，名目利子率（ｒ）と実質利子率（ｉ）は一致すると仮定すること。
- 式３において，貨幣供給量（Ｍ）は一定と仮定すること。
- 消費税率は一定と仮定すること。

ＩＳ－ＬＭモデル
財市場
Ｙ＝Ｃ(Ｙ－Ｔ)＋Ｉ(ｉ)＋Ｇ　・・・式２
貨幣市場
Ｍ／Ｐ＝Ｌ(Ｙ，ｒ)　・・・式３

Ｙ：国民所得，Ｔ：税収，Ｇ：政府支出，Ｍ：貨幣供給量，Ｐ：物価水準，
ｉ：実質利子率，ｒ：名目利子率，Ｃ(Ｙ－Ｔ)：消費関数，
Ｉ(ｉ)：投資関数，Ｌ(Ｙ，ｒ)：貨幣需要関数

⑵　図１は，新設住宅着工戸数の対前年変動率の推移と不動産価格指数（住宅）及び生産段階の価格動向を反映した国内企業物価指数の推移を示したものである。新設住宅着工戸数の増減の推移のうち，消費税率が引上げら

れた2014年時点の変動について，新築住宅を供給する企業の観点から住宅の相対価格に基づいて説明しなさい。

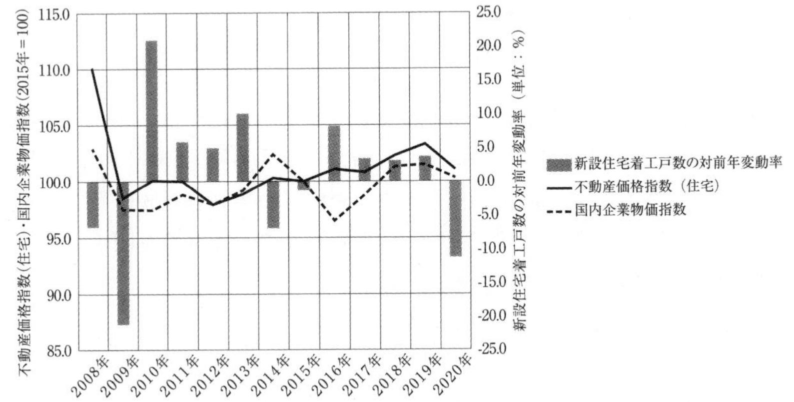

図1　新設住宅着工戸数の対前年変動率と不動産価格指数（住宅）及び国内企業物価指数の推移

注）不動産価格指数（住宅）は，全国における戸建住宅の毎年4月時点の値（2010年基準）を，2015年を基準として100に修正された値を示す。また，国内企業物価指数（消費税分を含む）は，2015年を基準に算定された値を示す。

出典）国土交通省「不動産価格指数（住宅）」「新設住宅着工戸数（一戸建て）」，日本銀行「企業物価指数」

チェック・ポイント

(1)①

ア	$-\dfrac{c_1}{1-c_1}$	イ	$\dfrac{1}{1-c_1}$
ウ	小さい	エ	1
オ	1		

租税乗数，政府支出乗数，租税乗数＜政府支出乗数，政府支出乗数＞1，均衡予算（財政乗数＝1）の記入

②［図１］において，住宅取得に係る消費税負担増の緩和のための給付措置がなされる前の均衡点は，右下がりの傾きを有するＩＳ曲線であるIS_1と右上がりの傾きを有するＬＭ曲線であるLM_1の交点E_1で示されるものとする。ＩＳ曲線とは，財市場を均衡させる国民所得と（実質）利子率の組合せの軌跡であり，ＬＭ曲線とは，貨幣市場を均衡させる国民所得と（実質）利子率の組合せの軌跡である。

本問の給付措置がなされる前の均衡点の明示

ＩＳ曲線とＬＭ曲線の定義

当該給付措置により政府支出Ｇが増加すると（政府支出Ｇ増加の財源は，公債発行の市中消化を仮定する），政府支出Ｇの増加は，有効需要の増加を意味するため，ＩＳ曲線がIS_1からIS_2へ右方シフトし，新たな均衡点は，IS_2とLM_1の交点E_2となる。したがって，当該給付措置は，均衡実質利子率を上昇させ，均衡国民所得を増加させる影響を有する。

本問の給付措置がなされた後の均衡点の明示

本問の給付措置がｉとＹに与える影響

［図１］において，当該給付措置が与える影響を示す乗数モデル（政府支出乗数）に基づく経路は，点E_1から点Ａへの変化で表現される。この乗数モデル（政府支出乗数）に基づく経路は，乗数過程の第１段階における政府支出の増加分ΔGが，第２段階以降，次々と消費という有効需要を増加させるという波及効果をもたらすことを示しており，Y_1からY_3への変化で示される。点E_1から点Ａへの変化をΔY_1と定義すると，$\Delta Y_1=\dfrac{1}{1-c_1}\Delta G$と表現される。乗数モデル（政府支出乗数）に基づく経路は，財市場の均衡条件式のみに基づき，実質利子率がi_1で一定と仮定した場合の政府支出の

乗数モデル（政府支出乗数）に基づく経路の説明

増加が国民所得に与える影響を示している。一方，財市場と貨幣市場の均衡条件式を同時に考慮するＩＳ－ＬＭモデルによれば，政府支出の増加が，実質利子率をi_1からi_2へ上昇させて，投資という有効需要を減少させることも考慮するため，乗数モデル（政府支出乗数）に基づく経路は下方修正されることになり，題意の給付措置が国民所得に与える影響は，Y_1からY_2への変化で表現される。政府支出の増加が実質利子率を上昇させて投資を減少させる現象を，クラウディング・アウトと呼ぶ。［図１］において，クラウディング・アウトによる国民所得の減少は，点Ａに対応するY_3から点E_2に対応するY_2への変化で示されている。

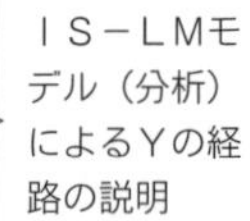

クラウディング・アウトの説明

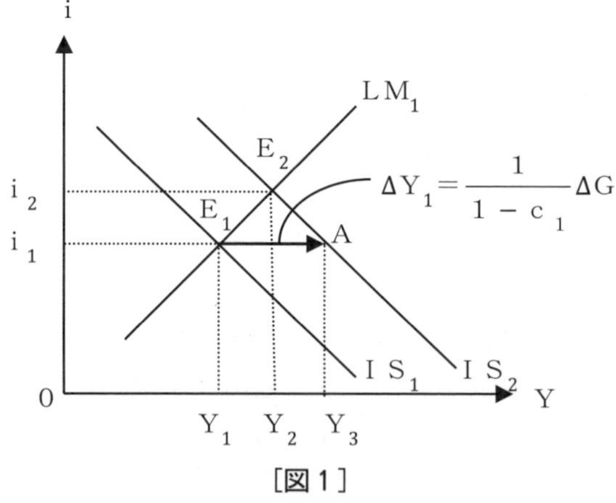

［図１］

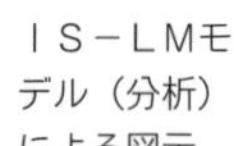

⑵　新築住宅を供給する企業にとっての住宅の相対価格を，当該企業が設定する新築住宅価格を国内企業物価指数で除した比率であると定義すると，消費税率が引き上げられた2014年時点の新設住宅着工戸数の対前年変動率がマイナス５％を超える下落率になった要因は，住宅の相対価格の下落にあると考えられる。すなわち，企業は，住宅の相対価格が上昇すれば新設住宅の着工戸数を増加させ，逆に，住宅の相対価格が下落すれば新設住宅の着工戸数を減少させるものと考えることができるが，2014年時点の住宅の相対価格の分子である新築住宅価格の上昇幅は，住宅の相対価格の分母である国内企業物価指数の上昇幅よりも小さいとみられ，こ

住宅の相対価格の定義
住宅の相対価格の下落が2014年時点の該当指標を下落させた原因であるという指摘
住宅の相対価格と新設住宅の着工戸数の関係

のことが住宅の相対価格の下落をもたらし，新設住宅の着工戸数の減少をもたらしたと考えられる。より詳細に考察すると，個別企業が設定する新築住宅価格の動向は，不動産価格指数（住宅）の動向に影響を受けると考えられるが，2014年時点の不動産価格指数（住宅）は，国内企業物価指数と比較して上昇幅が極めて小さいことが与えられた資料よりみてとれる。これは，新設住宅の生産段階における建設資材等の消費税増税に伴う値上げを反映している国内企業物価指数の上昇に対して，個別企業が設定する新築住宅価格は，消費税増税分に見合った値上げができていないことを意味していると考えられ，そのことが住宅の相対価格の下落とそれに伴う新設住宅の着工戸数の減少をもたらし，2014年時点の新設住宅着工戸数の対前年変動率がマイナスになった要因と考えられる。

与えられた資料より2014年時点の住宅の相対価格が下落したことがみてとれることの指摘

2014年時点の住宅の相対価格が下落した理由

解答への道

小問⑴①について

閉鎖経済かつ租税のタイプが一括固定額税の場合の45度線分析に基づいた財政政策の効果についての出題である。「租税乗数」と「政府支出乗数」の提示と相互の大小比較，および「政府支出乗数＞１」は，基本論点であり，絶対に落としてはならない。「均衡予算乗数（均衡財政乗数）＝１」についての出題は，減税と政府支出増加という問題の流れからは，少しはずれたものであるが，絶対に落としてはならない基本論点である。

小問⑴②について

前半部分は，政府支出増加のための財源についての仮定がないのが気になるが，有効需要の原理に基づいて，有効需要である政府支出の増加によるＩＳ曲線右方シフトにより，均衡（実質）利子率の上昇と，均衡国民所得の増加が生じることを，図を用いて説明すれば十分であり，必ず示すべきものである。少しのミスも許されない。

後半部分は，題意の把握が少し難しいと思われる。解答例では，「乗数モデル（政府支出乗数）に基づく経路」を，「45度線分析による拡張的財政政策の効果」

ととらえ，「当該効果との比較」を「ＩＳ－ＬＭ分析による拡張的財政政策の効果との比較」と考えて分析を試みた。

小問⑵について

実際のデータに基づいた分析を要求しているが，企業の住宅の相対価格の定義や与えられた資料から住宅の相対価格の下落を導き出すのは，極めて難しいと思われる。消費税率が引き上げられた2014年時点の新設住宅着工戸数の対前年変動率がマイナス５％を超える下落率になったことを指摘するのが精一杯で，その下落がもたらされた要因が，住宅の相対価格の下落にあるという解答を示した者は，非常に少数であろう。したがって，本問は，合否にはほとんど影響しないと考えてよいであろう。

MEMO

◇ 令和４年度

問題❶

次の⑴及び⑵の各設問に答えなさい。

⑴　ある町には個人Ａと個人Ｂの２人だけが住んでおり，２人は町に公園が欲しいと考えている。公園の広さをＸとし，個人Ａの限界便益は$V_A = 50 - X$，個人Ｂの限界便益は$V_B = 40 - 2X$とする。ここで，限界便益とは公園の広さが１単位増えるとどれだけ便益が増えるかを金銭で測った値で，限界評価や限界支払意思額とも呼ばれる。（ここでは，限界便益は公園の広さＸが増えれば低下する。）また，公園を整備する費用は$C = 60X$とする。つまり，限界費用は一定の60である。

①　公園は公共財であるとする。公共財とは何かを経済学の用語を２つ用いて説明しなさい。

②　公共財である公園の最適な広さを求めなさい。

③　個人Ａか個人Ｂのどちらか１人が公園の設置の費用を負担するならば，公園はまったく設置されない（広さがゼロとなる）ことを示しなさい。

⑵　中古車の市場を考える。中古車には優良車と不良車の２種類の品質がある。優良車を買い手は100万円と評価するのに対し，売り手は80万円と評価する。一方，不良車の価値は買い手も売り手もゼロ円と評価する。

①　中古車市場では優良車のみが取引されているとする。買い手と売り手が取引に合意する価格が満たす条件を説明しなさい。

②　中古車市場の中古車のうち，半分は優良車，残りの半分は不良車であるとする。売り手は中古車の品質を知っているが，買い手は知ることができず，ただそれぞれの割合が$\frac{1}{2}$であることのみが分かっている。この中古車市場で起こるアドバース・セレクション（逆淘汰，逆選抜，逆選択）を設問の数値にもとづいた計算を踏まえて説明しなさい。

③　中古車市場でのアドバース・セレクションの問題を軽減する処方箋を２つ，有効である理由を明確にしながら説明しなさい。

解答例

チェック・ポイント

(1)①（純粋）公共財とは，(a)消費の集団性（非競合性）と(b)消費の排除不可能性（非排除性）を備える財をいう。消費の集団性は，個人間で公共財の等量消費が可能であること意味し，消費の排除不可能性とは，公共財利用の対価を支払わない者を排除できないことをいう。

（純粋）公共財の定義

②公共財である公園の最適な広さは，公共財の最適供給条件（サムエルソン条件）である

社会的限界便益＝限界費用

を，公園の広さXについて解くことにより求められる。社会的限界便益は，個人Aと個人Bの限界便益の合計である$V_A + V_B = 50 - X + 40 - 2X = 90 - 3X$であり，限界費用＝60であるから，

$90 - 3X = 60$

をXについて解くと，公園の最適な広さとして，X＝10（答）が得られる。X＝10は，**〔図1〕**のように社会的限界便益曲線と限界費用曲線の交点Eに対応する横軸の数量として示される。

公園の最適な広さの計算

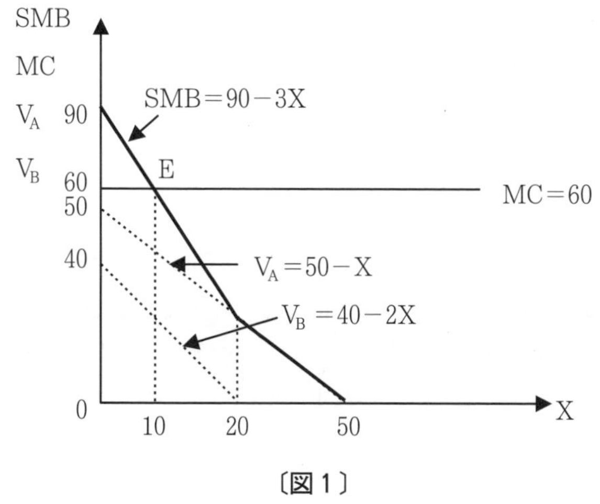

〔図1〕

公園の最適な広さの図示

③個人Aが1人で公園の設置の費用を負担する場合の個人Aの限界便益は，$V_A = 50 - X = 50 - 10 = 40$となるが，40＜60となり，

限界費用が個人Aの限界便益を上回るため，個人Aは公園の設置の費用を負担しないことが最適になる。一方，個人Bが1人で公園の設置の費用を負担する場合の個人Bの限界便益は，$V_B=40-2X=40-20=20$となるが，$20<60$となり，限界費用が個人Bの限界便益を上回るため，個人Bも公園の設置の費用を負担しないことが最適になる。したがって，個人Aか個人Bのどちらか1人が公園の設置の費用を負担するならば，公園は全く設置されないことになる。

どちらか1人が費用を負担する場合，公園は全く設置されないことの説明

(2)①中古車市場で優良車のみが取引されている場合において，買い手と売り手が取引に合意する価格が満たす条件は，

$$100\text{万円} \geq 80\text{万円} \quad \text{（答）}$$

である。すなわち，買い手は優良車に対して100万円の評価をしているので，優良車の価格が100万円以下であれば購入すると考えられる一方で，売り手は優良車に対して80万円の評価をしているので，優良車の価格が80万円以上であれば販売すると考えられる。したがって，買い手と売り手が取引に合意する価格の範囲は，80万円以上，100万円以下である。

優良車のみが取引されている場合に，買い手と売り手が取引に合意する価格が満たす条件

②与えられた条件の下で，中古車の買い手が認識する優良車と不良車に対する評価の期待値は，

$$\text{優良車と不良車に対する評価の期待値}=\frac{1}{2}\times 100\text{万円}+\frac{1}{2}\times 0\text{万円}=50\text{万円}$$

となり，50万円＜80万円という関係が成立する。優良車の売り手は，優良車の価格が80万円以上でなければ供給しないから，当該市場では，優良車は全く供給されないことになる。一方で，不良車の売り手は，不良車の価格がゼロ円以上であれば供給するため，50万円＞0万円という関係が成立し，不良車の取引のみが行われることになる。品質の良い財が取引されずに，品質の悪い財のみが取引される現象をアドバース・セレクションと呼ぶが，当該中古車市場では，アドバース・セレクションが発生しているといえる。〔**図2**〕においては，不良車の供給量をX_B，優良車の供給量をX_Gで表し，市場均衡Eでは，不良車のみがX_Bだけ取引される

中古市場でアドバース・セレクションが発生している説明

ことを示している。

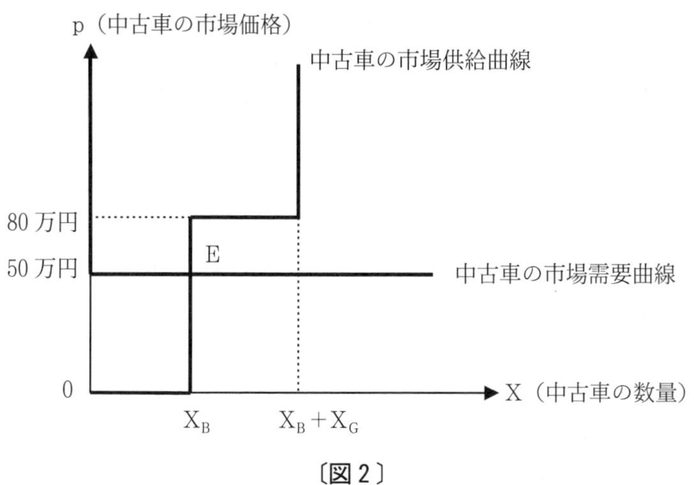

〔図2〕

中古車市場でアドバース・セレクションが発生していることを示す図

③中古車市場でのアドバース・セレクションの問題を軽減する処方箋としては，(a)売り手が買い手に対して，「無料修理の保証」を与える，(b)売り手が「外部の専門のメカニック業者に中古車の診断を依頼する」ことが考えられる。(a)の「無料修理の保証」の付与は，売り手が優良車の所有者であることを買い手に情報伝達することにより，買い手の中古車の品質に関する情報不足を緩和しようとする試みであり，「シグナリング」と呼ばれる。(b)の「外部の専門のメカニック業者に中古車の診断を依頼する」は，売り手が自ら費用を負担して，優良車の品質に関する情報に信頼性を与えることにより，買い手の中古車の品質に関する情報不足を緩和しようとする試みであり，「情報の生産」と呼ばれる。

アドバース・セレクションの問題を軽減する2つの処方箋

解答への道

小問(1)について

設問①は，（純粋）公共財が併せ持つ２つの性質に言及しながら定義する必要がある。

設問②は，公共財である公園の最適な広さＸについて，公共財の最適供給条件（サムエルソン条件）をＸについて解くことにより求めればよい。

設問③は，個人Ａか個人Ｂのどちらか１人が公園の設置の費用を負担する場合の各個人の限界便益が，限界費用を下回ることを数値で指摘することになる。

小問(2)について

設問①は，買い手は優良車に対して100万円の評価をしているので，優良車の価格が100万円以下であれば購入すると考えられる一方で，売り手は優良車に対して80万円の評価をしているので，優良車の価格が80万円以上であれば販売すると考えて，買い手と売り手が取引に合意する価格の範囲が，80万円以上かつ100万円以下であることを述べればよい。

設問②は，中古車の買い手が認識する優良車と不良車に対する評価の期待値が，優良車の売り手の評価を下回るために優良車が全く供給されない一方で，不良車の取引は実行されることを指摘すればよい。

設問③は，おなじみの「シグナリング」としての「無料修理の保証」の付与は容易に指摘できたと考えられるが，２つ目の処方箋は未知の論点であり，記述できなくても心配は不要である。

MEMO

問題❷

(1) 下記は，日本における先行きの物価に対するリスク要因に関する文章である。

> 物価固有のリスク要因としては，以下の（略）注意が必要である。第1に，企業の価格設定行動(A)の不確実性である。（略）わが国の予想物価上昇率に関する複雑で粘着的な適合的期待形成(B)のメカニズムの強さなどを踏まえると，最終需要に近い川下・消費段階を中心にコスト上昇の販売価格への転嫁が進まないリスクなど，先行きの企業の価格設定行動には不確実性がある。

出典）日本銀行「経済・物価情勢の展望（2021年10月）」（2021年10月28日）より一部抜粋

式1から式3のとおり，企業の生産行動を仮定したうえで，企業の価格設定行動（上記下線部(A)）と予想物価上昇率に関する適合的期待形成（上記下線部(B)）について考察する。

文章の空欄（アからオ）に入る最も適切な用語を答えなさい。なお，空欄アには「上昇」「低下」のいずれかを，空欄イには具体的な数値または数学記号を，空欄ウには式に明示されている変数名をそれぞれ記入すること。また，空欄エには「上方」「下方」のいずれかを，空欄オには，具体的な数値または数学記号をそれぞれ記入すること。

企業の名目価格の設定式：$P=(1+\mu)\dfrac{W}{\alpha}$ ・・・式1

P：財の名目価格，μ：マークアップ率，W：名目賃金，α：労働生産性

適合的期待形成仮説を示す式：$\pi^{e}=\pi^{e}_{-1}+\beta(\pi_{-1}-\pi^{e}_{-1})$ ・・・式2

π^{e}：今期の期待インフレ率，π^{e}_{-1}：前期の期待インフレ率，

π_{-1}：前期のインフレ率，β：非負の値

動学的総供給曲線を示す式：$\pi=\pi^{e}+\gamma(Y-Y_{f})$ ・・・式3

π：今期のインフレ率，π^{e}：今期の期待インフレ率，

Y：実質国内総生産，Y_{f}：完全雇用実質国内総生産，γ：正の定数

式１に基づくと，マークアップ率の上昇は，実質賃金の［ ア ］をもたらす。

財市場が完全競争市場である場合には，個々の企業は独占力を行使することができないため，マークアップ率は［ イ ］まで低下することになる。その結果，実質賃金は，［ ウ ］に等しくなる。

式２に基づくと，適合的期待形成仮説のもとでは，前期と今期の時系列変化を考慮すると，今期のインフレ率の上昇は次期の期待インフレ率を上昇させる。そのため，式３に基づくと，次期の動学的総供給曲線は，［ エ ］にシフトすることになる。したがって，非自発的失業が存する不完全雇用の状態では，当該短期均衡の移動過程において，物価が上昇するとともに実質国内総生産が減少するスタグフレーションの発生が懸念される。

一方，合理的期待形成仮説においては，長期には期待インフレ率が現実のインフレ率に常に等しくなる（式２においてβ＝［ オ ］となるケースに該当する。）。したがって，長期において垂直となる総供給曲線のもとでは，金融緩和政策は実質国内総生産の拡大には無効となる。

⑵　図１は，商業地の地価・賃料の対前年変動率とキャップレート及び長短金利差の推移を示している。次の３つの設問に答えなさい。

①　インフレ率が上昇すると，地価はどのような挙動を示すと考えられるのか，式４及び式５をもとに説明しなさい。

②　地価がどのような状態にあると資産価格バブルが存在すると考えられるのか，式４をもとに説明しなさい。

③　2016年９月末以降の地価変動率が賃料変動率を超過する現象について，式４から式６をもとに説明しなさい。なお，解答に際しては，下記事項に留意のうえ，図中の「長短金利差」に着目して自己の考えを述べること。

【留意点】

・日本銀行は，2016年９月21日の政策委員会・金融政策決定会合において，「長短金利操作付き量的・質的金融緩和」の導入を決定している。当該政策の枠組みは，（ｉ）イールドカーブ・コントロールと（ii）オーバーシュート型コミットメントの２つの要素で構成されている。

（ｉ）イールドカーブ・コントロールでは，長期金利である国債10年物金利の操作目標を「ゼロ％程度」とし，実質金利低下の効果を追求している。

（ⅱ）オーバーシュート型コミットメントでは，２％の「物価安定の目標」の実現に対する人々の信認を高めることを狙いとしている。

$$P_L = \frac{(1 + g^e)R}{d - g^e} \quad \cdots 式4$$

$$d = i + \rho \quad \cdots 式5$$

$$r = d - g^e \quad \cdots 式6$$

P_L：今期の地価，R：今期の賃料（地代），g^e：賃料（地代）の期待上昇率，d：割引率，i：名目利子率，ρ：リスク・プレミアム，r：キャップレート

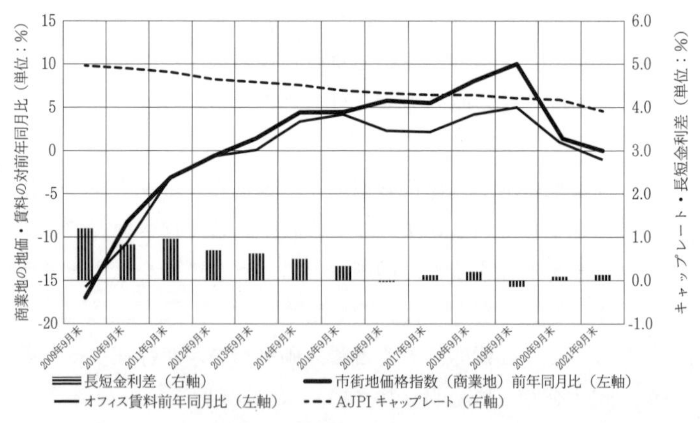

図１　商業地の地価・賃料の対前年変動率、キャップレート及び長短金利差の推移

注）ＡＪＰＩキャップレートは，土地・建物一体のオフィスビルのキャップレートを示すが，本問では土地のキャップレートと同等とみなして解答すること。また，オフィス賃料と地代のそれぞれの変動率は同等とみなしてよい。長短金利差は，国債10年物金利から無担保コールレートを控除した値を示す。

出典）一般財団法人日本不動産研究所「市街地価格指数」「全国賃料統計」，一般社団法人不動産証券化協会「ＡＪＰＩ」，財務省「金利情報」，日本銀行「コール市場関連統計」

チェック・ポイント

(1)

ア　低下	イ　0
ウ　α（労働生産性）	エ　上方
オ　$\dfrac{\pi - \pi^{e}_{-1}}{(\pi_{-1} - \pi^{e}_{-1})}$	

（ア）マークアップ率とは企業が製品価格を設定する際に，原価としてかかった費用に上乗せする利幅の割合のことである。通常は原価として限界費用を使うが直接観察が難しいため，労働力コストである名目賃金（W）を使い，さらに労働生産性（α）が上がれば1単位当たりのコストは下がるため，賃金を生産性で割ったもの$\left(\dfrac{W}{\alpha}\right)$が使われる。式1を変形して$\dfrac{W}{P} = \dfrac{\alpha}{(1+\mu)}$（㋐）とすれば左辺が実質賃金になるので，マークアップ率（μ）が上昇すると右辺は下落し，左辺の実質賃金が低下する。

マークアップ率の上昇と実質賃金の低下の関係

（イ）完全競争市場では各企業が市場価格を受け入れるプライステイカーとなり，企業の利潤最大化条件が価格（P）＝限界費用（式1では$\dfrac{W}{\alpha}$）となる。式1の$P=(1+\mu)\dfrac{W}{\alpha}$より，マークアップ率（$\mu$）が0になればその条件が満たされる。また，完全競争市場における長期的均衡では利潤がゼロになる点からも，利幅であるマークアップ率（μ）は0になっていく。

完全競争市場におけるマークアップ率の値

（ウ）上記アの変形式㋐よりマークアップ率（μ）が0ならば，実質賃金は労働生産性（α）に等しくなる。

完全競争市場での実質賃金の値

（エ）動学的総供給曲線（式3）は縦軸にインフレ率（π），横軸に実質国内総生産（Y）を取るグラフで示される（〔**図①**〕の曲線IAS_0）。国内総生産が完全雇用の状態（Y_f）では，$Y = Y_f$となり，式3より，インフレ率（π）が期待インフレ率（π^e）が一致する（$\pi = \pi^e$）。その点を〔**図①**〕のA点とすると，動学的供給曲線はこの点を通る。ここで期待インフレ率がπ^{e*}まで上昇

期待インフレ率の上昇と動学的総供給曲線の上方シフトの関係

したとすると，同じ完全雇用状態（$Y=Y_f$）では実際のインフレ率πもπ^{e*}まで上昇するので垂直な破線IAS_fのA点よりも上にあるB点を通る。よって総供給曲線は上方にシフトする。

スタグフレーションの発生

なお，この時の動学的総需要曲線IADが〔**図②**〕のように示されるとすると，この上方シフトにより均衡点は不完全雇用状態のE_0点からE_1点まで移動する。結果，問題文にあるようにインフレ率はπ_0からπ_1まで上昇し，国内総生産はY_0からY_1まで下落するスタグフレーションが発生している。

期待インフレ率の上昇による動学的総供給曲線の上方シフトの図

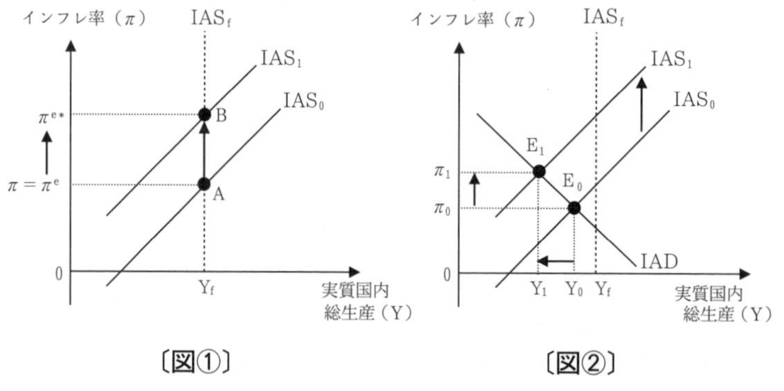

〔**図①**〕　　〔**図②**〕

合理的期待形成仮説を仮定する場合のβの値

（オ）適合的期待形成仮説では人々が過去のインフレ率の傾向に基づいて今期のインフレ率を期待すると考えるが，合理的期待形成仮説では過去のインフレ率だけでなくあらゆる利用可能な情報を使って今期インフレ率を予測するため，長期的には期待インフレ率が現実のインフレ率と等しくなる。つまり，今期の期待インフレ率（π^e）と今期のインフレ率（π）が一致するので$\pi^e=\pi$という式を式2から導けばよい。そのためには$\beta=\dfrac{\pi-\pi^e_{-1}}{(\pi_{-1}-\pi^e_{-1})}$とすればよい。

(2)

インフレ率上昇と地価の関係

① 期待インフレ率（π^e）が上昇すると，名目利子率（i）が一定であっても実質利子率が下落する。フィッシャー方程式より実質利子率は，名目利子率（i）から期待インフレ率（π^e）を控除した「$i-\pi^e$」と表され，式5の割引率（d）の名目利子率（i）を実質利子率（$i-\pi^e$）に置き換えると$d=(i-\pi^e)+$

ρとなる。したがって期待インフレ率（π^e）が上昇すると割引率（d）は減少し，式4の分母$d-g^e$が小さくなるため地価P_Lは上昇すると考えられる。

② 資産価格バブルとは現実の地価が式4で計算される理論地価と大きく乖離して上昇する現象を指す。つまり式4に含まれる賃料やその期待上昇率，利子率やリスクプレミアムといった要素以外のものが実際の地価の決定に大きく影響する場合は，資産価格バブルが存在することになる。特に理論地価は土地を保有することで得られる賃料収益（インカムゲイン）を現在価値に割り引いて計算したものであるが，土地を転売するときに得られる期待収益（キャピタルゲイン）が考慮されていない。例えば地価の過大な価格上昇期待による投機的取引などの理由で資産バブルは発生する。

資産価格バブルが発生する理由

③ キャップレート（r）とは土地への投資の期待利回りを表し，式6より割引率（d）から賃料収益の期待上昇率（g^e）を差し引いたものになる。また式4の分母$d-g^e$はキャップレート（r）と等しいことから，キャップレート（r）が下落すると地価が上昇することがわかる。ここで，式5よりキャップレートは$r=i+\rho-g^e$と変形でき，リスクプレミアム（ρ）と賃料の期待上昇率（g^e）が一定であれば，利子率の低下によってキャップレート（r）は減少する。

キャップレートの下落と地価の関係

図1を見ると2016年以降日銀の政策によって長期金利が抑えられ長短金利差が縮小していることが確認できる。そのため割引率（d）に用いる名目利子率（i）が下がりキャップレート（r）が低下していることが図1からもわかる。また，物価の安定目標は期待インフレ率（π^e）を2％水準へ誘導することで，前問①の実質利子率を減少させ割引率（d）は低く抑えられる。よって式4の分母$d-g^e$が小さくなり地価の上昇を引き起こしたと考えられる。その間の実際の賃料はそれほど変動していないので，地価の変動率が賃料の変動率を超過することとなったと言える。

地価変動率が賃料変動率を超過した理由

解答への道

小問(1)について

前半部分ア〜ウは価格設定式から実質賃金の式を導き出すことができるかがカギである。企業の名目価格の設定式（式１）は，財市場が不完全競争市場であることを前提にしたマークアップ原理に基づく設定式であるが，この式は未知の論点であり，難問であったと思われる。また，「完全競争市場」においては，マークアップ率がゼロになることに気付くのは困難かもしれない。

後半部分はマクロ経済の動学モデルであり，直近の世界的なスタグフレーションを意識した問題と思われる。期待インフレ率とＧＤＰの関係が問われている。

小問(2)について

インフレ率と利子率が含まれる問題では多くの場合フィッシャー方程式が関わってくる。そこから与えられた計算式にインフレ率を含めて考えられると解答へとつながる。また，資産バブルの意味は理論的な価格と乖離した資産価格の上昇なので，理論価格の式に含まれない要素によって引き起こされる。③は何に着目して解答すべきかの指定がされているので，それが解答へのヒントにもなっている。

MEMO

◇ 令和５年度

問題❶

次の(1)及び(2)の各設問に答えなさい。

(1) 建物や工場施設などの資本（K）と労働力（L）を利用して，ある財（y）を生産する生産者を考える。生産関数は$y = K^{\frac{1}{2}} L^{\frac{1}{2}}$だとする。なお，資本１単位の価格（レンタル料）と労働１単位の価格（賃金率）はそれぞれ10で等しいとする。また，この生産者は常に36単位の財を生産している（y＝36)。以下の設問に答えなさい。

① この生産技術は規模に関して収穫一定である。その理由を式を用いて説明しなさい。

② 資本の投入量が$\overline{K}=16$で固定されているとする。労働力の投入量は自由に調整できる。36単位の財の生産に必要な最小費用を求め，それが最小である理由を説明しなさい。ただし，費用とは各生産要素の１単位の価格×投入量の合計を意味する。

③ 資本も労働力も自由に選べるとする。36単位の財の生産に必要な最小費用を求め，それが最小である理由を説明しなさい。

(2) 隣り合う２軒の家であるA家とB家を考える。それぞれの家の住人はいつも音楽を鑑賞しており，自身の音楽鑑賞からは正の満足を得ているが，隣の家から聞こえてくる音楽は迷惑に感じている。A家の住人の効用関数は$u_A = 4x_A - \frac{x_A^2}{2} - 2x_B$であり，B家の住人の効用関数は同様に$u_B = 6x_B - \frac{x_B^2}{2} - x_A$だとする。ここで，$x_A$はA家の住人の音楽鑑賞時間，$x_B$はB家の住人の音楽鑑賞時間であり，$0 \leq x_A \leq 8$と$0 \leq x_B \leq 12$を想定する。以下の設問に答えなさい。

① 各家の住人は他の家の住人への影響を考えずに，それぞれの効用を最大化するように音楽鑑賞時間を決めるとする。各家の住人の音楽鑑賞時間を求めなさい。

② ２つの家の住人は話し合うことで，効用の合計を最大化するように音楽鑑賞時間を決めることに合意した。このときの各家の音楽鑑賞時間を求めなさい。

③ 本問は外部性に関する問題である。外部性にまつわるコースの定理の主張内容を明確に説明しなさい。

チェック・ポイント

(1)について

①生産規模を拡大したとき生産量がどれだけ増加するかを「規模の経済性」といい，全ての生産要素の投入量を t 倍すると（ただし $t>1$），生産量も t 倍になる場合を「規模に関して収穫一定である」という。従って，生産関数の資本（K）と労働（L）の量をそれぞれ t 倍して（tK，tL）とすると，生産量（y）が t 倍になるかを検証する。

生産関数 $y=K^{\frac{1}{2}}L^{\frac{1}{2}}$ の K と L をそれぞれ t 倍すると，

$(tK)^{\frac{1}{2}}(tL)^{\frac{1}{2}}=(t^{\frac{1}{2}}\cdot K^{\frac{1}{2}})(t^{\frac{1}{2}}\cdot L^{\frac{1}{2}})=t^{\frac{1}{2}}\cdot t^{\frac{1}{2}}\cdot k^{\frac{1}{2}}\cdot L^{\frac{1}{2}}=t^{\frac{1}{2}+\frac{1}{2}}\cdot K^{\frac{1}{2}}L^{\frac{1}{2}}=t\cdot K^{\frac{1}{2}}L^{\frac{1}{2}}=t\cdot y$

となり，生産量（y）が t 倍となるので，この生産関数を持つ生産技術は規模に関して収穫一定である。

「規模に関して収穫一定である」ことの説明と検証

②資本投入量（K）が $\overline{K}=16$ に固定されているならば，財の量（y）を36単位生産するために必要な労働投入量（L）は，生産関数より以下のように求められる。

$y=K^{\frac{1}{2}}L^{\frac{1}{2}}$ ➡ $36=(16)^{\frac{1}{2}}L^{\frac{1}{2}}$ ➡ $36=4L^{\frac{1}{2}}$ ➡ $9=L^{\frac{1}{2}}$ ➡ $L^{\frac{1}{2}}=9$ ➡ $(L^{\frac{1}{2}})^2=9^2$ $\therefore\ L=81$

資本投入量が固定されている場合の最小労働投入量の計算

よって労働投入量（L）は最低でも81単位必要となる。この時に必要な費用は，資本にかかる費用が「資本１単位の価格10×16単位＝160」，労働力にかかる費用が「労働１単位の価格10×81単位＝810」となり，総費用が「160＋810＝970（答)」となる。

短期の最小費用の計算

この労働投入量は固定された資本投入量の下で財を36単位生産するために最低限必要な量であり，生産関数 $y=K^{\frac{1}{2}}L^{\frac{1}{2}}$ においては労働投入量（L）をこれよりも減らすと生産量（y）が減ってしまうため，労働にかかる費用をこれ以上削減することはできない。また，資本投入量（K）は固定されており，資本にかかるコストも同様に削減できないため，前述の総費用970が最小費用となる（答)。

導出した総費用が短期の最小費用となる理由

③費用最小化となる条件を導出するため，生産関数 $y=K^{\frac{1}{2}}L^{\frac{1}{2}}$ より，労働の限界生産力 MPL と資本の限界生産力 MPK を計算し，技術的限界代替率 $MRTS$ を求める。

MPL：$\dfrac{\partial y}{\partial L}=\dfrac{1}{2}K^{\frac{1}{2}}L^{-\frac{1}{2}}$（労働を１単位増やした時にどれだけ生産量が増えるか）

MPK：$\dfrac{\partial y}{\partial K}=\dfrac{1}{2}K^{-\frac{1}{2}}L^{\frac{1}{2}}$（資本を１単位増やした時にどれだけ生産量が増えるか）

この２つの比率である技術的限界代替率$MRTS$を求める。

$$MRTS:\ \frac{MPL}{MPK}=\frac{\frac{1}{2}K^{\frac{1}{2}}L^{-\frac{1}{2}}}{\frac{1}{2}K^{-\frac{1}{2}}L^{\frac{1}{2}}}=\frac{K^{\frac{1}{2}}L^{-\frac{1}{2}}}{K^{-\frac{1}{2}}L^{\frac{1}{2}}}=\frac{K^{\frac{1}{2}}L^{-\frac{1}{2}}}{K^{-\frac{1}{2}}L^{\frac{1}{2}}}\times\frac{K^{\frac{1}{2}}L^{\frac{1}{2}}}{K^{\frac{1}{2}}L^{\frac{1}{2}}}$$

$$=\frac{K^{\frac{1}{2}}\cdot K^{\frac{1}{2}}\cdot L^{-\frac{1}{2}}L^{\frac{1}{2}}}{K^{-\frac{1}{2}}\cdot K^{\frac{1}{2}}\cdot L^{\frac{1}{2}}L^{\frac{1}{2}}}=\frac{K^{\frac{1}{2}+\frac{1}{2}}\cdot L^{-\frac{1}{2}+\frac{1}{2}}}{K^{-\frac{1}{2}+\frac{1}{2}}\cdot L^{\frac{1}{2}+\frac{1}{2}}}=\frac{K}{L}$$

技術的限界代替率MRTSの計算

この技術的限界代替率$MRTS$とは生産量を一定に維持しながら資本を労働によって代替する場合に，労働投入量を１単位増やすなら，何単位の資本投入量を減らすことができるかを示す比率である。この時に増える労働の費用よりも，減らすことのできる資本の費用の方が多いならば，差し引きすると総費用が減少するため，資本を労働によって代替することで総費用を削減できる。ここで，増加する労働の費用は労働１単位の価格なので設問の条件より10，減らすことのできる資本の費用は代替される資本の量$MRTS$に資本１単位の価格10を掛けた額になるため，労働１単位によって資本を代替する際に削減できる総費用は「($MRTS$×10)－10」となる。総費用を最小化するためには，削減できる総費用の額がゼロになるまで資本を労働で代替すればよいので，その条件は「($MRTS$×10)－10＝０」となる。よって，

$$\frac{K}{L}\times10-10=0 \ \Rightarrow\ \frac{10K}{L}=10 \ \Rightarrow\ 10K=10L \ \Rightarrow\ K=L$$

が費用最小化条件となる。

この条件式$K=L$を生産関数に代入すると，$y=K^{\frac{1}{2}}L^{\frac{1}{2}}=(L)^{\frac{1}{2}}L^{\frac{1}{2}}=L$となり，$K=L$より$y=L=K$が成り立つ。財の生産量は$y=36$なので，$L=K=36$となり，費用が最小化されるときの労働投入量と資本投入量はそれぞれ36単位ずつになる。よって，労働にかかる費用が「労働１単位の価格10×36単位＝360」，資本にかかる費用が「資本１単位の価格10×36単位＝360」となり，その合計

費用最小化条件より求められた最小労働投入量と最小資本投入量の計算

長期の最小費用の計算

「360＋360＝720（答)」が総費用となる。

この費用が最小である理由は，次のように説明できる。生産量 $y=36$ のまま労働投入量を36単位から1単位増やして $L=37$ とすると，生産関数式 $y=36=K^{\frac{1}{2}}L^{\frac{1}{2}}$ より $K<36$ となるので，技術的限界代替率 $MRTS=\dfrac{K}{L}<1$ となる。つまり労働投入量を1単位増やすことで減らせる資本投入量は1単位よりも少なくなり，労働と資本の1単位の費用は等しいので，労働の増加費用が資本の費用減少分よりも多くなり，総費用が増えてしまう。また，生産量 $y=36$ のまま，労働投入量を逆に1単位減らして $L=35$ とすると，生産関数式 $y=36=K^{\frac{1}{2}}L^{\frac{1}{2}}$ より $K>36$ となるので技術的限界代替率 $MRTS=\dfrac{K}{L}>1$ となる。つまり労働投入量を1単位減らすと生産量を維持するために増やさなければならない資本投入量は1単位よりも多くなり，労働と資本の1単位の費用は等しいので，資本の増加費用が労働の費用減少分を超え，総費用はやはり増えてしまう。したがって，労働と資本をこれ以上代替すると費用は必ず増えてしまうため，費用が最小化されていることになる（答)。

導出した総費用が長期の最小費用となる理由

(2)について

①他家の住人の鑑賞時間を所与として，各家の住人の効用関数から効用が最大となる音楽鑑賞時間を求める。

A家住人の効用関数：$u_A=4x_A-\dfrac{x_A^2}{2}-2x_B\ (0\leq x_A\leq 8)$

この効用関数が最大値をとるときの x_A は，効用関数を x_A で微分して導関数を求め，それが0に等しいときの x_A を求めればよい。

$$\frac{du_A}{dx_A}=4-2\cdot\frac{x_A}{2}=4-x_A \Rightarrow \frac{du_A}{dx_A}=0 \text{ より } 4-x_A=0 \Rightarrow x_A=4 \text{（答）}$$

効用を最大化するA家住人の音楽鑑賞時間の計算

B家住人の効用関数：$u_B=6x_B-\dfrac{x_B^2}{2}-x_A\ (0\leq x_B\leq 12)$

この効用関数が最大値をとるときの x_B は，効用関数を x_B で微分して導関数を求め，それが0に等しいときの x_B を求めればよい。

$$\frac{du_B}{dx_B}=6-2\cdot\frac{x_B}{2}=6-x_B \Rightarrow \frac{du_B}{dx_B}=0 \text{ より } 6-x_B=0 \Rightarrow x_B=6 \text{（答）}$$

効用を最大化するB家住人の音楽鑑賞時間の計算

したがってA家住人が4時間，B家住人が6時間の鑑賞時間となる（答)。

まとめ

②各家の住人の効用を合計した関数が，最大値をとるときの各住

人の鑑賞時間を求める。

両家の住人の効用の合計：

$$u_{A+B}=\left(4x_A-\frac{x_A^2}{2}-2x_B\right)+\left(6x_B-\frac{x_B^2}{2}-x_A\right)$$
$$=4x_A-x_A-\frac{x_A^2}{2}+6x_B-2x_B-\frac{x_B^2}{2}$$
$$=3x_A-\frac{x_A^2}{2}+4x_B-\frac{x_B^2}{2}$$

（$0\leq x_A\leq 8$及び$0\leq x_B\leq 12$）

両家の住人の効用を合計した効用関数の定式化

この関数が最大値をとるときのx_Aおよびx_Bは，各変数x_A，x_Bで偏微分して偏導関数をそれぞれ求め，各偏導関数が0に等しいときのx_Aおよびx_Bを求めればよい。

x_Aで偏微分：$\frac{\partial u_{A+B}}{\partial x_A}=3-2\cdot\frac{x_A}{2}=3-x_A$

➡ $\frac{\partial u_{A+B}}{\partial x_A}=0$より$3-x_A=0$ ➡ $x_A=3$（答）

よって$x_A=3$（答）。

両家の効用の合計を最大化する場合のA家住人の最適鑑賞時間の計算

x_Bで偏微分：$\frac{\partial u_{A+B}}{\partial x_B}=4-2\cdot\frac{x_B}{2}=4-x_B$

➡ $\frac{\partial u_{A+B}}{\partial x_B}=0$より$4-x_B=0$ ➡ $x_B=4$（答）

両家の効用を最大化する場合のB家住人の最適鑑賞時間の計算

したがってA家住人が 3 時間，B家住人が 4 時間の鑑賞時間となる（答）。

各住人の最適鑑賞時間の提示

③コースの定理とは，以下の前提条件を満たす場合，外部性によって発生する非効率性を当事者間の自発的な交渉によって解決できるという主張である。

「コースの定理」の主張内容

前提条件：

1．権利関係が明確であること
2．交渉にかかる費用がゼロ，もしくは無視し得るほど小さいこと（答）

「コースの定理」の前提条件

この設問での設定では，お互いの効用関数に相手の音楽鑑賞時間による効用の減少分が含まれており，各自が相手への影響を考えず効用最大化するように行動すると，問①よりA家住人が 4 時間，B家住人が 6 時間の鑑賞時間となり，各住人の効用は次のようになる。

A家住人の効用関数u_Aに$x_A=4$，$x_B=6$を代入：$u_A=4(4)-\frac{(4)^2}{2}-2(6)=16-8-12=-4$

各家住人が自己の効用を最大化するように音楽鑑賞時間を決定するよりは，交渉により両家の住人の効用の合計を最大化するように音楽鑑賞時間を決定した方が望ましい結果になるという数値例

B家住人の効用関数u_Bに$x_A=4$，$x_B=6$を代入：$u_B=6(6)-\frac{(6)^2}{2}-(4)=36-18-4=14$

したがって，A家住人の効用はマイナスになってしまい，両者の効用の合計は10となる。

しかし，両者の効用の合計が最大となるように鑑賞時間を決めると問②よりA家住人が3時間，B家住人が4時間となり，各住人の効用は次のようになる。

A家住人の効用関数u_Aに$x_A=3$，$x_B=4$を代入：$u_A=4(3)-\frac{(3)^2}{2}-2(4)=12-4.5-8=-0.5$

B家住人の効用関数u_Bに$x_A=3$，$x_B=4$を代入：$u_B=6(4)-\frac{(4)^2}{2}-(3)=24-8-3=13$

よってA家住人の効用は未だマイナスだが，①の場合よりも効用は増えており，両者の効用の合計も12.5に増える。増えた効用分の2.5を金銭などで補償する交渉を行うことで，①の場合に比べてお互いに効用を増やすことが可能である。

解答への道

小問(1)について

設問①は，規模の経済性の理解を問う問題である。「規模に関して収穫一定」であることを生産関数の式から導くことができるようにしておきたい。なお，コブ・ダグラス型と呼ばれる$f(K, L)=AK^aL^b$の形をとる生産関数では$a+b=1$ならば，必ず規模に関して収穫一定である。

設問②は，生産量と資本投入量が固定されているので，必然的に労働投入量が生産関数によって決まる。生産量を減らさずに労働投入量をその量から減らすことが可能であれば，総費用をさらに削減できるが，生産関数から考えて不可能であるため，その投入量の時が最小費用となる。

設問③は，典型的な費用最小化問題である。技術的限界代替率$MRTS$と，労働と資本の生産要素の価格比が等しい時に費用が最小化されるという条件（次式）を使って，必要な労働と資本の投入量を求めることができる。なお，この解答例では次式の右側を変形した$w=MRTS\times r$を使って，費用最小化条件についての説明をしている。

$$\frac{MPL\text{（労働の限界生産力）}}{MPK\text{（資本の限界生産力）}} = \text{技術的限界代替率 } MRTS$$

$$= \frac{w\text{（労働 1 単位の価格）}}{r\text{（資本 1 単位の価格）}}$$

また，コブ・ダグラス型生産関数 $f(K,\ L) = AK^{a}L^{b}$を扱う問題では指数計算が不可欠なので，経済数学入門テキストを確認しておくとよい。

小問(2)について

設問①は，効用関数 $u(x)$が最大値をとるときの変数 x の値を求める「最大化（最適化）問題」である。設問のA家住人の効用関数のように変数 x_Aの二乗が含まれる「二次関数」の場合，微分した式（導関数という）を「＝０」としたときの変数 x_Aの値を求めればよい。また，相手からの影響（x_B）は自ら変えることができないので微分するときには定数と考える。

設問②は，二つの変数を持つ効用関数 $U(x_A,\ x_B)$の最大化（最適化）問題である。各変数で偏微分（片方の変数だけで微分を行い，もう片方の変数は定数とみなす微分計算）をした式（偏導関数という）を「＝０」としたときの変数 x_A及び x_Bの値をそれぞれ求めればよい。

設問③はコースの定理の定義を説明する問題である。問題文では特に指摘をされていないが，設問での例を使って説明をするとよい。

なお，微分や偏微分の計算方法，及び最大化問題の解法は経済数学入門テキストを参考にされたい。

MEMO

問題❷

(1) 下記は，海外の経済・物価情勢と国際金融資本市場に関する文章である。以下の①及び②の各設問に答えなさい。

> 世界的にインフレ圧力が続くもとで，各国中央銀行は速いペースで利上げを進めており，当面，金融緩和縮小ないし金融引締めの傾向が続くとみられる。（略）急速な利上げが続くもとで，資産価格の調整(B)や為替市場の変動(A)，新興国からの資本流出を通じて，グローバルな金融環境が一段とタイト化し，ひいては海外経済が下振れるリスクがある。

出典）日本銀行「経済・物価情勢の展望（2022年10月）」（2022年10月31日）より一部抜粋

① 式１から式４をもとに，日本の金融緩和政策に伴う為替市場の変動（上記文章の下線部（A））について考察する。

下記文章の空欄（アからオ）に入る最も適切な用語を答えなさい。なお，空欄アには「黒字」「赤字」のいずれかを，空欄イには具体的な数値を，空欄ウには「上昇」「低下」のいずれかをそれぞれ記入すること。また，空欄エには「増価」「減価」のいずれかを，空欄オには，「垂直」「水平」のいずれかをそれぞれ記入すること。

開放経済における財市場の均衡式：$Y = C(Y - T) + I(i_R) + G + NX(Z, Y - T)$ ・・・式１

Y：実質国内総生産，C：消費関数，T：租税，I：投資関数，

i_R：実質利子率，G：政府支出，NX：純輸出（輸出－輸入）関数，

Z：実質為替レート

実質為替レートの式：$Z = E \cdot P^{*} / P$ ・・・式２

Z：実質為替レート，E：名目為替レート，P^{*}：外国の物価水準，

P：自国の物価水準

貨幣市場の均衡式：$M / P = L_1 Y - L_2 i$ ・・・式３

M：貨幣供給量，P：物価水準，L_1：貨幣需要の所得反応係数，

Y：実質国内総生産，L_2：貨幣需要の利子反応係数，

i：名目利子率

外国為替市場の均衡式（利子裁定の均衡式）：$i = i^{*} + (E^{e} - E) / E$ ・・・式4

i：名目利子率，i^{*}：外国の名目利子率，E^{e}：期待為替レート，E：名目為替レート

式1をもとに，所得から税金を控除した可処分所得は，消費と貯蓄の和に等しくなることに留意すれば，金融緩和政策によって実質利子率が低下すると，経常収支は，（ア）となる関係が導かれる。当該結果は，純輸出（輸出－輸入）は国内の貯蓄と投資の差で決まるというＩＳバランスを示す。

式2に基づくと，絶対的購買力平価が成立するときには，実質為替レートは，（イ）となる。つまり，自国と外国の物価が等しくなるように名目為替レートが変化することを意味する。

式3を変換して，名目利子率について解くと，実質貨幣供給量の増加は，名目利子率の（ウ）をもたらすことがわかる。

式4を変換して，名目為替レートについて解くと，外国の名目利子率を一定として，自国の名目利子率が低下すると，自国通貨は，（エ）することがわかる。

式4をもとに，将来の名目為替レートが現在の為替レートに等しいとする静学的期待形成を仮定すると，式4の右辺の第2項はゼロになる。このとき，内外の金利差に対する資本移動の感応度は無限大となることを意味する。したがって，国際収支（対外経済取引）の均衡を表すＢＰ曲線（横軸は実質国内総生産，縦軸は利子率（下記②の留意点ｃ）参照）の傾きは，（オ）になる。なお，ＢＰ曲線上では，国際収支はゼロに保たれており，外国為替市場は均衡状態にあることに留意する。

② 今後の為替市場の変動（上記文章の下線部（Ａ））において，日本の金融緩和政策のもとに円安（円の為替レートの減価）が予想されているものと仮定する。以下の小問②－１から小問②－３に答えなさい。なお，解答に際しては，下記３点に留意すること。

【留意点】

a）本設問では，自国の経済状況として，資本移動が完全に自由である小国の開放経済（対外経済取引を考慮）を仮定すること。つまり，自国の経済規模が世界の資本市場に比べて小さく，自国の金融政策によって外国の利子率（i^*）は変化しないものとする。

b）円安によって純輸出（ＮＸ）が増加するものと仮定すること。つまり，マーシャル＝ラーナー条件は満たされているものとする。

c）本設問では，物価水準は一定と仮定すること。つまり，名目利子率（ｉ）と実質利子率（i_R）は等しいことに留意すること。したがって，小問②－3の図の作成において，図の縦軸は利子率と表記すること（①の文章のＢＰ曲線に関する記述内容を参照）。

小問②－1　自国の金融緩和政策によって，自国の名目利子率はどのように変化するのか，①の式3を参考にして説明しなさい。

小問②－2　自国通貨である円の為替レートが減価する（円安になる）と，変動為替相場制度のもとで実質国内総生産はどのように変化するのか，①の式1，式2及び式4を参考にして説明しなさい。

小問②－3　上記小問②－1及び小問②－2の結果を踏まえて，変動為替相場制度における自国の金融緩和政策の効果を図に示しなさい。

ただし，図の横軸には実質国内総生産を，縦軸には利子率をそれぞれ示すこと。また，図には，ＩＳ曲線，ＬＭ曲線，ＢＰ曲線をそれぞれ明示すること。

⑵　図1は，不動産価格指数（商業用不動産：オフィス），J－REITの海外投資家の買越金額累計額及び実質実効為替レート指数の推移を示している。2013年以降のデータの挙動をみると，実質実効為替レート指数の低下（円安）に伴ってJ－REITの海外投資家の買越金額累計額は増加し，不動産価格指数（商業用不動産：オフィス）も上昇している傾向が見て取れる。

⑴の文章の下線部（Ｂ）に示される「資産価格の調整」という観点から，なぜ海外投資家は，日本への不動産投資を拡大させているのか，そのメカニズムを（1）①の式2，式3及び式4を適宜参照して説明しなさい。なお，解答に際しては，下記4点に留意した上で，自己の考えを述べること。

【留意点】

・日本銀行は，2013年４月４日の政策委員会・金融政策決定会合において，「量的・質的金融緩和」の導入を決定している。当該政策は，２％の「物価安定の目標」の実現を目指して，安定的に持続するまで継続される。併せて，日本銀行によるＪ－REITの買入れも実施されている。

・Ｊ－REITは，多くの投資家から集めた資金で，オフィスビルなど複数の不動産を購入し，当該賃貸収入や売却益を投資家に分配する金融商品である。

・金融緩和政策が継続されると，今年の変化は，来年も引き続き生じるものと予想されることから，期待為替レート（E^e）も当該予想に即応して変化するようになる（①の式４参照）。

・2022年６月10日には，財務省，金融庁，日本銀行の間で，国際金融資本市場に係る情報交換会合が開催され，急速な円安の進行が見られ，憂慮されるとの認識が共有された。

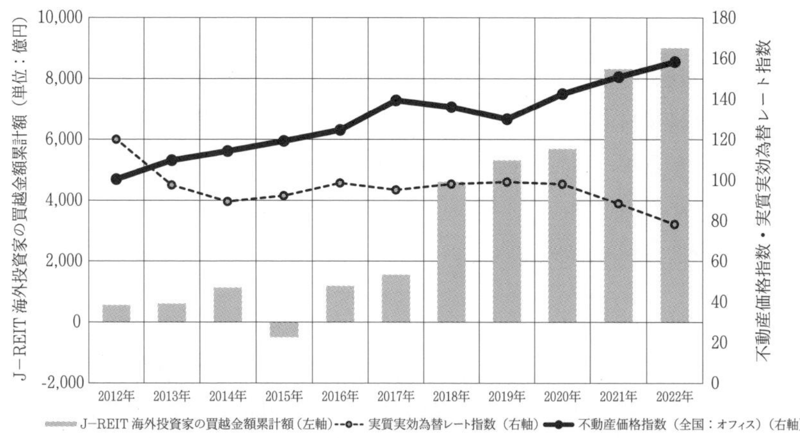

図１　不動産価格指数（商業用不動産：オフィス），Ｊ－REIT海外投資家の買越金額累計額及び実質実効為替レート指数の推移

注）不動産価格指数（商業用不動産：オフィス）は，全国における土地・建物一体のオフィスビルの価格指数を示す。当該価格指数は，2010年を100として算定し，季節調整値を示す。なお，使用データには，取引事例デー

タに加えて，不動産信託受益権取引に係るJ－REITデータも含まれていることに留意する。実質実効為替レートは，複数の通貨の為替レートの加重平均値を示す。本設問では，実質実効為替レート指数は，2010年を100に修正の上，算定している。実質実効為替レート指数の低下は，円安を示す。

出典）国土交通省「不動産価格指数（商業用不動産）」，日本銀行「実質実効為替レート」，株式会社東京証券取引所「REIT年間売買状況」

解答例

チェック・ポイント

(1)小問①

ア　赤字	イ　1	ウ　低下	エ　減価	オ　水平

空欄補充

小問②－1

自国の名目利子率は低下する。なぜならば，自国の金融緩和政策による貨幣供給量Mの増加により，式３の左辺が増加して貨幣市場が超過供給になるが，貨幣市場が再び均衡するためには，実質国内総生産Ｙが一定の下では，式３の右辺の第２項の名目利子率が低下する必要があるためである。

式３の貨幣市場の均衡式に基づいた名目利子率の低下

小問②－2

自国通貨である円の為替レートが減価する（円安になる）と，純輸出の増加と投資の増加により，変動為替相場制度のもとで実質国内総生産は増加する。なぜならば，①の式２より，円安は式２の右辺の名目為替レートＥの上昇による実質為替レートＺの上昇をもたらすが，Ｚの上昇は，式１の右辺の純輸出ＮＸを増加させる。一方，①の式４より，円安は式４の右辺の第２項の低下を通じて式４左辺の名目利子率を低下させて，式１の右辺の投資Ｉを増加させる。式１の右辺の純輸出ＮＸと投資Ｉの増加により，式１の右辺が増加して財市場が超過需要になるが，財市場が再び均衡するためには，左辺の実質国内総生産Ｙが増加する必要があるためである。

円安が実質国内総生産Ｙを増加させるという結論

円安は式２より実質為替レートＺを上昇させ，Ｚの上昇は式１より純輸出NXを増加させる

式４より，円安は名目利子率の低下と同時に発生するため，式１の投資を増加させる

NXとIの増加は，式１よりＹを増加させるということ

小問②－３

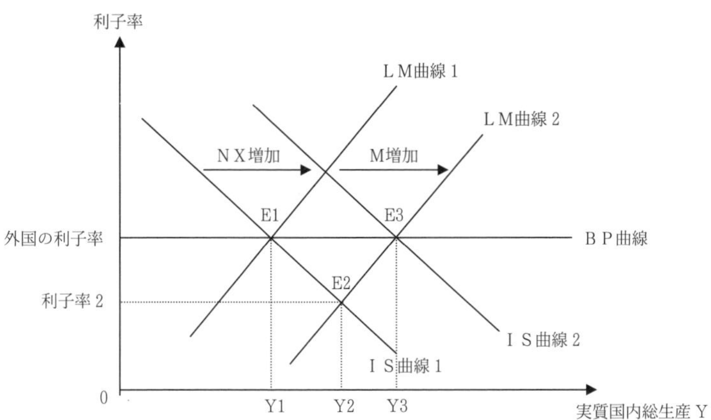

上図において，初期均衡は点Ｅ１であり，均衡実質国内総生産はＹ１，均衡利子率は外国の利子率と一致している。自国の金融緩和政策により，ＬＭ曲線はＬＭ曲線１からＬＭ曲線２へ右方シフトし，実質国内総生産はＹ２に増加し，利子率は利子率２へ低下する。実質国内総生産がＹ２に増加したのは，利子率が利子率２へ低下して投資が増加したためである。金融緩和政策による円安は，純輸出を増加させるため，ＩＳ曲線はＩＳ曲線1からＩＳ曲線２へ右方シフトし，最終的な均衡は，点Ｅ３で示される。点Ｅ３では，均衡実質国内総生産はＹ３，均衡利子率は外国の利子率と一致している。

変動為替相場制度のもとでの金融緩和政策は，閉鎖経済のもとでの金融緩和政策よりも均衡実質国内総生産をより大きく増加させるという意味で，非常に有効な政策である。なお，本モデルでは，金融緩和政策の実施前後の均衡利子率は外国の利子率と一致しているため，最終的な均衡である点Ｅ３では，投資は金融緩和政策の実施前と同水準であり，均衡実質国内総生産がＹ１からＹ３に増加した原因は，すべて円安による純輸出の増加である。

完全資本移動（BP曲線が水平となる）場合の変動為替相場制の下での金融緩和政策の分析

⑵　海外投資家が日本への不動産投資を拡大させているのは，対日不動産投資が次の点で魅力的であるためである。

対日不動産投資の魅力の第１は，日本の不動産価格は，式２の実質為替レートの上昇に示される円安により割安であるためであ

円安により日本の不動産価格が割安になること

る。海外投資家は，例えば，以前と同額のドル貨幣量で，以前よりもより大きな円金額の日本不動産を購入できる。

魅力の第2は，日本の不動産価格は将来的に更なる上昇を期待できることである。日本銀行の金融緩和政策は，式3から現在の名目利子率の下落をもたらすのみならず，金融緩和政策継続表明は，将来の名目利子率の下落を予想させるためである。予想インフレ率一定の下で，名目利子率の下落は，実質利子率の下落をもたらし，不動産価格の上昇をもたらすことになる。また，金融緩和政策継続表明は，式4より，期待為替レートの上昇によりさらなる円安をもたらすことになり，財務省，金融庁，日本銀行にとっても急速な円安が共有認識になっていることから，今後も海外投資家による日本の不動産に対する新規の買いが増加することが期待されるため，日本の不動産価格は将来的に更なる上昇を期待できる。さらに，金融緩和政策継続に起因する日本の将来のインフレ進行の可能性から，実質利子率の下落による不動産価格の上昇も期待できる。

日本の不動産価格の上昇が将来的にも期待できること

魅力の第3は，日本の不動産価格の下落リスクがかなり低いことである。世界的に金融引締め政策を実施している諸国が多い中，日本は例外的に金融緩和政策の継続を表明しており，利子率上昇による不動産価格の下落リスクはかなり低いものである。

日本の不動産価格の下落リスクが低いこと

魅力の第4は，海外投資家のポートフォリオのリスク・ヘッジのためである。海外投資家は，海外の金融当局による金融引締めに伴う利子率上昇に起因する不動産価格の下落に直面しているが，利上げの可能性がかなり低い日本の不動産を保有すれば，海外に保有する不動産価格の下落を日本の不動産価格の上昇で相殺できる可能性が高くなる。

海外投資家の資産運用のリスク・ヘッジのためであること

解答への道

⑴小問①の空欄アについて

Y－T＝C＋S（貯蓄）であるので，この式をY＝C＋S＋Tとして，式1の左辺に代入して整理すると，式1はNX＝(S－I)＋(T－G)と変形できる。(S－I)は貯蓄・投資差額，(T－G)は財政黒字である。NXを経常収支と考えれば，実質利子率が低下すると投資が増加するため，(T－G)の項が一定のとき，(S－I)の項は減少することになり，経常収支は減少する。経常収支の減少と関係がある用語は，「赤字」である。

⑴小問①の空欄イについて

（絶対的）購買力平価とは，名目為替レートが自国と外国の物価水準の比率で決まるというものであり，$E=P/P^*$と定式化できる。式2のEにP/P^*を代入すると，$Z=P/P^*\times P^*/P=1$が得られる。

⑴小問①の空欄ウについて

式3を名目利子率について解くと，$i=L_1/L_2\cdot Y-M/P\cdot 1/L_2$となり，実質貨幣供給量の増加は，左記の式の第2項を減少させるため，名目利子率の低下をもたらす。

⑴小問①の空欄エについて

式4を名目為替レートについて解くと，$E=E^e/(i-i^*+1)$となり，自国の名目利子率が低下すると，自国通貨は，減価する（つまりEが上昇する）ことがわかる。

⑴小問①の空欄オについて

式4において静学的期待形成，すなわち将来の期待為替レートが現在の名目為替レートに一致することを仮定すると，第2項はゼロになるため，式4は，$i=i^*$となるが，この式はBP曲線の式を表わしていて，BP曲線の傾きが水平であることを意味している。

⑴小問②については，【解答例】を参照のこと。

⑵についても，【解答例】を参照のこと。なお，解答に際しては，主として，海外投資家から見ると，円安が日本の不動産価格を割安にすること，土地の理論価格を前提として，利子率の下落（上昇）が不動産価格を上昇（下落）させるという考え方を用いている。

◇令和６年度

問題❶

次の⑴及び⑵の各設問に答えなさい。

⑴　ある都市のワンルーム賃貸アパート市場を考える。この都市のワンルーム賃貸アパートは同質財であり，完全競争市場であると仮定する。市場需要関数はD＝1500－100Ｐで表され，市場供給関数はＳ＝100Ｐで表される。ここでDは需要量（単位：戸），Ｓは供給量（単位：戸），Ｐは家賃（単位：万円）を意味する。

以上を前提として，以下の設問に答えなさい。なお，各設問は独立した別個の問である。

①　均衡取引量（単位：戸）と均衡家賃（単位：万円）を求めなさい。

②　この都市の自治体がワンルーム賃貸アパートの借家人に１戸当たり３万円の家賃補助を支給すると，消費者価格（借家人が支払う金額）と生産者価格（賃貸人が1戸当たり得る金額）がいくらになるか求めなさい。

③　この都市の自治体が上限５万円の家賃規制を設けると，消費者余剰と生産者余剰がいくらになるか求めなさい。

④　ワンルーム賃貸アパートの取引が１戸増えるごとに１万円の限界外部費用（外部損失とも呼ばれる）が生じるとき，最適な取引量を求めなさい。

⑵　東西に４kmにわたる直線道路が整備され，１kmごとに１軒ずつ，計５軒の家が建てられた。これらの家が立地する地点を西端から順にH0，H1，H2，H3，H4とする。道路沿いに２つのクリーニング店（A店とB店）が新規出店を計画している。店舗の立地は，H0，H1，H2，H3，H4の５地点のいずれかに限定される。同一地点にＡ店とＢ店が隣接して出店することも可能である。Ａ店とＢ店は同じ価格で同じサービスを提供するが，戦略的な立地選定により顧客獲得の最大化を図る。どの住民もクリーニング店の利用頻度や量は同じだが，移動費用が距離に比例するため，家から最も近い店舗を利用する。ただし，２つの店舗が同じ距離にある場合，住民は両店舗を交互に利用すると仮定する。

①　ナッシュ均衡において，各クリーニング店はどの地点に出店するか求めなさい（解答記載例：A店はH0を選択し，B店はH1を選択する。）。また，得られた解がナッシュ均衡である理由を，ナッシュ均衡の定義を踏まえて説明しなさい。

②　各クリーニング店がどの地点に出店すれば５軒の住民の総移動距離が最も短くなるか，理由とともに説明しなさい。

解答例

チェック・ポイント

(1)について

①から④に関係する図を下に示した。

① 均衡家賃 P^* は，D＝S より，

$1500-100P=100P \rightarrow 1500=200P^* \rightarrow \therefore P^*=7.5$(万円)(答)

均衡取引量 $D^*=S^*$ は，$P^*=7.5$を市場供給関数に代入して，

$S=100P \rightarrow \therefore S^*=100\times7.5=750$(戸)(答)

> 均衡家賃と均衡取引量の計算

② 借家人に一戸当たり3(万円)の家賃補助を支給すると，市場需要曲線が家賃補助の金額だけ上方へ平行にシフトする。市場需要関数をPについて解くと $P=-0.01D+15$ であり，シフト後の市場需要曲線は，$P=-0.01D+15+3=-0.01D+18$ となる。市場供給関数をPについて解くと，市場供給曲線は $P=0.01S$ である。家賃補助を支給した後の取引量 $D'=S'$ は，$P=-0.01D+18$ と $P=0.01S$ の交点であるから，

> 家賃補助支給後の市場需要曲線の式

$-0.01D+18=0.01S \rightarrow 18=0.01S'+0.01S' \rightarrow 18=0.02S' \rightarrow \therefore S'=900$(戸)

> 家賃補助支給後の取引量の計算

生産者価格 P'' は，$S'=900$ を $P=-0.01D+18$ の D に代入することにより，

$P=-0.01D+18 \rightarrow P=-0.01\times900+18=9$ ∴生産者価格 $P''=9$(万円)(答)

> 生産者価格の計算

消費者価格 P' は，$S'=900$ を $P=-0.01D+15$ の D に代入することにより，

$P=-0.01D+15 \rightarrow P=-0.01\times900+15=6$ ∴消費者価格 $P'=6$(万円)(答)

> 消費者価格の計算

③ 上限5(万円)の家賃規制を設けたときの市場供給量 $\bar{S}$ は，$\bar{P}=5$ を $P=0.01S$ に代入してSについて解くと，$P=0.01S \rightarrow 5=0.01S \rightarrow \bar{S}=500$(戸)であり，これが家賃規制を設けたときの取引量である。よって，家賃規制を設けたときの消費者余剰＝□AJIH＝$(5+10)\times500\times1/2=3750$(答)，生産者余剰＝△J0I＝$5\times500\times1/2=1250$(答)と求められる。

> 家賃規制後の取引量の計算

> 家賃規制後の消費者余剰と生産者余剰の計算

④　社会的限界費用曲線の式は，市場供給曲線(私的限界費用曲線)の式 $P=0.01S$ に限界外部費用(限界損失) $ML=1$(万円)を加算することにより，$P=0.01S+1$ と求められるので，最適な取引量 $D^{**}=S^{**}$ は，市場需要曲線と社会的限界費用曲線の交点であり，

社会的限界費用曲線の式

$-0.01D+15=0.01S+1 \rightarrow -0.01S^{**}+15=0.01S^{**}+1 \rightarrow 14=0.02S^{**}$

$\rightarrow \therefore S^{**}=700$(戸)(答)

最適な取引量の計算

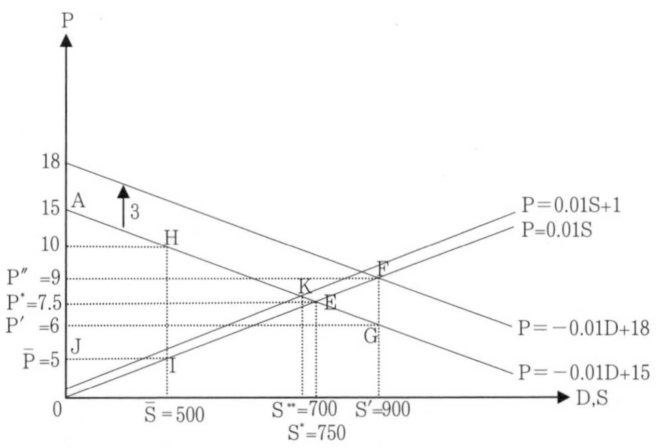

①から④に関係する図

(2)について

①　ナッシュ均衡においては，A店はH 2を選択し，B店もH 2を選択する(答)。理由は，次のとおりである。ナッシュ均衡とは，互いに相手が戦略を変更しない限り自らも戦略を変更するインセンティブをもたない状態(互いに相手に対して最適に反応しあっている状態)をいう。B店がH 2を選択すると予想する場合，A店もH 2を選択すれば2.5軒の顧客を獲得できるが，A店がH1またはH 3を選択すると顧客は 2 軒に減少し，A店がH 0またはH 4を選択すると顧客は1.5軒に減少するため，A店は顧客獲得を最大化できるH 2を選択することが，B店がH 2を選択することに対する最適反応となっている。同様に，A店がH 2を選択すると予想する場合，B店もH 2を選択すれば2.5軒の顧客を獲得できるが，B店がH 1ま

ナッシュ均衡の指摘

ナッシュ均衡の定義

(H 2，H 2)がナッシュ均衡となる理由

たはＨ３を選択すると顧客は２軒に減少し，Ｂ店がＨ０またはＨ４を選択すると顧客は1.5軒に減少するため，Ｂ店は顧客獲得を最大化できるＨ２を選択することが，Ａ店がＨ２を選択することに対する最適反応となっているためである。

② Ａ店とＢ店の様々な立地の組合せによる５軒の住民の総移動距離を求めると，最も長い総移動距離は10kmであり，Ａ店とＢ店がともにＨ０またはＨ４に立地する場合に該当する。最も短い総移動距離は３kmであり，該当する立地の組合せは，

（ｉ）Ａ店がＨ１を選択しＢ店がＨ３を選択する場合，もしくはＡ店がＨ３を選択しＢ店がＨ１を選択する場合

（ii）Ａ店がＨ０を選択しＢ店がＨ３を選択する場合，もしくはＡ店がＨ３を選択しＢ店がＨ０を選択する場合

（iii）Ａ店がＨ１を選択しＢ店がＨ４を選択する場合，もしくはＡ店がＨ４を選択しＢ店がＨ１を選択する場合

のいずれかとなる(答)。いずれの場合も，店舗のない立地に住む住民は最小の３人となり，その住民らは１kmずつの移動だけですむからである（答)。

総移動距離の最長と最短の指摘

総移動距離が最も短くなる立地の組合わせの指摘とその理由

解答への道

小問(1)について

設問①は，賃貸アパート市場の均衡取引量と均衡家賃の計算である。賃貸アパート市場の均衡条件式Ｄ＝Ｓを解くことにより均衡家賃を求め，均衡家賃を市場需要関数または市場供給関数に代入することにより均衡取引量が得られる。

設問②は，アパートの借家人に家賃補助を支給する場合の消費者価格と生産者価格の計算である。アパートの借家人に対する家賃補助の支給は，アパートの市場需要曲線を家賃補助の金額だけ上方へ平行にシフトさせることがポイントになる。シフト後の市場需要曲線を求める場合には，市場需要関数をＰについて解いてから，その「Ｐ＝～」の式に家賃補助の金額を加算する必要がある。本問の生産者価格とは，市場供給曲線とシフト後の市場需要曲線の交点に対応する価格であり，市場価格とも呼ばれる。一方で，消費者価格とは，市場価格である生産者価格から家賃補助金を控除した価格となる。描いたグラフを確認しながら計算

した方が計算ミスをなくすことができる。

設問③は，家賃規制を設けた場合の消費者余剰と生産者余剰の計算である。ここでも，描いたグラフを確認しながら計算した方が計算ミスをなくすことができる。

設問④は，市場供給曲線(私的限界費用曲線)P＝0.01S に限界外部費用（限界損失）ML＝1(万円)を加算した社会的限界費用曲線 P＝0.01S＋1と市場需要曲線の交点が最適な取引量になることがポイントである。

小問(2)について

設問①は，ホテリングの立地競争モデルにおけるナッシュ均衡となる立地の組合せ（均衡立地の組合せ）の問題である。本問はゲーム理論の問題であるが，距離が登場するという特殊なモデルである。線分上に等間隔で存在する土地のうち，中央に存在する同じ土地上に2つの企業が隣接して立地することがナッシュ均衡になるということを知っていれば良いが，知らない場合には，5つの立地を戦略とする利得表を完成させてナッシュ均衡をさがすことになるので，多くの時間と労力が必要となり，解くのはかなり難しかったと思われる。ナッシュ均衡の定義を示すのが精一杯であろう。

設問②は，同じくホテリングの立地競争モデルにおける住民の総移動距離が最も短くなる立地の組合せ（最適立地の組合せ）の問題である。本問が初見でも，設問①とは異なり，5つの立地を示した線分の図を描いて，5軒の住民にとってなるべく近い立地で，なおかつ店が極端に遠方に立地しないような組合せを考えれば，5軒の住民の総移動距離が最も短くなる立地の組合せを見つけることは困難ではないと思われる。

MEMO

問題❷

次の⑴及び⑵の各設問に答えなさい。

⑴ 国民経済計算（以下，「ＳＮＡ」という。）においては，「持ち家」について，もしそれが借家であれば，どの程度の家賃となるのかを推定し，その大きさ（帰属家賃）を国内総生産（以下，「ＧＤＰ」という。）に含めることとされている。

① ＳＮＡにおいて，「持ち家」について，なぜこのような計算が行われ，ＧＤＰに含まれるのかを説明しなさい。

② 日本における近年の帰属家賃は，年間どの程度か。「何十兆円」単位で答えなさい。参考として，2022年度のＧＤＰは566兆円，国民可処分所得は452兆円である。また，2018年の居住世帯のある住宅数は5,361万6千戸，うち持ち家は3,280万2千戸であり，持ち家住宅率は61.2%となっている。

出典）内閣府「2022年度国民経済計算」，総務省「平成30年住宅・土地統計調査」

⑵ 次の文章は，地価と，それに関連するマクロ諸変数との関係を述べたものである。以下の①から③の各設問に答えなさい。

地価は，地代よりも，より不規則かつ極端に動くことが知られている。このことを考察するために，地価と地代，及び関連するいくつかのマクロ諸変数の関係を分析する。なお，ここでは不動産をめぐる税制や，様々な資産のリスクの違いを反映したリターンの差異（リスクプレミアム）は考慮しないこととする。

ある時点 t における地価を P_t，地代を R_t とする。地代上昇率は物価上昇率（インフレ率）と同じであるとし，g とする。地代上昇率 g は一定の値をとり続けると期待されるとする。

現金で P_t を支払って土地を購入し，1年間保有した後に手元に残る現金は，地代収入と土地の売却による収入，つまり $R_t+P^e_{t+1}$ となる。ここで，P^e_{t+1} は，時点 t から1年後の $t+1$ 時点の地価の期待値である。一方，同じ金額を，例えば債券などの代替的な金融資産で運用した場合，1年後に手元に残る現金は $(1+i)P_t$ となる。ここで i は名目利子率であり，一定の値をとり続けると期待されるとする。地価は，これらのリ

ターンが同じとなるように決まってくると考えると，

$$(1+i)P_t=R_t+P^e_{t+1} \quad \cdots式1$$

が成立する。$t+1$ 時点の地価の期待値と $t+2$ 時点の地価の期待値との関係，及びそれ以降の連続する2つの時点の地価の期待値の関係も，式1と同様に表すことができる。こうして得られる式を用いて，P^e_{t+1}，P^e_{t+2}，P^e_{t+3}，…を順番に代入して消去していき，さらに，i が g よりも [ア] と仮定するなら，現時点の地価は以下のように表される。

$$P_t=\frac{R_t}{i-g} \quad \cdots式2$$

式2から，地価は，地代の$1/(i-g)$ 倍となり，また，地代上昇率やインフレ率と同じ率 g で上昇していくことがわかる。

次に，名目利子率 i や，地代上昇率・インフレ率 g が予期せず変化した場合の地価の反応を考える。

もともと，名目利子率が0.5%，インフレ率が0.1%であったとする。しかし，ある年に，インフレ率はそのままで，名目利子率が0.2%まで低下したとする。なお，この変化はそれ以前には予期されていなかったとする。そして，これ以降はこの新しい名目利子率が継続すると期待されるとする。地価は，前年まで [イ－1] %で [イ－2] ，来年以降は [ウ－1] %で [ウ－2] する。しかし，前年から予期せぬ変化が起きた今年にかけて， [ウ－1] %を上回る率で [ウ－2] する。

次に，もともと名目利子率が0.2%，インフレ率が0.1%であったが，ある年に，名目利子率はそのままで，今度はインフレ率がマイナス0.5%まで低下したとする。なお，この変化はそれ以前には予期されていなかったとする。そして，それ以降はこの新しいインフレ率が継続すると期待されるとする。地価は，前年まで [エ－1] %で [エ－2] ，来年以降は [オ－1] %で [オ－2] する。前年から今年にかけては， [オ－1] %を [カ] 率で [オ－2] する。

① 文中の空欄（アからカ）に入る最も適切な用語又は数字を答えなさい。なお，空欄アには「高い」，「低い」のいずれかを，空欄イ－2，ウ－2，エ－2，オ－2には「上昇」，「低下」のいずれかを，これらに対応する空欄イ－1，ウ－1，エ－1，オ－1には，上昇率又は低下率の絶対値

となるパーセンテージの数字をそれぞれ答えなさい。また，空欄カには「上回る」，「下回る」のいずれかを答えなさい。なお，同じ記号には同じ用語又は数字が入る。

② 設備投資を促して景気を浮揚させたいと考えているとする。設備投資の意思決定には，名目利子率よりも実質利子率の方が重要である理由を説明しなさい。

③ 上記の名目利子率は，通常，10年物国債の利回りなどを想定しており，これが低い状態というのは，政策金利がすでにゼロに達している状況であると考えられる。この状況から実質利子率を低下させるためには，どのような金融政策が考えられるか述べなさい。

解答例

チェック・ポイント

(1)

小問①

ＧＤＰとは国内で１年間に生産された付加価値のことであり，モノだけでなくサービスからの付加価値も含める。自分の持ち家を借家として他人に貸し出す場合に住宅サービスの付加価値が生まれるならば，貸し出さずに自ら住む場合でも同様の住宅サービスを自分自身が享受しており，付加価値が発生していると考えられる。ならば，住宅サービスの対価としての家賃の支払いがあるか否かに関わらず，発生した付加価値をＧＤＰの計算に含める必要がある。よって持ち家に住む人があたかも自らに家賃を払っているかのように擬制して，想定家賃をＧＤＰに加えているのである。

（ＧＤＰの定義）

（帰属家賃推定の必要性と帰属家賃をＧＤＰに含める理由）

小問②

日本における年間の帰属家賃は約50兆円である。

（わが国の年間の帰属家賃の金額）

(2)

小問①

ア　高い	イ－１ 0.1	イ－２ 上昇	ウ－１ 0.1	ウ－２ 上昇
エ－１ 0.1	エ－２ 上昇	オ－１ 0.5	オ－２ 低下	カ　上回る

空欄補充

小問②

実質利子率とは名目利子率から予想インフレ率を差し引いたものである。設備投資の決定は，追加的な投資から見込まれる収益率である投資の限界効率が，その投資に必要な資本のレンタルコストと等しいところでなされる。このレンタルコストとは債務に対して支払う利息のことであり，名目利子率によって決まる。しかしインフレが予想されるなら，返済するまでの間にその債務の元本価値はインフレの分だけ実質的に目減りし返済負担が軽くなる。つまり実質的なレンタルコストは名目利子率から予想インフレ率を差し引いた実質利子率によって決まり，インフレ予想が高まることで実質利子率が下がればレンタルコストも下がるため，限界効率の低い投資まで行われるようになる。したがって，設備投資の意思決定は名目利子率よりも実質利子率に影響される。

実質利子率の定義

設備投資の意思決定が実質利子率に影響される理由

小問③

実質利子率とは名目利子率から予想インフレ率を差し引いたものなので，実質利子率を低下させるには名目利子率を下げるか，もしくは予想インフレ率を高める政策が必要になる。

本問の状況において名目利子率をさらに下げる金融政策としては，短期金利及び長期金利の調整を一体的に行うイールドカーブ・コントロールが挙げられる。国債の買い入れによって長期金利の指標である10年物国債の利回りを０％程度に抑え，同時に金融機関が日本銀行に預けている当座預金残高にマイナス金利を適用して短期金利を誘導し，短期から長期まで金利全体の動きをコントロールする手段である。

また，予想インフレ率を高める金融政策としてはオーバーシュー

実質利子率を低下させる２つの方法

名目利子率を低下させる金融政策

ト型コミットメントが考えられる。インフレ率の目標値を日本銀行が明確に示し，実際のインフレ率がその値を安定的に超えるまで金融緩和の継続を公約することで，人々のインフレ期待に直接働きかけて予想インフレ率を上昇させる政策である。

予想インフレ率を高める金融政策

これら二つを組み合わせることで実質利子率を低下させることが可能だと考えられる。

結論

解答への道

⑴小問①の帰属家賃について

市場で取引されず対価の支払いが発生しない経済活動の一部もＧＤＰの計算に含めるという帰属計算の一つが帰属家賃である。市場で取引された場合の価格を推定してその価値を評価する。

⑴小問②の年間の帰属家賃の額について

【解答例】を参照のこと。なお，ＧＤＰのおよそ１割である。

⑵小問①の空欄アについて

式２の地価 P_t がプラスであるためには $i>g$ でなければならないことから判断ができる。

⑵小問①の空欄イ～カについて

名目利子率 i とインフレ率 g が一定の値のままで変化しなければ，問題の文中にあるように地価はインフレ率 g と同じ率で上昇する。これは式２を $R_t=(i-g)P_t$ に変形して式１に代入すれば，$P^e_{t+1}=(1+g)P_t$ と導き出せることからもわかる。

また，名目利子率 i とインフレ率 g に予期せぬ変化が起きた場合，式２より名目利子率 i が低下すると右辺の分母が小さくなり地価 P_t が上昇し，インフレ率 g が低下すると右辺の分母が大きくなり地価 P_t が下落する。$i<1$，$-1<g<1$ であり，地価 P_t は地代 R_t の $1/(i-g)$ 倍になることを考えると，倍数の分母が１未満になるため，地価 P_t の変化の割合は i や g の変化を上回る。

⑵小問②について

【解答例】を参照のこと。

⑵小問③について

【解答例】を参照のこと。なお，令和 4 年度の過去問の問題 2 の文中に今回の解答となる内容が説明されている。

もうだいじょうぶ!! シリーズ

2025年度版　不動産鑑定士　経済学　過去問題集

（2002年度版　2002年３月10日　初版　第１刷発行）
2024年10月25日　初　版　第１刷発行

編著者　ＴＡＣ株式会社
（不動産鑑定士講座）
発行者　多田敏男
発行所　ＴＡＣ株式会社　出版事業部
（TAC出版）

〒101-8383
東京都千代田区神田三崎町3-2-18
電話 03（5276）9492（営業）
FAX 03（5276）9674
https://shuppan.tac-school.co.jp

印刷　株式会社　ワコー
製本　東京美術紙工協業組合

ISBN 978-4-300-11227-4
N.D.C. 673

TACから始まります！
合格しました！

丁寧にバランスの良い勉強

山口 涼也さん
1年本科生
Web通信講座

講義の内容はもちろんですが、講義や答練の後に質問に行くことが多かったですが、遅い時間であっても、その質問の対応をしていただき、回答の内容も自分のほしいものを的確に答えていただけることが多く、ありがたかったです。

自分なりに出来ることを全てやる、ベストを尽くす

岩瀬 基彦さん
10ヵ月本科生
DVD通信講座

自習室は平日休日とも空いていて、使用する方も皆さん勉強に集中されており、自分も頑張ろうというモチベーションの中で勉強に励むことが出来ました。適度な間隔で勉強方法の紹介などのオンラインイベントがあったり、講師にオンラインで質問できるコーナーがあったため、通信生である中で疑問点の解消やモチベーション維持に当たって大変助かりました。

一発合格

人に頼り、期待に応える！

小倉 康一郎さん
10ヵ月本科生
教室講座

答練を教室受講できたことは良かったと思います。教室の場合だと、答練を受講する日時が決まっているので後回しにできなくなります。結果的に、その答練に向けて、復習をしなければならないという気持ちになり、復習のペースを維持することができました。

自分なりの勉強スタイルを確立し、やり抜く

小西 克典さん
上級本科生
Web通信講座

講師の先生方の講義はとても熱意をもって説明いただき、受講者が疑問に持ちやすい論点などを先回りして、説明してくれるため、手戻りなく勉強することができました。また、勉強の姿勢や効率的な勉強法など、参考になる情報も教えていただき、良かったと思います。

圧倒的な合格実績！

011年から13年間（2011年～2023年度）累計の合格者1,509名中、
'AC不動産鑑定士講座講座生※1合計は1,074名、
3年間累計の合格者占有率※2は71.1%でした（2023年12月1日現在）。
1名(2011年)+82名(2012年)+73名(2013年)+67名(2014年)+76名(2015年)+76名(2016年)+
6名(2017年)+82名(2018年)+85名(2019年)+95名(2020年)+91名(2021年)+93名(2022年)+87名(2023年)

1 講座生とは各目標年度の試験に合格するために必要と考えられる講義・答案練習・公開模試・法改正等をパッケージ化したカリキュラムの受講者です。講座生はそのボリュームから他校の講座生と掛け持ちすることは困難です。
2 合格者占有率は「TAC講座生※1合格者数」を「不動産鑑定士論文式試験合格者数」で除して算出し、小数点第2位を切り捨てています。

13年間（2011年～2023年）累計の
論文式試験合格者占有率※2

TAC講座生※1

71.1%

書籍の正誤に関するご確認とお問合せについて

書籍の記載内容に誤りではないかと思われる箇所がございましたら、以下の手順にてご確認とお問合せをしてくださいますよう、お願い申し上げます。
なお、正誤のお問合せ以外の**書籍内容に関する解説および受験指導などは、一切行っておりません。**
そのようなお問合せにつきましては、お答えいたしかねますので、あらかじめご了承ください。

1 「Cyber Book Store」にて正誤表を確認する

TAC出版書籍販売サイト「Cyber Book Store」の
トップページ内「正誤表」コーナーにて、正誤表をご確認ください。

CYBER BOOK STORE TAC出版書籍販売サイト

URL:https://bookstore.tac-school.co.jp/

2 1の正誤表がない、あるいは正誤表に該当箇所の記載がない ⇒ 下記①、②のどちらかの方法で文書にて問合せをする

★ご注意ください★

お電話でのお問合せは、お受けいたしません。
①、②のどちらの方法でも、お問合せの際には、「お名前」とともに、
「対象の書籍名(○級・第○回対策も含む)およびその版数(第○版・○○年度版など)」
「お問合せ該当箇所の頁数と行数」
「誤りと思われる記載」
「正しいとお考えになる記載とその根拠」
を明記してください。
なお、回答までに1週間前後を要する場合もございます。あらかじめご了承ください。

① ウェブページ「Cyber Book Store」内の「お問合せフォーム」より問合せをする

【お問合せフォームアドレス】

https://bookstore.tac-school.co.jp/inquiry/

② メールにより問合せをする

【メール宛先 TAC出版】

syuppan-h@tac-school.co.jp

※土日祝日はお問合せ対応をおこなっておりません。
※正誤のお問合せ対応は、該当書籍の改訂版刊行月末日までといたします。

乱丁・落丁による交換は、該当書籍の改訂版刊行月末日までといたします。なお、書籍の在庫状況等により、お受けできない場合もございます。
また、各種本試験の実施の延期、中止を理由とした本書の返品はお受けいたしません。返金もいたしかねますので、あらかじめご了承くださいますようお願い申し上げます。

(2022年7月現在)

TAC PG

124-9903-1005-19